Das Buch

Der amerikanische Geheimdienst vermutet hinter den altehr-
würdigen Mauern der Carlyle University die Zentrale einer
kriminellen Organisation, die immer dreister Einfluß auf den
Drogenhandel und das illegale Glücksspiel nimmt. Kopf der
neuen Organisation, die sich mit brutaler Gewalt in der Unterwelt breitmacht, ist Nimrod – Deckname für einen Mann
aus der Universität, dessen Identität niemand kennt. Auch
die Mafia verfolgt Nimrods Aktivitäten mit größtem Miß-
trauen.

James B. Matlock, Dozent an der Carlyle University, hat eine Biographie, die ihn für den Geheimdienst interessant
macht. Er hat eine unrühmliche Dienstzeit bei der Army und
ein erfolgreiches Studium der englischen Literatur hinter
sich. Aber was noch wichtiger ist: Sein jüngerer Bruder starb
an Drogen. Genau der richtige Mann, um Jagd auf Nimrod zu
machen. Matlock nimmt den Auftrag an und knüpft erste
Kontakte zur Unterwelt, um Nimrod auf die Spur zu kommen – ein mörderisches Spiel, das viele Opfer fordert. Aber
Matlock schlägt alle Drohungen Nimrods in den Wind.

Der Autor

Robert Ludlum wurde 1927 in New York geboren. Nach dem
Zweiten Weltkrieg, den er im Pazifik verbrachte, kehrte er
nach New York zurück und wurde Schauspieler. Er hatte im
Fernsehen und beim Theater Erfolg. Trotzdem beschloß er
mit Vierzig, diesen Beruf aufzugeben.

1971 erschien sein erstes Buch, *Das Scarlatti-Erbe* (01/9407).
Schon dieser Debütroman erreichte Platz 1 auf den Bestseller-
listen. Seither wurden alle seine Romane Riesenerfolge, zum
Beispiel *Das Osterman-Wochenende* (01/5803), *Das Scarlatti-Erbe* (01/9407), *Die Scorpio-Illusion* (01/9608), *Die Lennox-Falle*
(01/10319), *Der Ikarus-Plan* (01/10528).

Ludlum lebt in Florida.

ROBERT LUDLUM

DIE MATLOCK-AFFÄRE

Roman

Aus dem Amerikanischen
von Heinz Nagel

Deutsche Erstausgabe

WILHELM HEYNE VERLAG
MÜNCHEN

HEYNE ALLGEMEINE REIHE
Nr. 01/10802

Titel der Originalausgabe
THE MATLOCK-PAPER

Umwelthinweis:
Das Buch wurde auf
chlor- und säurefreiem Papier gedruckt.

Der Titel erschien bereits in der Allgemeinen Reihe
mit der Band-Nr. 01/5723.

4. Auflage

ISBN 3-453-14763-4

http://www.heyne.de

1

Loring verließ das Justizministerium durch den Seitenausgang und sah sich nach einem Taxi um. Es war fast halb sechs, ein Freitag im Frühling, und die Straßen Washingtons waren völlig verstopft. Loring stand am Straßenrand und hob die linke Hand, hoffte auf sein Glück. Er war gerade im Begriff aufzugeben, als ein Taxi, das dreißig Fuß weiter unten an der Straße einen Fahrgast aufgenommen hatte, vor ihm anhielt.

»Fahren Sie in östlicher Richtung, Mister? Der Herr hat gesagt, es würde ihm nichts ausmachen.«

Loring war es immer peinlich, wenn so etwas geschah. Er zog unbewußt den rechten Arm zurück, so daß sein Ärmel den größten Teil seiner Hand bedeckte – und damit die dünne, schwarze Kette, die sich um sein Handgelenk schlang und es mit dem Griff der Aktentasche verband.

»Danke, sehr liebenswürdig. Aber ich muß an der nächsten Ecke abbiegen.«

Er wartete, bis das Taxi sich wieder in den Verkehrsstrom eingereiht hatte, und setzte dann sein vergebliches Winken fort.

Gewöhnlich war sein Geist in einer solchen Lage wach, waren seine Gefühle auf Wettbewerb ausgerichtet. Normalerweise pflegten seine Augen dann in beide Richtungen zu huschen, nach Taxis zu suchen, die gerade im Begriff waren, ihre Fahrgäste aussteigen zu lassen, suchten die Ecken nach den schwach beleuchteten Lichtzeichen auf dem Dach ab, die anzeigten, daß dieses spezielle Fahrzeug zu haben war, wenn man nur schnell genug rannte.

Aber heute war Ralph Loring gar nicht nach Laufen zumute. An diesem Freitag stand sein ganzes Bewußtsein unter dem Druck einer schrecklichen Realität. Er war gerade Zeuge gewesen, wie man einen Mann zum Tode verurteilt hatte. Einen Mann, dem er noch nie begegnet war, aber von dem er viel wußte. Ein Mann von dreiunddreißig Jahren, der in einer kleinen Stadt in New England, vierhundert Meilen entfernt, lebte und nichts von der Existenz Lorings wußte, geschweige denn von dem Interesse, das das Justizministerium ihm entgegenbrachte.

Lorings Gedanken kehrten immer wieder in den großen Konferenzsaal mit dem mächtigen rechteckigen Tisch zurück, an dem die Männer saßen, die das Urteil gefällt hatten.

Er hatte heftigen Widerstand geleistet. Das war das mindeste, was er für den Mann tun konnte, dem er nie begegnet war, den Mann, den man mit solcher Präzision in eine solch unerträgliche Position manövrierte.

»Darf ich Sie darauf hinweisen, Mr. Loring«, sagte ein stellvertretender Staatsanwalt, der einmal Marinerichter gewesen war, »daß man in jeder Kampfsituation einige grundlegende Risiken eingeht. Man erwartet immer einen gewissen Prozentsatz an Ausfällen.«

»Die Umstände sind hier anders. Dieser Mann ist nicht ausgebildet. Er wird nicht wissen, wer oder wo der Feind ist. Wie könnte er das? Wir wissen es selbst nicht.«

»Genau.« Diesmal hatte ein weiterer stellvertretender Staatsanwalt gesprochen. Er stammte aus irgendeiner Rechtsabteilung einer großen Firma. Ein Mann, der Ausschußsitzungen liebte und, wie Loring vermutete, überhaupt nicht imstande war, ohne einen solchen Ausschuß Entscheidungen zu treffen. »Unser Objekt ist hochgradig beweglich. Sehen Sie sich doch das psychologische Profil an: ›defekt, aber außergewöhnlich mobil‹. Genauso steht es da. Er ist die logische Wahl.«

»›Defekt, aber mobil‹! Was, um Himmels willen, bedeutet das? Darf *ich* diesen Ausschuß daran erinnern, daß ich fünfzehn Jahre im Feld gearbeitet habe. Psychologische Profile sind nur Richtlinien aus einem groben Raster, aufs Geratewohl getroffen. Ich würde ebensowenig einen Mann mit einem Infiltrationsproblem betrauen, ohne ihn gründlich zu kennen, wie ich die Verantwortung für ein NASA-Projekt übernehmen würde.«

Der Vorsitzende des Ausschusses, ein Profi, der Karriere gemacht hatte, hatte Loring geantwortet.

»Ich kann Ihre Vorbehalte verstehen; normalerweise würde ich Ihnen beipflichten. Aber hier handelt es sich nicht um normale Umstände. Wir haben kaum drei Wochen Zeit. Der Zeitfaktor ist wichtiger als die üblichen Vorsichtsmaßnahmen.«

»Das ist ein Risiko, mit dem wir leben müssen«, sagte der ehemalige Marinerichter würdevoll.

»*Sie* leben ja nicht damit«, erwiderte Loring.

»Wollen Sie von dem Kontakt entbunden werden?« Der Vorsitzende meinte das Angebot absolut ehrlich.

»Nein, Sir. Ich werde es tun. Widerstrebend. Ich möchte, daß das festgehalten wird.«

»Eines noch, ehe wir die Sitzung schließen.« Der Mann aus der Rechtsabteilung beugte sich vor. »Und das kommt von ganz oben. Wir waren alle übereinstimmend der Ansicht, daß unser Objekt hochgradig motiviert ist. Das geht ganz deutlich aus dem Profil hervor. Ebenso klar muß aber gesagt werden, daß jede Unterstützung, die diesem Ausschuß seitens des Objekts zuteil wird, aus freien Stücken und freiwillig gegeben wird. Wir sind in dem Punkt leicht verletzbar. Wir können nicht, ich wiederhole, *können unter keinen Umständen* Verantwortung übernehmen. Wenn es möglich ist, sollte aus den Akten hervorgehen, daß das Objekt an *uns* herangetreten ist.«

Ralph Loring hatte sich angewidert von dem Mann abgewandt.

Der Verkehr war inzwischen eher noch dichter geworden. Loring hatte sich schon beinahe dafür entschieden, die ungefähr zwanzig Blocks bis zu seiner Wohnung zu Fuß zu gehen, als neben ihm ein weißer Volvo anhielt.

»Steigen Sie ein! Mit so erhobener Hand sehen Sie ja albern aus.«

»Oh, Sie sind es. Vielen Dank.« Loring öffnete die Tür und schob sich auf den engen Vordersitz. Er stellte sich die Aktentasche auf den Schoß.

Er brauchte die dünne schwarze Kette um sein Handgelenk nicht zu verbergen. Cranston war ebenfalls ein Außendienst-Mann, ein Spezialist für Übersee. Cranston hatte den größten Teil der Vorarbeiten für den Auftrag geleistet, für den Loring jetzt verantwortlich war.

»Das war eine lange Sitzung. Haben Sie etwas erreicht?«

»Grünes Licht.«

»Höchste Zeit.«

»Wir hatten zwei stellvertretende Staatsanwälte und ein besorgtes Memorandum vom Weißen Haus.«

»Gut. Die Geo-Abteilung hat heute morgen die letzten Berichte von Force-Mediterranean bekommen. Eine Unmenge von Routen sind geändert worden. Alles bestätigt. Die Felder in Ankara und in Konya im Norden, die Projekte in Sidi Barrani und Rashid, selbst die algerischen Kontingente reduzieren systematisch ihre Produktion. Das wird recht schwierig werden.«

»Was zum Teufel wollen Sie denn? Ich dachte, es ginge darum, sie auszumerzen. Ihr seid doch nie zufrieden.«

»Das wären Sie auch nicht. Routen, die wir kennen, können wir unter Kontrolle halten; aber was um Gottes willen wissen wir schon von Orten wie … Porto Belocruz, Pilcomayo, ein halbes Dutzend Namen in Paraguay, Brasilien und Guayana, die keiner aussprechen kann? Die Dinge haben sich völlig verändert, Ralph.«

»Dann holen Sie doch die Südamerika-Spezialisten. Die CIA wimmelt doch förmlich von den Leuten.«

»Geht nicht. Nicht einmal Karten dürfen wir verlangen.«

»Das ist doch albern.«

»Das ist Spionage. Wir halten uns sauber. Wir gehen streng nach den Regeln von Interpol vor; keine Sondertouren. Ich dachte, das wissen Sie.«

»Weiß ich auch«, erwiderte Loring müde. »Trotzdem ist es albern.«

»Sie kümmern sich um New England, USA. Wir übernehmen die Pampas oder was sie sonst sind – so läuft das.«

»New England, USA, ist ein verdammter Mikrokosmos. Das ist es, was mir Angst macht. Was ist denn aus all diesen poetischen Schilderungen von rustikalen Gartenzäunen,

Yankeegeist und mit Efeu bedeckten Ziegelmauern geworden?«

»Die Poesie ist anders geworden. Sie müssen eben zusehen, daß Sie da irgendwie mitkommen.«

»Ihr Mitgefühl ist überwältigend. Vielen Dank.«

»Sie klingen so entmutigt.«

»Die Zeit reicht nicht ...«

»Das tut sie doch nie.« Cranston lenkte den kleinen Wagen in eine schnellere Spur, nur um dann an der Ecke Nebraska und Achtzehnte Straße festzustellen, daß die Spur verstopft war. Seufzend schaltete er in den Leerlauf und zuckte die Achseln. Er sah zu Loring hinüber, der seinerseits ausdruckslos die Windschutzscheibe anstarrte. »Zumindest haben Sie grünes Licht bekommen. Das ist schon etwas.«

»Sicher. Aber das falsche Personal.«

»Oh ..., verstehe. Ist er das?« Cranston deutete mit einer Kopfbewegung auf Lorings Aktentasche.

»Das ist er. Vom Tag seiner Geburt an.«

»Wie heißt er denn?«

»Matlock. James B. Matlock II. Das B steht für Barbour, sehr alte Familie – zwei sehr alte Familien. James Matlock, B.A., M.A., Ph.D. Eine Koryphäe auf dem Gebiet der gesellschaftlichen und politischen Einflüsse auf die Literatur des Elisabethanischen Zeitalters. Was sagen Sie jetzt?«

»Du großer Gott! Und das ist seine Qualifikation? Wo fängt er denn an, Fragen zu stellen? Beim Fakultätstee für pensionierte Professoren?«

»Nein. Das wäre nicht so schlimm; jung genug ist er. Seine Qualifikation wird von der Sicherheitsabteilung mit ›defekt, aber außergwöhnlich mobil‹ umschrieben. Ist das nicht ein reizender Satz?«

»Richtig anregend. Und was soll das bedeuten?«

»Das soll einen Mann beschreiben, der nicht besonders nett ist. Wahrscheinlich wegen irgendwelcher dunkler Punkte in seinen Militärakten oder einer Scheidung – ich bin sicher, daß es diese Militärgeschichte ist –, aber er ist trotz dieses unüberwindlichen Handikaps sehr beliebt.«

»Ich mag ihn bereits.«

»Das ist mein Problem. Ich nämlich auch.«

Die beiden Männer verstummten. Cranston war lange genug im Außendienst tätig gewesen, um es zu spüren, wann ein Kollege für sich alleine denken mußte. Gewisse Schlüsse – oder zumindest Rechtfertigungen – alleine ziehen mußte. Die meiste Zeit war das einfach.

Ralph Loring dachte über den Mann nach, dessen Leben so vollständig in seiner Aktentasche ruhte, aus einem Dutzend Datenbanken zusammengezogen. James Barbour Matlock war sein Name, aber die Person, die hinter dem Namen stand, wollte noch keine Form annehmen. Und das störte Loring: Matlocks Leben war von unangenehmen, ja gewaltsamen Ungereimtheiten bestimmt worden.

Er war der einzige überlebende Sohn zweier ältlicher, ungemein wohlhabender Eltern, die ihre Pension unter sehr angenehmen Lebensumständen in Scarsdale, New York, verlebten. Die Ausbildung, die er mitgemacht hatte, war typisch für das Establishment der Ostküste: Andover und Amherst, in der angemessenen Erwartung einer beruflichen Karriere in Manhattan – im Bankwesen, als Makler oder in der Werbebranche. In den Aufzeichnungen, die seine Schulzeit und seine frühen Universitätsjahre schilderten, gab es nichts, was auf eine Abweichung von diesem Muster deutete. Tatsächlich schien seine Verehelichung mit einem Mädchen aus der prominenten Gesellschaft von Greenwich das noch zu bestätigen.

Und dann widerfuhr James Barbour Matlock einiges, und Loring wünschte, er könnte es verstehen. Zuerst die Militärzeit.

Es war Anfang der sechziger Jahre, und wenn Matlock einer sechsmonatigen Verlängerung seiner Dienstzeit zugestimmt hätte, hätte er irgendwo ein bequemes Leben hinter einem Schreibtisch, als Offizier in der Zahlmeisterei oder dergleichen, verleben können – wahrscheinlich, wenn man die Beziehungen seiner Familie bedachte, sogar in Washington oder New York. Statt dessen las sich seine Dienstakte wie die eines Halbstarken: eine Anzahl von Verstößen und Insubordinationen, die ihm einen höchst unerwünschten

Einsatz eintrugen – Vietnam und die dort schnell eskalieren-
den Feindseligkeiten. Als er dann im Mekong Delta war,
trug ihm sein militärisches Verhalten zwei summarische
Kriegsgerichtsurteile ein.

Und doch schien hinter seinem Verhalten keinerlei ideo-
logische Motivation zu stehen, nur eine schlechte Anpassung – wenn man überhaupt von Anpassung reden konnte.

Seine Rückkehr ins Zivilleben zeichnete sich durch weitere Schwierigkeiten aus, zuerst mit seinen Eltern und dann
mit seiner Frau. Unerklärlicherweise nahm sich James Barbour Matlock, dessen schulische Karriere durchaus die eines
Gentleman, wenn auch keine hervorragende, gewesen war,
eine kleine Wohnung in Morningside Heights und trat in die
Columbia Universität ein, mit dem Ziel, sich dort zu habili-
tieren.

Seine Frau ertrug das dreieinhalb Monate lang, entschied
sich dann für eine unauffällige Scheidung und verließ Matlocks Leben.

Die folgenden paar Jahre boten nur wenig Interessantes.
Matlock, der Unverbesserliche, war im Begriff, Matlock,
der Gelehrte, zu werden. Er arbeitete unermüdlich, erhielt
sein Master's Degree in vierzehn Monaten und zwei Jahre
später den Doktortitel. Es kam zu einer Art Aussöhnung
mit seinen Eltern und anschließend einer Stellung im En-
glish Department der Carlyle Universität in Connecticut.
Seitdem hatte Matlock eine Anzahl Bücher und Artikel ver-
öffentlicht und sich in der akademischen Gemeinschaft eine
beneidenswerte Reputation erworben. Er war offensichtlich
populär – »außergewöhnlich mobil« (ein verdammt alber-
ner Ausdruck); er erfreute sich bescheidenen Wohlstands
und hatte offensichtlich die streitsüchtigen Wesenszüge ab-
gelegt, die er während seiner aggressiven Jahre an den Tag
gelegt hatte. Natürlich hatte er kaum Anlaß, unzufrieden zu
sein, dachte Loring. James Barbour Matlock II. hatte sein
Leben mit angenehmer Routine erfüllt; er war ringsum abgesichert, was auch ein Mädchen einschloß. Augenblicklich
unterhielt er mit angemessener Diskretion eine Beziehung
zu einer Studentin der oberen Semester, die Patricia Ballan-

tyne hieß. Sie unterhielten separate Wohnungen, waren aber nach den Akten liiert. Soweit festzustellen war, stand jedoch keine Verehelichung bevor. Das Mädchen war damit beschäftigt, ihre Doktorarbeit in Archäologie abzuschließen, anschließend erwarteten sie ein Dutzend Stipendien. Stipendien, die in ferne Länder und zu unbekannten Fakten führten. Patricia Ballantyne war nicht der Typ, der heiratete; wenigstens nicht nach Ansicht der Datenbanken.

Aber wie stand es um Matlock? überlegte Ralph Loring. Was entnahm er den Fakten? Wie konnten sie seine Wahl rechtfertigen?

Das konnten sie nicht. Unmöglich. Nur ein ausgebildeter Profi konnte den Forderungen der gegenwärtigen Lage gerecht werden. Die Probleme waren viel zu kompliziert, wimmelten für einen Amateur geradezu von Fußangeln.

Die schreckliche Ironie daran war, daß dieser Matlock, wenn er Fehler machte und in diesen Fußangeln hängen blieb, viel mehr und viel schneller erreichen konnte als jeder Profi.

Und dabei sein Leben verlieren.

»Was veranlaßt Sie zu der Annahme, daß er akzeptieren wird?« Cranston näherte sich inzwischen Lorings Wohnung und begann neugierig zu werden.

»Was? Entschuldigung, was haben Sie gesagt?«

»Welches Motiv hat der Mann denn zu akzeptieren? Warum sollte er denn zusagen?«

»Ein jüngerer Bruder. Zehn Jahre jünger, um es genau zu sagen. Die Eltern sind ziemlich alt. Sehr reich und sehr distanziert. Dieser Matlock gibt sich die Schuld.«

»Wofür?«

»Den Bruder. Er hat sich vor drei Jahren mit einer Überdosis Heroin umgebracht.«

Ralph Loring steuerte seinen gemieteten Wagen langsam die breite, von Bäumen gesäumte Straße entlang, vorbei an den großen alten Häusern, die auf gepflegten Rasenflächen standen. Bei einigen handelte es sich um die Häuser von Verbindungen, aber davon gab es viel weniger, als es noch vor zehn Jahren gegeben hatte. Die gesellschaftliche Exklusivität der fünfziger und der frühen sechziger Jahre war am Schwinden. Einige der großen Gebäude trugen jetzt andere Namen. *The House, Aquarius* (natürlich), *Afro-Commons, Warwick, Lumumba Hall.*

Die Carlyle Universität von Connecticut war eine jener mittelgroßen ›Prestige‹-Anstalten, von denen Neuengland wimmelt. Eine Verwaltung unter Leitung ihres brillanten Präsidenten, Dr. Adrian Sealfont, war dabei, dem College eine neue Struktur zu geben, und gab sich Mühe, es in die zweite Hälfte des zwanzigsten Jahrhunderts hinüberzuleiten. Es gab natürlich die unvermeidlichen Proteste, die Zahl der Bärte nahm zu und auch die der afrikanischen Seminare als Gegengewicht zu stillem Wohlstand, Club-Blazers und Segelregatten, die von ehemaligen Zöglingen der Anstalt finanziert wurden. Hard Rock und Fakultätstänze suchten nach Möglichkeiten der Koexistenz.

Während Loring sich das friedliche Universitätsgelände im hellen Frühlingssonnenlicht ansah, überlegte er, daß es eigentlich kaum vorstellbar schien, daß eine solche Gemeinschaft wirkliche Probleme barg.

Jedenfalls ganz sicher nicht das Problem, das ihn hierher geführt hatte.

Und doch war es so.

Carlyle war eine Zeitbombe, die, wenn sie einmal detonierte, außergewöhnliche Opfer fordern würde. Und daß sie explodieren würde, war für Loring unvermeidbar. Was vorher geschah, war nicht vorauszusehen. Ihm oblag es, hier lenkend einzugreifen. Und James Barbour Matlock, B.A., M.A., Ph.D., war der Schlüssel dazu.

Loring fuhr an dem attraktiven zweistöckigen Fakultätshaus vorbei, das vier Apartments enthielt, jedes mit separatem Eingang. Es galt als eines der besseren Fakultätshäuser und wurde gewöhnlich von jungen Familien bewohnt, die noch nicht ganz den Status erreicht hatten, dessen es bedurfte, um ein eigenes Haus zugewiesen zu bekommen. Matlocks Wohnung lag im Obergeschoß und blickte nach Westen.

Loring fuhr um den Block herum und parkte auf der anderen Straßenseite vor Matlocks Türe. Er konnte nicht lange bleiben; er drehte sich immer wieder im Sitz herum und sah sich die Wagen und die Sonntagmorgen-Spaziergänger an und vergewisserte sich, daß er nicht seinerseits beobachtet wurde. Das war sehr wichtig. Am Sonntag pflegte der junge Professor, nach den Geheimdienstakten, bis Mittag Zeitung zu lesen. Dann fuhr er zum nördlichen Ende von Carlyle, wo Patricia Ballantyne in einem der Apartments wohnte, die man für graduierte Studenten bereit hielt. Das heißt, er fuhr dann zu ihr, wenn sie nicht die Nacht mit ihm verbracht hatte. Dann pflegten die beiden aufs Land zu fahren, um zu Mittag zu essen. Anschließend kehrten sie entweder in Matlocks Apartment zurück oder fuhren nach Süden, nach Hartford oder New Haven. Es gab natürlich Variationen. Häufig fuhren Matlock und die Ballantyne gemeinsam ins Wochenende und trugen sich irgendwo als Mann und Frau ein. Aber dieses Wochenende nicht. Das hatte man ihm bestätigt.

Loring sah auf die Uhr. Es war zwölf Uhr vierzig, aber Matlock hielt sich noch in seiner Wohnung auf. Die Zeit begann knapp zu werden. In ein paar Minuten erwartete man Loring an der Crescent Street. 217 Crescent. Dort sollte ein Kontakt stattfinden und dann sein zweiter Fahrzeugtausch.

Er wußte, daß für ihn keine Notwendigkeit bestand, Matlock zu beobachten. Schließlich hatte er die Akte gründlich gelesen, sich Dutzende von Fotografien angesehen und sogar kurz mit Dr. Sealfont, dem Präsidenten von Carlyle, gesprochen. Nichtsdestoweniger hatte jeder Agent seine eigenen Arbeitsmethoden. Zu der seinen gehörte, daß er seine Objekte stundenlang beobachtete, ehe er den Kontakt herstellte. Einige Kollegen im Justizministerium behaupteten, daß ihm das ein Gefühl der Macht verliehe. Loring wußte nur, daß es ihm ein Gefühl des Vertrauens vermittelte.

Matlocks Haustüre öffnete sich, und ein hochgewachsener Mann trat ins Freie. Er trug Khakihosen, Slipper und einen hellbraunen Rollkragenpullover. Loring sah, daß er einigermaßen gut aussah, scharfe Züge und ziemlich langes, blondes Haar hatte. Er vergewisserte sich, daß die Türe abgeschlossen war, setzte eine Sonnenbrille auf und ging um den Bürgersteig herum zu einem kleinen Parkplatz, wenigstens nahm Loring das an. Wenige Minuten später fuhr James Barbour Matlock in einem Triumph-Sportwagen aus der Einfahrt.

Der Agent überlegte, daß sein Objekt wirklich ein angenehmes Leben zu führen schien. Ausreichendes Einkommen, keinerlei Verpflichtungen, Arbeit, die ihm Spaß machte, und sogar eine bequeme Beziehung zu einem attraktiven Mädchen.

Loring überlegte, ob alles für James Barbour Matlock in drei Wochen noch genauso sein würde. Denn Matlocks Welt war im Begriff, in einen Abgrund gestürzt zu werden.

2

Matlock drückte das Gaspedal seines Triumph bis zum Boden durch; der schnittige Wagen vibrierte, als das Tachometer zweiundsechzig Meilen pro Stunde erreichte. Nicht, daß er es eilig hatte – Pat Ballantyne würde nicht weggehen –, er war nur verärgert. Nun, eigentlich nicht verärgert, eher irritiert. Das war er gewöhnlich, wenn er von zu Hause angerufen worden war. Daran würde auch die Zeit nie etwas ändern. Auch Geld nicht, falls er je nennenswerte Beträge verdiente – Beträge, die sein Vater für angemessen hielt. Was ihn so irritierte, war diese Herablassung. Und die wurde schlimmer, je älter sein Vater und seine Mutter wurden. Statt sich mit der Situation abzufinden, hackten sie beständig darauf herum. Sie bestanden darauf, daß er die nächsten Ferien in Scarsdale verbrachte, damit er und sein Vater täglich in die Stadt fahren konnten, um dort die Banken aufzusuchen, die Anwälte. Um sie auf das Unvermeidbare vorzubereiten, falls und wenn es je geschah.

»... Es gibt eine ganze Menge, was du verdauen mußt, mein Sohn«, hatte sein Vater mit Grabesstimme gesagt. »Du bist ja nicht darauf vorbereitet, weißt du ...«

»… Du bist alles, was uns noch bleibt, Liebling«, hatte seine Mutter mit spürbarem Schmerz in der Stimme gesagt.

Matlock wußte, daß sie den Märtyrerabschied von dieser Welt genossen, auf den sie sich vorbereiteten. Sie hatten der Welt ihren Stempel aufgedrückt – zumindest hatte sein Vater das getan. Was ihn freilich immer wieder daran amüsierte, war, daß seine Eltern so stark wie Packesel waren und so gesund wie Wildpferde. Ohne Zweifel würden sie ihn um Jahrzehnte überleben.

In Wahrheit war ihr Wunsch, ihn dort zu haben, viel stärker als der seine. So war es die letzten drei Jahre gewesen, seit Davids Tod. Vielleicht, dachte Matlock, als er vor Pats Apartment anhielt, wurzelte seine Gereiztheit in seiner eigenen Schuld. Was David anging, hatte er nie seinen Frieden mit sich gemacht. Das würde er auch nie.

Und er wollte auch seine Ferien nicht in Scarsdale verbringen. Er wollte die Erinnerungen nicht. Er hatte jetzt jemanden, der ihm half die schrecklichen Jahre zu vergessen – die Jahre des Todes, ohne Liebe, die Jahre der Unschlüssigkeit. Er hatte versprochen, mit Pat nach St. Thomas zu fahren.

Die Landgaststätte nannte sich Cheshire Cat. Sie war, wie der Name schon andeutete, sehr britisch. Das Essen war ordentlich, die Drinks reichlich, alles Faktoren, die zur Beliebtheit des Lokales beitrugen. Sie hatten ihre zweite Bloody Mary intus und Roastbeef und Yorkshire Pudding bestellt. In dem geräumigen Speisesaal hielten sich vielleicht ein Dutzend Paare und einige Familien auf. In der Ecke saß ein einzelner Mann, der die *New York Times* las. Er hatte die Seiten senkrecht gefaltet, so wie man es in der Eisenbahn tat.

»Wahrscheinlich ein zorniger Vater, der hier auf einen Sohn wartet, welcher sich vollaufen lassen möchte. Ich kenne den Typ. Solche Leute fahren jeden Tag im Scarsdale-Zug.«

»Er ist zu entspannt.«

»Die lernen es, innere Spannung zu verbergen. Das wissen nur ihre Apotheker. Das ganze Gelusil.«

»Trotzdem gibt es immer äußere Zeichen, und er hat keine. Er sieht wirklich zufrieden aus. Du hast unrecht.«

»Du kennst bloß Scarsdale nicht. Selbstzufriedenheit ist dort ein eingetragenes Markenzeichen. Ohne das kann man kein Haus kaufen.«

»Weil wir schon davon reden, was wirst du jetzt machen? Ich finde wirklich, wir sollten St. Thomas streichen.«

»Ich nicht. Der Winter war hart; wir haben uns ein wenig Sonne verdient. Außerdem sind sie sehr unvernünftig. Ich will gar nichts über die Matlock-Manipulationen lernen; das ist Zeitvergeudung. In dem unwahrscheinlichen Fall, daß sie je *wirklich* sterben, werden das andere übernehmen.«

»Ich dachte, wir wären uns einig gewesen, daß das Ganze nur ein Vorwand ist. Die wollen dich eine Weile um sich haben. Ich finde es rührend, daß sie es so anpacken.«

»Es ist gar nicht rührend; das ist ein typischer, durchsichtiger Versuch meines Vaters, mich zu bestechen … Schau. Unser Bahnfahrer hat aufgegeben.« Der Mann mit der Zeitung leerte sein Glas und erklärte der Bedienung, daß er nichts zu essen bestellen würde. »Ich wette, er hat sich gerade die Haare und die Lederjacke seines Sohnes vorgestellt – vielleicht auch die nackten Füße – und dann hat er es mit der Angst bekommen.«

»Ich glaube, du wünschst das dem armen Mann nur.«

»Nein, ganz bestimmt nicht. Da bin ich zu mitfühlend. Ich kann nur den Ärger nicht ertragen, der immer mit dieser Auflehnung einhergeht. Ich schäme mich dann immer.«

»Du bist ein sehr komischer Mann, Schütze Matlock«, sagte Pat und spielte damit auf Matlocks ruhmlose Militärlaufbahn an. »Wenn wir gegessen haben, möchte ich nach Hartford fahren. Dort wird ein guter Film gespielt.«

»Oh, tut mir leid, das habe ich ganz vergessen. Das geht heute nicht … Sealfont hat mich heute morgen angerufen, heute abend soll eine Besprechung stattfinden. Er hat gesagt, es wäre wichtig.«

»Worum geht es denn?«

»Ich weiß nicht. Vielleicht gibt es Schwierigkeiten mit den

Afrika-Studien. Dieser ›Tom‹, den ich mir von Howard geholt habe … Ich glaube, er steht eine Spur rechts von Ludwig XIV.«

Sie lächelte. »Wirklich, du bist schrecklich.«

Matlock nahm ihre Hand.

Die Residenz – das Wort Haus wäre hier unpassend gewesen – von Dr. Adrian Sealfont war angemessen imposant. Es handelte sich um eine große weiße Villa im Kolonialstil mit breiten Marmorstufen, die zu einer mächtigen Doppeltüre mit Reliefschnitzereien hinaufführten. Die Vorderseite des Gebäudes wurde über die ganze Breite von ionischen Säulen gesäumt. Bei Sonnenuntergang wurden im Rasen verteilte Scheinwerfer eingeschaltet.

Matlock ging die Treppe hinauf und drückte den Klingelknopf. Dreißig Sekunden später wurde er von einem Hausmädchen eingelassen, die ihn durch die Halle in Dr. Sealfonts Bibliothek führte.

Adrian Sealfont stand mit zwei anderen Männern mitten im Raum. Matlock war wie stets von der Persönlichkeit des Mannes beeindruckt. Er war knapp über sechs Fuß groß, hager, mit scharf geschnittenen Zügen, und strahlte eine Wärme aus, die alle erfaßte, die in seiner Nähe waren. Von ihm ging eine echte Bescheidenheit aus, die seinen brillanten Geist vor allen verbarg, die ihn nicht kannten. Matlock schätzte ihn ungemein.

»Hello, James.« Sealfont streckte Matlock die Hand hin. »Mister Loring, darf ich Ihnen Dr. Matlock vorstellen?«

»Wie geht es Ihnen? Tag, Sam.« Damit begrüßte Matlock den dritten Mann, Samuel Kressel, den Dekan von Carlyle.

»Hello, Jim.«

»Wir sind uns schon irgendwo begegnet, nicht wahr?« fragte Matlock und sah Loring an. »Ich versuche, mich zu erinnern.«

»Das wäre mir sehr peinlich.«

»Da wette ich!« lachte Kressel, dessen Sinn für Humor immer etwas beleidigend war. Matlock mochte Sam Kressel auch. Mehr weil er wußte, welchen Schmerz ihm seine Stellung bereitete – das, was er ertragen mußte –, als um des Mannes selbst willen.

»Was wollen Sie damit sagen, Sam?«

»Das will ich beantworten«, unterbrach Adrian Sealfont. »Mr. Loring ist für die Bundesregierung tätig, im Justizministerium. Ich habe mich bereit erklärt, ein Zusammentreffen von Ihnen drei zu arrangieren, aber dem, was Mr. Loring und Sam gerade erwähnten, habe ich nicht zugestimmt. Offenbar hat es Mr. Loring für richtig gehalten, Sie – wie sagt man da? – zu überwachen. Ich habe mich dagegen verwahrt.« Sealfont sah Loring gerade an.

»Sie haben mich *was*?« fragte Matlock leise.

»Ich bitte um Entschuldigung«, sagte Loring. »Das ist eine persönliche Idiosynkrasie und hat mit unserem Anliegen nichts zu tun.«

»Sie sind der Bahnfahrer im Cheshire Cat.«

»Der was?« fragte Sam Kressel.

»Der Mann mit der Zeitung.«

»Richtig. Ich wußte, daß Sie mich heute nachmittag bemerkt hatten. Ich dachte, Sie würden mich sofort wiedererkennen. Ich wußte nicht, daß ich wie ein Bahnfahrer aussah.«

»Das war die Zeitung. Wir nannten Sie einen zornigen Vater.«

»Das bin ich manchmal. Aber nicht oft. Meine Tochter ist erst sieben.«

»Ich denke, wir sollten anfangen«, sagte Sealfont. »Übrigens, James, ich bin erleichtert, daß Sie so verständnisvoll reagieren.«

»Ich reagiere nur mit Neugierde. Und mit einem gesunden Maß an Furcht. Um ehrlich zu sein, ich habe schreckliche Angst.« Matlock lächelte zögernd. »Was soll das Ganze?«

»Trinken wir doch einen Schluck, während wir uns unterhalten.« Adrian Sealfont erwiderte sein Lächeln und ging zu seiner mit Kupferblech überzogenen Bar in der Ecke. »Sie nehmen doch Bourbon und Wasser, nicht wahr, James? Und Sam, einen doppelten Scotch auf Eis, stimmt's? Wie stehts mit Ihnen, Mr. Loring?«

»Scotch wäre mir recht. Nur Wasser.«

»Kommen Sie, James, helfen Sie mir.« Matlock ging zu Sealfont hinüber und half ihm.

»Ich muß wirklich über Sie staunen, Adrian«, sagte Kressel und nahm in einem Ledersessel Platz. »Wie kommen Sie dazu, sich die Trinkgewohnheiten Ihrer Untergebenen zu merken?«

Sealfont lachte. »Das hat einen ganz logischen Grund. Und es beschränkt sich ganz sicherlich nicht auf meine ... Kollegen. Ich habe für diese Anstalt ganz bestimmt mehr Geld mit Alkohol zusammengebracht als mit Hunderten von Berichten, die die besten analytischen Geister den entsprechenden Kreisen vorgelegt haben.« Adrian Sealfont hielt inne und lachte glucksend – ein Lachen, das ebenso sich selbst, wie den im Raum Anwesenden galt. »Einmal habe ich vor der Organisation der Universitätspräsidenten eine Rede gehalten. Als dann die Diskussion eröffnet wurde, fragte man mich, welchem Umstand ich Carlyles reichliche Dotationen zuschrieb ... Ich fürchte, meine Antwort war, ›jenen alten Völkern, die die Kunst der Gärung der Weintraube erfunden haben‹ ... Meine verstorbene Frau brüllte vor Lachen, sagte mir aber nachher, ich hätte den Stiftungsfond um ein Jahrzehnt zurückgeworfen.«

Die drei Männer lachten; Matlock verteilte die Gläser.

»Auf Ihr Wohl«, sagte der Präsident von Carlyle und hob bescheiden sein Glas. Als alle getrunken hatten, meinte er: »Das ist jetzt etwas peinlich, James ... Sam. Vor einigen Wochen hat Mr. Lorings Vorgesetzter mit mir Verbindung aufgenommen. Er bat mich, nach Washington zu kommen, in einer Angelegenheit, die von äußerster Wichtigkeit sei und sich auf Carlyle beziehe. Ich kam der Bitte nach und wurde mit einer Situation vertraut gemacht, die ich mich immer noch zu glauben weigere. Gewisse Informationen, die Mr. Loring Ihnen vermitteln wird, scheinen an der Oberfläche betrachtet unwiderlegbar. Aber dies ist die Oberfläche: Gerüchte; aus dem Zusammenhang gerissene Erklärungen, schriftlich und verbal; Indizienbeweise, die vielleicht ohne Bedeutung sind. Andererseits ist es natürlich möglich, daß die Vermutungen Substanz haben, wenigstens in gewissem Maße. Und wegen dieser Möglichkeit habe ich dieser Zusammenkunft zugestimmt. Ich möchte jedoch eindeutig klarstellen, daß ich nichts damit zu tun haben werde. Carlyle *wird nichts* damit zu tun haben. Was immer in diesem Raum jetzt geschehen wird, wird von mir gebilligt, aber nicht offiziell sanktioniert. Sie handeln als Einzelpersonen, nicht als Mitglieder der Fakultät oder der Leitung von Carlyle. Falls Sie überhaupt beschließen, tätig zu werden ... So, James, wenn das Ihnen jetzt nicht ›Angst macht‹, weiß ich nicht, was sonst.« Sealfont lächelte wieder, aber das war nur Fassade.

»Es macht mir Angst«, sagte Matlock tonlos.

Kressel stellte sein Glas ab und beugte sich in seinem Sessel nach vorne. »Sollen wir aus dem, was Sie gesagt haben, entnehmen, daß Sie Lorings Anwesenheit in diesem Raum nicht gutheißen? Oder das, was er will, was immer es auch sein mag?«

»Das ist eine Art Grauzone. Wenn seine Behauptungen Substanz haben, kann ich nicht gut den Rücken kehren. Andererseits wird heutzutage kein Universitätspräsident auf bloße Spekulationen hin offen mit einer Regierungsbehörde kollaborieren. Sie werden mir verzeihen, Mr. Loring, aber zu viele Leute in Washington haben die akademischen Gemeinschaften ausgenützt. Ich beziehe mich dabei ganz speziell auf Michigan, Columbia und Berkeley ... unter anderem. Einfache Polizeiangelegenheiten sind eine Sache, Infiltration ... nun, das ist etwas völlig anderes.«

»Infiltration? Das ist ein ziemlich starkes Wort«, sagte Matlock.

»Vielleicht ist es zu stark. Ich will die Terminologie Mr. Loring überlassen.«

Kressel griff nach seinem Glas. »Darf ich fragen, weshalb wir – Matlock und ich – ausgewählt worden sind?«

»Auch darauf wird Mr. Loring eingehen. Aber da ich dafür verantwortlich bin, daß *Sie* hier sind, Sam, will ich Ihnen *meine* Gründe nennen. Als Dekan sind Sie besser als irgend jemand sonst auf die Angelegenheiten des Campus eingestimmt ... Sie werden es bemerken, wenn Mr. Loring oder seine Kollegen ihre Grenzen überschreiten ... Ich glaube, das ist alles, was ich zu sagen habe. Ich muß jetzt in die Versammlung. Dieser Filmemacher, Strauss, spricht heute abend, und ich muß mich zeigen.«

Sealfont ging zur Bar und stellte sein Glas auf das Tablett. Die drei anderen Männer erhoben sich.

»Eines noch, ehe Sie gehen«, sagte Kressel mit gerunzelter Stirn. »Angenommen, einer von uns oder auch wir beide beschließen, daß wir nichts mit Mr. Lorings ... Geschäften zu tun haben wollen?«

»Dann lehnen Sie ab.« Adrian Sealfont ging zur Türe der Bibliothek. »Sie haben keinerlei Verpflichtungen. Das möchte ich klarstellen. Mr. Loring ist sich darüber ebenfalls im klaren. Guten Abend, Gentlemen.« Sealfont ging in die Halle hinaus und schloß die Türe hinter sich.

3

Die drei Männer blieben stumm, sie standen reglos in der Bibliothek und hörten, wie die Haustüre geöffnet und wieder geschlossen wurde. Kressel drehte sich um und sah Loring an. »Anscheinend hat man Ihnen jetzt den Schwarzen Peter zugesteckt.«

»So geht es mir in solchen Situationen meistens. Lassen Sie mich zuerst meine Position klarstellen; das erklärt diese Zusammenkunft dann teilweise. Zu allererst sollten Sie wissen, daß ich dem Justizministerium angehöre, dem *Rauschgift*-Dezernat.«

Kressel setzte sich und nippte an seinem Drink. »Sie sind nicht hierhergereist, um uns zu sagen, daß vierzig Prozent der Studentenschaft Marihuana und ein paar andere Dinge benutzen, oder? Wenn das nämlich der Fall ist, müssen Sie wissen, daß uns das bekannt ist.«

»Nein, das ist nicht der Grund. Ich gehe davon aus, daß Sie solche Dinge wissen. Jeder weiß das. Nur was den Prozentsatz angeht, bin ich nicht so sicher. Sie könnten zu niedrig schätzen.«

Matlock leerte seinen Bourbon und beschloß, sich noch einen zu nehmen. Während er zu dem kupferbelegten Bartisch hinüberging, sagte er: »Er mag niedrig oder hoch sein, aber vergleichsweise gesprochen – in bezug auf andere Universitäten – sind wir nicht in Panik.«

»Dazu haben Sie auch absolut keinen Anlaß. Nicht deswegen.«

»Ist da noch etwas anderes?«

»Allerdings.« Loring ging zu Sealfonts Schreibtisch hinüber und bückte sich, um seinen Aktenkoffer vom Boden aufzuheben. Der Mann aus Washington und der Präsident von Carlyle hatten offensichtlich bereits miteinander gesprochen, ehe Matlock und Kressel eingetroffen waren. Loring stellte den Aktenkoffer auf den Tisch und klappte ihn auf. Matlock ging zu seinem Sessel zurück und setzte sich.

»Ich möchte Ihnen gerne etwas zeigen.« Loring griff in den Aktenkoffer und entnahm ihm einen dicken Bogen silberfarbenen Briefpapiers, genauer gesagt, einen halben Bogen. Man hatte ihn diagonal mit einer Art Zackenschere zerschnitten. Die Silberschicht war jetzt ziemlich abgegriffen, offenbar war der Bogen schon durch viele Hände gegangen. Er ging auf Matlocks Sessel zu und reichte ihm das Blatt. Kressel stand auf und stellte sich daneben.

»Es ist eine Art Brief. Oder eine Ankündigung. Mit Nummern«, sagte Matlock. »Das ist Französisch, nein, Italienisch, denke ich. Ich komme nicht dahinter.«

»Sehr gut, Professor«, sagte Loring. »Tatsächlich handelt es sich um einen korsischen Dialekt, phonetisch geschrieben. Man nennt das Oltremontan. Dieser Dialekt wird in den südlichen Hügeln gesprochen. Man kann ihn ebenso wie das Etruskische nicht ganz übersetzen. Die Codes, die hier verwendet sind, sind so einfach, daß man sie eigentlich gar nicht als Codes bezeichnen kann. Ich glaube auch nicht, daß sie das sein sollten; es sind gar nicht so viele. Also steht hier genug, um uns zu sagen, was wir wissen müssen.«

»Und das wäre?« fragte Kressel und nahm Matlock das seltsam aussehende Papier weg.

»Zuerst möchte ich erklären, wie wir es bekamen. Ohne diese Erklärung ist die Information bedeutungslos.«

»Bitte.« Kressel reichte das schmutzige Silberpapier dem Agenten zurück, worauf dieser es zum Schreibtisch trug und sorgfältig in seinem Aktenkoffer verstaute.

»Ein Rauschgiftkurier – also ein Mann, der mit Instruktionen, Geld und Botschaften in ein spezifisches Ursprungsgebiet geht – hat das Land vor sechs Wochen verlassen. Tatsächlich war er mehr als ein Kurier; er war in der Verteilungshierarchie ziemlich mächtig; man könnte sagen, er machte Ferien im mediterranen Stil. Vielleicht überprüfte er auch seine Investitionen … Jedenfalls wurde er von Bergleuten in der Toros Daglari getötet – das ist in der Türkei, ein Anbaugebiet. Es heißt, er hätte die Aktivitäten dort eingestellt, und es wäre zu Gewalttätigkeiten gekommen. Das akzeptieren wir. Die Felder im Mittelmeerbereich werden im Augenblick dicht gemacht. Sie werden nach Südamerika verlegt … Man hat das Papier bei ihm gefunden, in einem Leibgurt. Sie haben ja gesehen, man hat es ziemlich herumgereicht. Es ging von einer Hand in die andere, wurde dabei immer teurer, von Ankara bis Marrakesch. Schließlich kaufte es ein Agent von Interpol, und man hat es an uns weitergeleitet.«

»Von Toros Dag-wie-auch-immer-das-heißt nach Washington. Dieses Papier hat eine ziemliche Reise mitgemacht«, sagte Matlock.

»Eine ziemlich teure«, fügte Loring hinzu. »Nur, daß es jetzt nicht in Washington ist, sondern hier. Von Toros Daglari nach Carlyle, Connecticut.«

»Ich nehme an, das hat etwas zu bedeuten.« Sam Kressel setzte sich und beobachtete den Regierungsagenten aufmerksam.

»Es bedeutet, daß die Information in jenem Papier Carlyle betrifft.« Loring lehnte sich gegen den Schreibtisch und sprach ganz ruhig, ohne jede Eindringlichkeit. Er hätte ebensogut ein Lehrer sein können, der vor einer Klasse stand und einen trockenen, aber wichtigen mathematischen Lehrsatz erklärte. »In dem Papier steht, daß am zehnten Mai eine Konferenz stattfinden wird, morgen in drei Wochen. Die Ziffern hier sind die geographischen Koordinaten der Gegend um Carlyle – Längen- und Breitengrade, ganz genau. Das Papier selbst identifiziert seinen Besitzer als einen der zu dieser Konferenz Gerufenen. Jedes Papier besitzt entweder eine dazupassende Hälfte oder ist aus einem Muster geschnitten, das man anpassen kann – einfache zusätzliche Sicherheit. Der genaue Ort fehlt.«

»Augenblick.« Kressels Stimme klang kontrolliert aber scharf; er war erregt. »Geht das nicht ein wenig schnell, Loring? Sie geben uns hier Informationen – offenbar geheime Informationen –, ehe Sie Ihr Anliegen vorgebracht haben. Die Administration dieser Universität ist nicht daran interessiert, sich in die Ermittlungen der Regierung einzuschalten. Ehe Sie weitere Fakten vorlegen, sollten Sie besser sagen, was Sie wollen.«

»Es tut mir leid, Mr. Kressel. Sie haben gesagt, daß man mir den Schwarzen Peter zugesteckt hat, und so ist es auch. Ich mache das vielleicht ziemlich schlecht.«

»Unsinn. Sie sind Experte.«

»Halt, Sam.« Matlock nahm die Hand von der Sessellehne. Kressels plötzliche Unfreundlichkeit schien unnötig. »Sealfont hat gesagt, wir hätten die Wahl, alles abzulehnen, was er von uns verlangt. Wenn wir das tun – und das werden wir wahrscheinlich –, würde ich es gerne so sehen, daß wir das nach reiflicher Überlegung getan haben, nicht aus einer blinden Reaktion heraus.«

»Seien Sie nicht naiv, Jim. Sie erhalten eine geheime oder klassifizierte Information und sind sofort, *post facto,* in die Sache verwickelt. Sie können nicht leugnen, daß Sie sie erhalten haben, Sie können nicht sagen, daß es nicht geschehen ist.«

Matlock blickte zu Loring auf. »Stimmt das?«

»In gewissem Maße ja. Ich will Sie da nicht belügen.«

»Warum sollten wir Sie dann anhören?«

»Weil die Carlyle Universität bereits in die Sache verwickelt *ist*; das ist sie schon seit Jahren. Und die Lage ist kritisch.

So kritisch daß nur noch drei Wochen zum Handeln zur Verfügung stehen.«

Kressel stand auf, atmete tief ein und dann wieder langsam aus. »Man braucht nur die Krise zu schaffen – ohne Beweise – und die Universität dazu zu zwingen, sich zu beteiligen. Die Krise vergeht, aber anschließend zeigen die Akten, daß die Universität sich als stiller Teilhaber an einer Untersuchung der Bundesbehörden beteiligt hat. So war es doch an der Universität von Wisconsin.« Kressel wandte sich zu Matlock. »Erinnern Sie sich, Jim? Sechs Tage Campus-Unruhen. Ein halbes Semester bei Teach-ins verloren.«

»Das ging vom Pentagon aus«, sagte Loring. »Die Umstände waren völlig anders.«

»Sie glauben, das Justizministerium macht das verdaulicher? Lesen Sie doch ein paar Studentenzeitungen.«

»Um Himmels willen, Sam, lassen Sie den Mann reden. Wenn Sie nicht zuhören wollen, dann gehen Sie nach Hause. Ich will hören, was er zu sagen hat.«

Kressel blickte auf Matlock hinunter. »All right. Ich glaube, ich verstehe. Also reden Sie, Loring. Aber vergessen Sie nicht, ohne Verpflichtung. Und wir brauchen keine Vertraulichkeit zu respektieren.«

»Ich verlasse mich auf Ihren gesunden Menschenverstand.«

»Das könnte sich als Fehler erweisen.« Kressel ging zur Bar hinüber und füllte sein Glas nach.

Loring setzte sich auf die Schreibtischkante. »Ich will damit beginnen, daß ich Sie beide frage, ob Sie je das Wort *Nimrod* gehört haben?«

»Nimrod ist ein hebräischer Name«, antwortete Matlock. »Altes Testament. Ein Nachkomme von Noah, Herrscher von Babylon und Ninive. Legendäre Geschicklichkeit als Jäger, was meist die wichtigere Tatsache verdeckt, daß er die großen Städte in Assyrien und Mesopotamien gegründet oder gebaut hat.«

Loring lächelte. »Noch einmal sehr gut, Professor. *Ein Jäger* und *ein Erbauer*. Aber ich meine das mehr gegenwartsbezogen.«

»Dann muß ich die Frage verneinen. Sie, Sam?«

Kressel ging zu seinem Platz zurück. Er hielt sein Glas in der Hand. »Ich wußte nicht einmal das, was Sie gerade gesagt hatten. Ich dachte, das sei vielleicht eine Automarke oder so etwas.«

»Dann will ich Ihnen ein paar Einzelheiten nennen ... Ich will Sie nicht mit Rauschgiftstatistiken langweilen; ich bin sicher, daß Sie tagtäglich damit bombardiert werden.«

»Tagtäglich«, nickte Kressel.

»Aber es gibt da vielleicht eine geographische Statistik, die Ihnen unbekannt ist. Die Konzentration des Rauschgifthandels in den Neuengland-Staaten wächst wesentlich schneller als in irgendeinem anderen Teil des Landes. Das ist wirklich verblüffend. Seit 1968 sind die Aktivitäten der Behörden laufend zurückgegangen ... Lassen Sie mich versuchen, eine geographische Beziehung herzustellen. In Kalifornien, Illinois, Louisiana hat sich die behördliche Kontrolle so weit verbessert, daß wenigstens das Wachstum beeinträchtigt wird. Mehr können wir nicht gut erhoffen, solange die internationalen Verträge so schwach sind. Aber nicht in Neuengland. Hier hat die Ausweitung ungeahnte Maße angenommen. Und in erster Linie sind die Universitäten betroffen.«

»Woher wissen Sie das? fragte Matlock.

»Da gibt es Dutzende von Möglichkeiten, aber immer zu spät, um die Verteilung zu verhindern. Informanten, markierte Lieferungen von Ursprungsorten im Mittelmeerbereich, in Asien und Lateinamerika, Einzahlungen auf Schweizer Konten – aber hier handelt es sich wirklich um Geheimmaterial.« Loring sah Kressel an und lächelte.

»Jetzt weiß ich, daß Sie verrückt sind«, meinte Kressel unfreundlich. »Mir scheint, wenn Sie diese Behauptungen beweisen können, dann könnten Sie das auch in der Öffentlichkeit tun.«

»Wir haben unsere Gründe.«

»Ebenso geheim, nehme ich an«, meinte Kressel leicht angewidert.

»Es gibt da noch eine Nebenerscheinung«, fuhr Loring fort, ohne ihn zu beachten. »Die östlichen Prestige-Universitäten – große und kleine, Princeton, Amherst, Harvard, Vassar, Williams, Carlyle – bei einem großen Teil ihrer Studenten handelt es sich um die Kinder von VIPs. Söhne und Töchter von *very important people*, speziell in der Regierung und in Kreisen der Industrie. Das liefert Möglichkeiten zu Erpressung, und wir vermuten, daß dieses Potential bereits genutzt worden ist. Solche Leute sind gegenüber Drogenskandalen höchst empfindlich.«

Kressel unterbrach ihn: »Wenn wir einmal davon ausgehen, daß das, was Sie sagen, stimmt – und dazu bin ich nicht bereit –, dann kann ich nur sagen, daß wir hier weniger Ärger hatten als die meisten anderen Universitäten im nordöstlichen Bereich.«

»Das ist uns bekannt. Wir glauben sogar, die Gründe zu kennen.«

»Das ist aber sehr esoterisch, Mr. Loring. Sagen Sie, was Sie sagen wollen.« Matlock mochte die Spiele nicht, die manche Leute spielten.

»Jedes Verteilernetz, das imstande ist, einen ganzen Abschnitt des Landes systematisch zu bedienen und zu kontrollieren, muß einen Stützpunkt haben. Eine Kommandozentrale, könnte man sagen. Glauben Sie mir bitte, wenn ich Ihnen sage, daß dieser Stützpunkt der Befehlsposten für den Rauschgiftverkehr in den ganzen Neuengland-Staaten die Carlyle Universität ist.«

Samuel Kressel, Universitätsdekan, ließ sein Glas auf Adrian Sealfonts Parkettboden fallen.

Ralph Loring fuhr mit seiner unglaublichen Geschichte fort. Matlock und Kressel blieben sitzen. Einige Male während seiner ruhigen, methodischen Erklärung begann Kressel zu unterbrechen, Einwände vorzubringen, aber Lorings Bericht war nicht aufzuhalten. Es gab nichts, was dagegen vorzubringen war.

Die Untersuchung der Carlyle Universität hatte vor achtzehn Monaten begonnen. Sie war ausgelöst worden von einem Kontobuch, das die französische Sûreté während einer ihrer häufigen Rauschgiftuntersuchungen im Hafen von

Marseille entdeckt hatte. Sobald festgestellt war, daß das Buch aus Amerika stammte, wurde es gemäß den Interpol-Vereinbarungen nach Washington geschickt. An verschiedenen Stellen des Buches waren Hinweise auf »C-22°-59°« zu finden, hinter denen regelmäßig der Name *Nimrod* stand. Bei den Gradangaben stellte man bald fest, daß es sich um die Koordinaten des nördlichen Connecticut handelte, es fehlten aber die Dezimalstellen. Nachdem man Hunderte möglicher LKW-Routen untersucht hatte, die zu Atlantikhäfen oder Flughäfen führten, die Beziehung zu der Operation in Marseille hatten, begann man, die Umgebung von Carlyle gründlich zu überwachen.

Als Teil der Überwachung wurden Telefone von Personen angezapft, von denen man wußte, daß sie mit Rauschgiftverteilungsstellen von Punkten wie New York, Hartford, Boston und New Haven in Verbindung standen. Sämtliche Anrufe, die auf Narkotika Bezug hatten und von und nach Carlyle gingen, wurden von öffentlichen Telefonzellen aus geführt. Das erschwerte die Überwachung, machte sie aber nicht unmöglich. Wieder Geheimmethoden.

Als die Aufzeichnungen wuchsen, stellte sich eine erstaunliche Tatsache heraus. Die Carlyle-Gruppe war unabhängig. Sie verfügte nicht über formelle Bindungen zum organisierten Verbrechertum; sie unterstand niemandem. Sie *benutzte* bekannte kriminelle Elemente und wurde nicht *von ihnen* benutzt. Es war eine straff organisierte Einheit, die mit der Mehrzahl der Universitäten in Neuengland in Verbindung stand. Und sie machte – allem Anschein nach – nicht bei Drogen halt.

Es gab Hinweise, daß die Carlyle-Einheit Beziehungen zu verbotenem Glücksspiel, Prostitution, ja sogar Personalvermittlungen für Universitätsabsolventen hatte. Außerdem schien es ein Ziel zu geben, das weit über die Erzielung von Gewinnen aus illegalen Aktivitäten hinausging. Die Carlyle-Einheit hätte weit größere Profite mit viel weniger Komplikationen erzielen können, hätte sie sich mit den bekannten Verbrechern und Lieferanten in allen Gebieten betätigt. Statt dessen investierte sie in den Aufbau einer eigenen Organisation. Sie war ihr eigener Herr, kontrollierte ihre Lieferquellen und ihre eigene Verteilung. Aber die Ziele, die sie dabei verfolgte, waren unklar.

Die Einheit war so mächtig geworden, daß sie das organisierte Verbrechertum im Nordosten bedrohte. Aus diesem Grunde hatten führende Persönlichkeiten der Unterwelt eine Besprechung mit den Leitern der Carlyle-Operation gefordert. Der Schlüssel war eine Gruppe oder ein Individuum, das als *Nimrod* bezeichnet wurde.

Soweit festzustellen war, war es das Ziel der Konferenz, ein Arrangement zwischen Nimrod und den Unterweltführern zu finden, die sich durch Nimrods außergewöhnliches Wachstum bedroht fühlten. Dutzende bekannter und unbekannter Verbrecher aus den Neuengland-Staaten würden an der Konferenz teilnehmen.

»Mr. Kressel.« Loring wandte sich an den Dekan von Carlyle und schien zu zögern. »Ich nehme an, daß Sie Listen haben – Studenten, Angestellte der Fakultät – Leute, von denen Sie wissen, oder zumindest Grund zu der Annahme haben, daß sie der Drogenszene angehören. Ich kann das nicht unterstellen, weil ich es nicht weiß, aber die meisten Universitäten besitzen solche Listen.«

»Die Frage beantworte ich nicht.«

»Was mir natürlich meine Antwort gibt«, sagte Loring leise, beinahe mitfühlend.

»Unter keinen Umständen! Sie und Ihresgleichen haben die Gewohnheit, genau das anzunehmen, was Sie gerne annehmen.«

»All right, ich akzeptiere Ihren Tadel. Aber selbst wenn Sie ja gesagt hätten – ich hatte nicht die Absicht, um diese Listen zu bitten. Ich wollte Ihnen damit nur sagen, daß *wir* eine solche Liste haben. Ich wollte, daß Sie das wissen.«

Sam Kressel erkannte, daß er in die Falle getappt war; Lorings Offenheit ärgerte ihn nur noch mehr. »Sicher haben Sie die.«

»Ich brauche wohl nicht zu sagen, daß wir nichts dagegen einzuwenden hätten, Ihnen eine Kopie zu liefern.«

»Das wird nicht notwendig sein.«

»Sie sind ziemlich hartnäckig, Sam«, sagte Matlock. »Stecken Sie etwa den Kopf in den Sand?«

Ehe Kressel antworten konnte, sagte Loring: »Der Dekan weiß, daß er seine Meinung ändern kann. Und wir haben ja vorher schon gesagt, daß hier keine Krise vorliegt. Sie wären überrascht, wie viele Leute abwarten, bis das Dach über ihnen einbricht, ehe sie um Hilfe bitten. Oder sie akzeptieren.«

»Aber in der Neigung Ihrer Organisation, aus schwierigen Situationen Katastrophen zu machen, gibt es nicht leicht Überraschungen, wie?« konterte Sam Kressel gereizt.

»Wir haben Fehler gemacht.«

»Da Sie über Namen verfügen«, fuhr Sam fort, »warum schnappen Sie sich die Leute eigentlich nicht? Lassen Sie uns heraus; machen Sie Ihre Schmutzarbeit selbst. Führen Sie Verhaftungen durch, erheben Sie Anklage. Versuchen Sie nicht, *uns* zu Hilfssheriffs zu machen.«

»Das wollen wir auch nicht … Außerdem ist der Großteil unseres Beweismaterials vor Gericht nicht zulässig.«

»Das ist mir auch in den Sinn gekommen«, warf Kressel ein.

»Und was würden wir gewinnen? Was werden *Sie* gewinnen?« Loring beugte sich vor und erwiderte Sams Blick. »Wir schnappen uns ein paar hundert Marihuana-Süchtige, ein paar Dutzend Haschischbrüder; Junkies und Dealer der untersten Klasse. Verstehen Sie denn nicht, daß das überhaupt nichts *bringt*?«

»Womit wir bei der Frage wären, was Sie wirklich wollen, nicht wahr?«

Matlock lehnte sich in seinem Sessel zurück und musterte den Agenten scharf.

»Ja«, antwortete Loring mit leiser Stimme. »Wir wollen Nimrod. Wir wollen wissen, wo genau diese Konferenz am zehnten Mai stattfinden soll. Es muß im Umkreis von fünfzig bis hundert Meilen sein. Wir möchten darauf vorbereitet sein. Wir möchten der Operation Nimrod das Genick brechen, aus Gründen, die weit über die Carlyle Universität hinaus gehen. Und auch weit über das Thema Rauschgift.«

»Wie?« fragte James Matlock.

»Dr. Sealfont hat es gesagt. Infiltration … Professor Matlock, Sie sind in Ihrer Umgebung etwas, was man in Abwehrkreisen als mobile Person bezeichnet. Sie werden von unterschiedlichen, ja sogar miteinander in Konflikt stehenden Gruppen akzeptiert – sowohl innerhalb der Fakultät als auch bei der Studentenschaft. Wir haben die Namen, Sie die Mobilität.« Loring griff in seinen Aktenkoffer und holte das schmutzige, dreieckige Blatt heraus. »Irgendwo dort draußen ist die Information, die wir brauchen. Irgendwo ist jemand, der ein Papier wie dieses hat; jemand, der das weiß, was wir wissen müssen.«

James Barbour Matlock blieb reglos in seinem Sessel sitzen und starrte den Mann aus Washington an. Weder Loring noch Kressel konnten sicher sein, was er jetzt dachte, aber beide hatten eine Vorstellung davon. Wenn man Gedanken hören könnte, dann hätte in diesem Augenblick in jenem Raum volle Übereinstimmung geherrscht. James Matlocks Gedanken waren drei, fast vier Jahre in die Vergangenheit gewandert. Er erinnerte sich an einen blonden, neunzehnjährigen Jungen. Unreif für seine Jahre vielleicht, aber gut, freundlich. Ein Junge mit Problemen.

Sie hatten ihn gefunden, wie sie Tausende wie ihn in Tausenden von Städten und Dörfern im ganzen Lande gefunden hatten. Andere Zeiten, andere Nimrods.

James Matlocks Bruder David hatte sich eine Nadel in den rechten Arm gestochen und hatte dreißig Milligramm einer weißen Flüssigkeit hineingeschossen. Er hatte das auf einem kleinen Boot in den ruhigen Gewässern einer Bucht von Cape Cod getan. Das kleine Segelboot war in die Binsen in der Nähe des Ufers getrieben. Als sie ihn fanden, war James B. Matlocks Bruder tot.

Matlock traf seine Entscheidung.

»Können Sie mir die Namen geben?«

»Ich habe sie bei mir.«

»Einen Augenblick.« Kressel stand auf, und diesmal klang nicht mehr der Ärger aus seiner Stimme – diesmal war es Angst. »Ist Ihnen klar, was Sie von ihm verlangen? Er hat keine Erfahrung in dieser Arbeit. Er ist nicht ausgebildet. Benutzen Sie doch einen Ihrer *eigenen* Leute.«

»Dafür ist keine Zeit. Es ist keine Zeit für einen unserer Leute. Man wird ihn schützen; Sie können helfen.«

»Ich kann Sie *hindern*!«

»Nein, das können Sie nicht, Sam«, sagte Matlock von seinem Sessel aus.

»Jim, um Christi willen, wissen Sie, was er verlangt? Wenn an dem, was er sagt, auch nur ein Funken Wahrheit ist, dann bringt er Sie in die schlimmste Lage, in die man einen Menschen bringen kann. Er macht Sie zum Informanten.«

»Sie brauchen nicht zu bleiben. Meine Entscheidung braucht nicht die Ihre zu sein. Warum gehen Sie nicht nach Hause?« Matlock stand auf und ging langsam mit seinem Glas zur Bar.

»Das ist jetzt unmöglich«, sagte Kressel und wandte sich zu dem Mann aus Washington. »Und *er weiß das.*«

Loring spürte einen Anflug von Trauer. Dieser Matlock war ein guter Mann; er tat, was er tat, weil er das Gefühl hatte, es jemandem schuldig zu sein. Und seine professionelle Erfahrung sagte ihm mit eiskalter Logik, daß James Matlock, indem er den Auftrag annahm höchstwahrscheinlich in den Tod ging. Es war ein schrecklicher Preis, diese Möglichkeit. Aber das Ziel war den Preis wert. Die Konferenz war ihn wert.

Nimrod war ihn wert.

Das war der Schluß, den Loring gezogen hatte.

Und dieser Schluß machte seinen Auftrag erträglich.

4

Nichts durfte niedergeschrieben werden; das Briefing war daher langsam und bedurfte dauernder Wiederholungen. Aber Loring verstand sich auf seinen Beruf und wußte, wie wichtig es war, gelegentlich Pausen einzulegen, wenn der

Druck des Neuen, das zu schnell aufgenommen wurde, zu groß wurde. Während dieser Pausen versuchte er, Matlock auszuhorchen, mehr über diesen Mann zu erfahren, dessen Leben so geringschätzig eingestuft wurde. Es war beinahe Mitternacht; Sam Kressel war vor acht Uhr gegangen. Es war weder notwendig noch ratsam, daß der Dekan während ihrer Gespräche zugegen war. Er war ein Verbindungsmann, kein Akteur. Kressel hatte gegen diese Entscheidung nichts einzuwenden.

Ralph Loring erfuhr schnell, daß Matlock ein verschlossener Mann war. Seine Antworten auf unschuldig formulierte Fragen waren kurz hingeworfene Erwiderungen, die keine Rückschlüsse auf seine Motive erlaubten. Nach einer Weile gab Loring auf. Matlock hatte sich bereit erklärt, einen Auftrag zu erledigen, nicht seine Gedanken oder Motive der Öffentlichkeit zugänglich zu machen. Es war nicht notwendig; Loring kannte sie ohnehin. Das war alles, worauf es ankam. Eigentlich war es ihm sogar recht, den Mann nicht zu gut zu kennen.

Matlock andererseits reflektierte auf einer völlig anderen Ebene – während er die komplizierten Informationen seinem Gedächtnis einprägte – über sein eigenes Leben und dachte auf seine Art darüber nach, warum man ihn ausgewählt hatte. Die Bewertung seiner Person als *mobil* gab ihm zu denken; was für ein schreckliches Wort, wenn es einen selbst betraf!

Und doch wußte er, daß er genau das war, was dieser Begriff ausdrücken wollte. Er war mobil. Die berufsmäßigen Rechercheure oder Psychologen oder was immer sie sonst sein mochten, hatten das richtig erkannt. Dennoch bezweifelte er, daß sie die Gründe begriffen, die hinter seiner ... ›Mobilität‹ standen.

Die akademische Welt war für ihn ein Zufluchtsort gewesen, eine Art Asyl. Keineswegs das Ziel langgehegten Ehrgeizes. Er war in sie geflohen, um sich Zeit zu erkaufen, um ein Leben zu ordnen, das im Begriff war, in Stücke zu gehen, um zu verstehen. Um wieder *klar zu sehen*, wie die jungen Leute heutzutage sagten.

Er hatte versucht, es seiner Frau zu erklären. Seiner reizenden, intelligenten, letztlich aber doch hohlen Frau, die dachte, er wäre von Sinnen. Was gab es denn da zu verstehen außer einem *wahnsinnig* guten Job, einem *wahnsinnig* netten Haus, einem *wahnsinnig* angenehmen Club und einem *guten* Leben in einer *wahnsinnig* angenehmen gesellschaftlichen und finanziellen Welt? Für sie gab es nichts, was darüber hinausreichte und was man verstehen mußte. Und das verstand er.

Aber für ihn hatte jene Welt ihre Bedeutung verloren. Er hatte angefangen, sich von ihr zu lösen, als er Anfang Zwanzig war, damals während seines letzten Jahres in Amherst. Seine Erlebnisse beim Militär hatten die Trennung vollständig gemacht.

Es war kein einzelner Anlaß, der dazu geführt hatte. Und diese Trennung selbst war kein gewaltsamer Akt, wenn auch Gewalttätigkeit zu Anfang seiner Erlebnisse in Saigon eine Rolle gespielt hatte. Es hatte zu Hause begonnen, dort, wo die Entscheidungen über den Lebensstil getroffen oder abgelehnt werden, während einer Folge unangenehmer Konfrontationen mit seinem Vater. Der alte Gentleman – er war zu alt, zu sehr der Gentleman – fühlte sich berechtigt, von seinem erstgeborenen Sohn bessere Leistungen fordern zu dürfen. Ein Ziel, zweckgebundenes Handeln, wovon überhaupt nichts zu bemerken war. Matlock senior gehörte einer anderen Zeit an – wenn nicht gar einem anderen Jahrhundert – und hielt die Kluft zwischen Vater und Sohn für etwas Wünschenswertes, wobei der Jüngere so lange ohne Belang war, als er sich nicht auf dem Markt bewährt hatte. Ohne Belang, aber natürlich formbar. In gewisser Weise war der Vater wie ein wohlwollender Herrscher, der nach Generationen der Machtausübung nicht damit einverstanden war, daß sein rechtmäßiger Sproß auf den Thron verzichtete. Matlock dem Älteren war es unvorstellbar, daß sein Sohn nicht die Führung des Familiengeschäftes übernahm. Der Familiengeschäfte.

Aber für Matlock den Jüngeren war das durchaus vorstellbar. Er zog es sogar vor. Er fühlte sich nicht nur bei dem Gedanken an eine Zukunft im Geschäft seines Vaters unwohl, er hatte sogar Angst davor. Für ihn bot das reglementierte System von Druck und Gegendruck der Welt der Finanzen keine Freude, statt dessen war da eine schreckliche Angst vor Unzulänglichkeit, die sich durch die starke – ja überwältigende – Tüchtigkeit seines Vaters noch verstärkte. Je näher er dem Augenblick rückte, an dem er in jene Welt eintreten mußte, desto deutlicher drückte sich seine Angst aus. Und es kam ihm in den Sinn, daß Hand in Hand mit den Freuden luxuriöser Geborgenheit und unnötiger Bequemlichkeit auch die Rechtfertigung kommen mußte, um das zu tun, was man von ihm erwartete. Eine solche Rechtfertigung vermochte er nicht zu finden. Dann war es schon besser, wenn der ihm gebotene Schutz weniger luxuriös und die Bequemlichkeiten etwas eingeschränkt waren, als der Aussicht auf ständige Angst und Unbehagen ins Auge zu sehen.

Er hatte versucht, *das* seinem Vater zu erklären. Und während seine Frau behauptet hatte, er sei von Sinnen, hatte der alte Herr ihn zum Tunichtgut erklärt.

Was nicht gerade dem Urteil widersprach, daß das Militär über ihn gefällt hatte.

Das Militär.

Eine Katastrophe. Eine Katastrophe, die das Wissen nicht weniger schlimm machte, daß er selbst sie verursacht hatte. Er stellte fest, daß blinde, physische Disziplin und eine Autorität, die man nicht in Frage stellte, ihm Abscheu bereiteten. Und er war groß und stark genug und verfügte über einen ausreichenden Wortschatz, um seine nicht anpaßbaren, unreifen Einwände zur Kenntnis zu bringen – zu seinem persönlichen Nachteil.

Diskrete Manipulationen seitens eines Onkels führten dazu, daß man ihn vor dem offiziellen Abschluß seiner Dienstzeit entließ; dafür war er seiner einflußreichen Familie dankbar.

In diesem Abschnitt seines Lebens war James Barbour Matlock II. am Tiefpunkt angelangt. Nicht gerade glorreich aus dem Militärdienst entlassen, von seiner Frau geschieden, von seiner Familie verstoßen – symbolisch, wenn nicht tatsächlich –, spürte er jenes Gefühl der Panik, das daraus resultiert, wenn man nirgendwohin gehört, wenn man ohne Motiv und Ziel ist.

So war er in die sichere Ordnung der Universität geflohen und hatte gehofft, dort eine Antwort zu finden. Und ebenso wie bei einer Liebschaft, die man auf rein sexueller Grundlage begonnen hat und aus der später psychologische Abhängigkeit erwachsen ist, hatte er sich an jene Welt geklammert; er hatte das gefunden, was sich ihm fast fünf wichtige Jahre lang entzogen hatte. Es war die erste echte Wechselbeziehung, die er je erlebt hatte.

Er war frei.

Frei, das erregende Gefühl einer bedeutsamen Herausforderung zu genießen, frei, sich an dem Selbstvertrauen zu ergötzen, daß er der Herausforderung gewachsen war. Er stürzte sich mit der ganzen Begeisterung des Konvertiten, aber ohne dessen Blindheit, in seine neue Welt. Er wählte sich einen Abschnitt der Geschichte und der Literatur, in der es von Energie und Konflikten und sich widersprechenden Wertmaßstäben wimmelte. Die Lehrjahre verstrichen schnell; seine eigenen Talente verzehrten ihn und überraschten ihn gleichzeitig auf angenehme Weise. Als er schließlich die professionelle Ebene erreichte, brachte er frischen Wind in verstaubte Archive. Seine Doktorarbeit zum Thema höfischer Einmischungen in die englische Renaissanceliteratur – also das Nachrichtenmanagement – fegte einige geheiligte Theorien über eine Wohltäterin namens Elizabeth I. in die historische Mülltonne.

Er gehörte jener neuen Generation von Gelehrten an: ruhelos, skeptisch, unbefriedigt, stets suchend, während er das, was er gelernt hatte, anderen vermittelte. Zweieinhalb Jahre nachdem er sich habilitiert hatte, verlieh man ihm die außerordentliche Professur. Somit war er der jüngste Dozent von Carlyle, dem diese besondere Würde zuteil wurde.

James Barbour Matlock II. glich die verlorenen Jahre aus, die schrecklichen Jahre. Vielleicht das beste von allem war das Wissen, daß er seine Erregung anderen mitteilen konnte. Er war jung genug, um Freude daran zu haben, seine Begeisterung mit anderen zu teilen, und alt genug, um den Fragen Richtung zu geben.

Ja, er war *mobil*; weiß Gott, das war er; er konnte, *würde* niemanden einfach abschalten, ihn ausschließen, weil er anderer Meinung war – ja nicht einmal, weil er ihn nicht mochte. Die Tiefe seiner eigenen Dankbarkeit, seiner Erleichterung, war derart, daß er sich unbewußt versprach, nie die Sorgen eines anderen menschlichen Wesens einfach abzutun.

»Irgendwelche Überraschungen?« Loring hatte einen Teil des Materials vorgelegt, das die Rauschgiftkäufe enthielt.

»Eher eine Klärung, würde ich sagen«, erwiderte Matlock. »Die alten Verbindungen oder Clubs – meistens weiß und meistens wohlhabend – bekommen ihren Stoff aus Hartford. Die schwarzen Einheiten wie Lumumba Hall gehen nach New Haven. Unterschiedliche Quellen.«

»Genau; das ist studentische Orientierung. Worauf es mir ankommt, ist, daß niemand von den Lieferanten in Carlyle kauft. Von Nimrod.«

»Das haben Sie erklärt. Die Nimrod-Leute wollen nicht auffallen.«

»Aber sie sind hier. Man macht Gebrauch von ihnen.«

»Wer denn?«

»Fakultät und Angestellte«, erwiderte Loring ruhig und schlug eine Seite um. »Vielleicht überrascht Sie *das*. Mr. und Mrs. Archer Beeson ...«

Matlock stellte sich sofort den jungen Geschichtsdozenten und seine Frau vor. Sie waren personifizierter Ivy-League-Konformismus – falsch, arrogant, ästhetisch wertvoll. Archer Beeson war ein junger Mann voll akademischer Hast; seine Frau die perfekte Fakultätsunschuld, ein Sexpüppchen, stets beeindruckt.

»Sie nehmen LSD und die Methedrine. Acid und Speed.«

»Du großer Gott! Das hätte ich nie gedacht. Woher wissen Sie das?«

»Es ist zu kompliziert, um sich näher damit zu befassen, außerdem geheim. Um es ganz einfach darzustellen: sie beide pflegten von einem Verteiler in Bridgeport zu kaufen, ziemlich viel. Der Kontakt wurde abgeschnitten, und er tauchte auf anderen Listen auf. Aber er hat nicht Schluß gemacht. Wir nehmen an, daß er jetzt in Carlyle kauft. Aber es gibt keine Beweise ... Hier ist noch einer.«

Das war der Trainer der Footballmannschaft. Er versorgte sich mit Marihuana und Amphetaminen und hatte bisher in Hartford gekauft. Man hielt ihn für einen Dealer auf dem Campus, keinen Benutzer. Obwohl er nicht mehr in Hartford kaufte, wuchsen die verschiedenen Bankkonten des Mannes, insbesondere die unter Decknamen, immer noch. Annahme: Nimrod.

Und noch einer. Dieser hier beunruhigte Matlock besonders. Der stellvertretende Dekan für Studienplätze. Ein Absolvent von Carlyle, der nach einer kurzen Laufbahn als Handelsvertreter auf den Campus zurückgekehrt war. Er war ein überschwänglicher Mann, mit stets offener Hand; geradezu ein Missionar für die Sache Carlyles. Ein beliebter Enthusiast in diesen Tagen des Zynismus. Auch ihn hielt man für einen Verteiler, nicht einen Benutzer. Er hatte sich durch Dealer zweiten und dritten Grades eine gute Deckung verschafft.

»Wir nehmen an, daß er über die Nimrod-Organisation hierher zurückgekommen ist. Gute Planung seitens Nimrods.«

»Da kann einem ja Angst werden. Und den Eltern vermittelt dieser Schweinehund den Eindruck, als wäre er eine Kombination aus Astronaut und Kaplan.«

»Gute Planung, ich sagte es ja. Erinnern Sie sich? Ich habe Ihnen und Kressel gesagt: Die Nimrod-Leute haben Interessen, die über Rauschgift hinausgehen.«

»Aber Sie wissen nicht, was das für Interessen sind.«

»Wir sollten es in Erfahrung bringen ... Hier ist eine Liste der jungen Leute.«

Die Namen der Studenten schienen Matlock endlos. Da waren 563 aus einer Gesamtzahl von etwas mehr als 1200. Der Mann aus Washington gab zu, daß viele auf der Liste standen, nicht weil man ihre Drogenabhängigkeit bestätigte, sondern einzig und allein wegen ihrer Beziehungen auf dem Campus. Es war bekannt, daß Clubs und Verbindungen manchmal ihr Geld zusammenlegten, um Narkotika zu kaufen.

»Wir haben nicht die Zeit, um jeden einzelnen Namen zu überprüfen. Wir suchen hier Beziehungen; jede Beziehung, gleichgültig wie unwahrscheinlich sie sein mag. Man braucht alle möglichen Wege; wir können sie nicht einschränken ... Und dann hat diese Liste noch einen Aspekt; ich weiß nicht, ob Sie den erkennen.«

»Natürlich. Ich glaube es zumindest. Zwanzig oder dreißig Namen hier sind höchst prominent. Einige sehr einflußreiche Eltern. Industrie, Regierung. Hier.« Matlock deutete auf einen Namen. »Ein Kabinettsmitglied, wenn ich mich nicht irre. Und ich irre mich nicht.«

»Sehen Sie.« Loring lächelte.

»Hat das irgendwelche Wirkungen gehabt?«

»Das wissen wir nicht. Könnte sein, könnte auch nicht sein. Das Netz von Nimrod breitet sich schnell aus. Deshalb hallt der Alarm auch lauter als ihre Glocken. Inoffiziell gesprochen, es könnte zu Verwicklungen kommen, von denen niemand geträumt hat ... Unruhe im Verteidigungsbereich, Gewerkschaftsverträge, erzwungene Bauten. Lassen Sie Ihrer Fantasie freien Lauf. *Alles* könnte möglich sein.«

»Du lieber Gott«, sagte Matlock leise.

»Genau.«

Die beiden Männer hörten, wie die Türe von Sealfonts Villa geöffnet und wieder geschlossen wurde. Wie im Reflex nahm Loring ruhig Matlock die Papiere weg und verstaute sie schnell in seinem Aktenkoffer. Er klappte den Koffer zu und tat dann etwas Unerwartetes. Leise, fast unauffällig, schob er seine Jacke zurück und griff nach seinem Revolver, der in einem kleinen Halfter an seiner Brust zu sehen war. Das erschreckte Matlock. Er starrte auf die verborgene Hand.

Die Bibliothekstüre öffnete sich und Adrian Sealfont trat ein. Loring zog unauffällig die Hand unter dem Jackenrevers hervor. Sealfont sagte mit freundlicher Stimme:

»Ich gebe mir *wirklich* Mühe. Ganz ehrlich. Ich verstehe die Worte und die Bilder, und in Zöpfe geflochtenes Haar macht mir nichts aus. Was mich verwirrt, ist die Feindseligkeit. Jeder, der über Dreißig ist, ist der natürliche Feind dieser Burschen.«

»Das war Strauss, nicht wahr?« fragte Matlock.

»Ja. Jemand hat sich nach dem Einfluß der New Wave erkundigt. Er antwortete darauf, die New Wave sei uralt. Prähistorisch, sagte er ... Ich will Sie nicht unterbrechen, meine Herren. Ich möchte nur gerne wissen, wie Kressel sich entschieden hat, Mr. Loring. James hat ja offensichtlich akzeptiert.«

»Mr. Kressel auch, Sir. Er wird als Verbindungsmann tätig sein.«

»Ich verstehe.« Sealfont sah Matlock an. Seine Augen blickten erleichtert. »James, jetzt kann ich es Ihnen sagen. Ich bin äußerst dankbar, daß Sie sich entschlossen haben mitzuhelfen.«

»Ich glaube nicht, daß es eine Alternative gibt.«

»Nein, die gibt es nicht. Was mich erschreckt ist nur, daß so etwas überhaupt möglich scheint, Mr. Loring. Ich möchte sofort verständigt werden, wenn Sie etwas Konkretes in der Hand haben. An dem Punkt werde ich alles tun, was Sie wünschen, jeder Aufforderung nachkommen. Ich bitte nur darum, daß Sie mir Beweise liefern, dann haben Sie meine volle, meine offizielle Unterstützung.«

»Ich verstehe, Sir. Sie haben uns sehr geholfen. Mehr als wir erwarten durften. Wir sind Ihnen dankbar.«

»Wie James schon sagte, es gibt keine Alternative. Aber ich muß Ihnen Grenzen auferlegen; meine erste Verpflichtung gilt dieser Anstalt. Die Universitäten scheinen vielleicht heutzutage verschlafen; aber ich glaube, das ist nur oberflächlich so ... Sie haben zu arbeiten, und ich muß noch etwas lesen. Gute Nacht, Mr. Loring. James.«

Matlock und der Mann aus Washington nickten, als Sealfont die Bibliothekstüre schloß.

Um ein Uhr konnte Matlock nichts mehr aufnehmen. Die wichtigsten Elemente – Namen, Ursprungsorte, Vermutungen – saßen fest; er würde sie nie vergessen. Nicht, daß er alles auswendig hätte vortragen können; das erwartete man nicht. Aber wenn er irgendein Individuum auf diesen Listen sah, würde das in seiner Erinnerung etwas auslösen. Er wußte, daß Loring in dem Punkt recht hatte. Deshalb bestand der Agent auch darauf, daß er die Namen laut aussprach, sie jeweils einige Male wiederholte. Das würde genügen.

Was er jetzt brauchte, war Schlaf, falls der sich einstellte. Auf diese Weise würde alles Perspektive bekommen. Dann würde er am Morgen anfangen können, die ersten Entscheidungen zu treffen, festlegen, an welche Individuen er herantreten sollte, jene auswählen, bei denen es am unwahrscheinlichsten war, daß sie miteinander Kontakt hatten. Das bedeutete, daß er sich mit den unmittelbaren Freunden vertraut machte, ihrem Status in der Fakultät oder der Studentenschaft – Dutzende isolierter Fragmente, die über die Daten hinausgingen, welche Loring ihm geliefert hatte. Kressels Akten – die, die er ableugnete zu besitzen – würden ihm da helfen.

Sobald er einmal die Gespräche begonnen hatte, würde er sich vorsichtig vorantasten – zustoßen, parieren, auf Spuren achten, auf Blicke.

Und irgendwo, bei irgend jemandem würde es geschehen.

»Ich möchte auf etwas zurückkommen«, sagte Loring. »Hintergrundmaterial.«

»Davon haben wir doch eine ganze Menge durchgearbeitet. Vielleicht sollte ich zuerst verdauen, was ich jetzt habe.«

»Das dauert nur eine Minute. Es ist wichtig.« Der Agent griff in seinen Koffer und entnahm ihm das schmutzige, dreieckige Papier. »Hier, das gehört Ihnen.«

»Danke, nicht daß ich wüßte wofür.« Matlock nahm das früher einmal glänzende silberne Papier und sah die seltsame Schrift an.

»Ich habe Ihnen gesagt, es sei in Oltremontan-Korsisch geschrieben, und mit Ausnahme von zwei Worten trifft das zu. Ganz unten sehen Sie auf einer Zeile den Satz *Venerare Omerta*. Das ist nicht korsisch, das ist sizilianisch. Oder eine sizilianische Zusammenziehung, um genau zu sein.«

»Die habe ich schon einmal gesehen.«

»Sicher haben Sie das. Sie kommt überall vor. In Zeitungen, Filmen, Romanen. Aber das macht den Einfluß, den der Satz auf die Betroffenen hat, nicht geringer. Das ist etwas sehr Reales.«

»Was bedeutet es?«

»Grob übersetzt: Respektiert das Gesetz der Omerta. Omerta ist ein Eid der Verpflichtung *und* des Schweigens. Ihn zu verletzen heißt den Tod suchen.«

»Mafia?«

»Die hat damit zu tun. Man könnte sagen, sie ist der zweite im Bunde. Bedenken Sie, daß diese kleine Ankündigung gemeinsam von zwei Gruppen herausgegeben wurde, die ein Arrangement suchten. ›Omerta‹ sagt beiden etwas, beide begreifen das.«

»Ich werde daran denken, aber ich weiß nicht, was ich damit anfangen soll.«

»Einfach es wissen.«

»Okay.«

»Ein Letztes noch. Alles, womit wir uns heute abend befaßt haben, bezieht sich auf Narkotika. Aber wenn unsere Informationen zutreffen, sind die Nimrod-Leute auch in anderen Bereichen tätig. Wucher, Prostitution, Glücksspiel vielleicht, und wirklich nur vielleicht, städtische Behörden, staatliche Gesetzgebung, selbst die Bundesregierung ... unsere Erfahrung sagt uns, daß Rauschgift der schwächste Punkt ist. Die Chance eines Zusammenbruchs ist dort am größten. Deshalb haben wir uns darauf konzentriert. Mit anderen Worten: Konzentrieren auch Sie sich auf die Drogensituation, aber denken Sie daran, daß es auch andere Wege gibt.«

»Das ist kein Geheimnis.«

»Vielleicht nicht für Sie. Machen wir Schluß für heute.«

»Sollten Sie mir nicht eine Nummer geben, wo ich Sie erreichen kann?«

»Negativ. Benutzen Sie Kressel. Wir werden uns einige Male am Tag bei ihm erkundigen. Sobald Sie anfangen, Fragen zu stellen, wird man Sie vielleicht unter die Lupe nehmen. Rufen Sie niemals Washington an. Und *verlieren Sie ja nicht* unsere korsische Einladung. Das ist Ihre letzte Waffe. Finden Sie noch eine.«

»Ich werde mir Mühe geben.«

Matlock sah zu, wie Loring seinen Koffer zuklappte, dann die dünne schwarze Kette um sein Handgelenk legte und das eingebaute Schloß zuschnappen ließ.

»Sieht sehr melodramatisch aus, nicht wahr?« lachte Loring.

»Ich bin beeindruckt.«

»Seien Sie es nicht. Die Sitte fing mit diplomatischen Kurieren an, die ihre Taschen mit in die Hölle genommen hätten, aber heute ist es einfach Schutz gegen Diebstahl ... Ob Sie es glauben oder nicht, das denken die von uns.«

»Ich glaube Ihnen kein Wort. Das ist einer von den Koffern, die einen einnebeln, Radiosignale aussenden und Bomben auslösen.«

»Sie haben recht. Er kann alles das und noch viel mehr. Er hat Geheimfächer für Butterbrote, Wäsche und Gott weiß was sonst noch alles.« Loring nahm den Koffer vom Schreibtisch. »Ich glaube, es wäre eine gute Idee, wenn wir jeder für sich hinausgingen. Vorzugsweise einer vorne und einer hinten. In zehn Minuten Abstand.«

»Das halten Sie für nötig?«

»Offengestanden nein, aber meine Vorgesetzten wollen es so.«

»Okay. Ich kenne mich im Haus aus. Ich gehe zehn Minuten nach Ihnen durch die Küche.«

»Fein.« Loring streckte ihm die rechte Hand hin und stützte den Koffer mit der linken. »Ich brauche Ihnen nicht zu sagen, wie sehr wir Ihnen für das dankbar sind, was Sie tun.«

»Ich denke, Sie wissen, weshalb ich es tue.«

»Ja, das wissen wir. Offengestanden haben wir damit gerechnet.« Loring verließ die Bibliothek und Matlock wartete, bis die Außentüre sich geöffnet und wieder geschlossen hatte. Er sah auf die Uhr. Er würde noch einen Drink nehmen und dann gehen.

Um zwanzig Minuten nach eins war Matlock einige Blocks vom Haus entfernt. Er ging langsam in westlicher Richtung auf sein Apartment zu und überlegte, ob er einen Umweg um den Campus herum machen sollte. Es half ihm oft, sich ein Problem herunterzulaufen; er wußte, daß er nur schwer Schlaf finden würde. Er ging an ein paar Studenten und einigen Mitgliedern der Fakultät vorbei und tauschte mit denjenigen, die er kannte, leise Grüße. Er hatte sich schon beinahe entschlossen, auf der High Street nach Norden zu biegen, in entgegengesetzter Richtung von seiner Wohnung, als er die Schritte hinter sich hörte. Zuerst die Schritte und dann die heiser flüsternde Stimme.

»Matlock! Nicht umdrehen. Ich bin es, Loring. Gehen Sie einfach weiter und hören Sie mir zu.«

»Was ist denn?«

»Jemand weiß, daß ich hier bin. Man hat meinen Wagen durchsucht …«

»Herrgott! Woher wissen Sie das?«

»Fäden, Markierungen. Das ist Routine. Überall, vorne, hinten, Kofferraum. Sehr gründlich und sehr professionell.«

»Sind Sie sicher?«

»So verdammt sicher, daß ich den Motor nicht anlassen werde!«

»Jesus!« Matlock wäre beinahe stehengeblieben.

»Gehen Sie weiter! Falls mich jemand beobachtet hat – und Sie können verdammt sicher sein, daß da jemand war – habe ich so getan, als hätte ich den Zündschlüssel verloren … Ich habe einige Leute, die vorüberkamen, gefragt, wo eine Telefonzelle wäre und dann gewartet, bis Sie weit genug weg waren.«

»Was soll ich jetzt tun? An der nächsten Ecke ist eine Zelle …«

»Ich weiß. Ich glaube nicht, daß Sie etwas tun müssen, und hoffe um unser beider willen, daß ich recht habe. Ich werde Sie beim Vorbeigehen anrempeln – ziemlich heftig. Sie müssen das Gleichgewicht verlieren, und ich werde mich entschuldigen. Tun Sie so, als hätten Sie sich einen Knöchel verstaucht oder ein Handgelenk oder so etwas, was Sie wollen; aber sehen Sie zu, daß Sie *Zeit gewinnen*! Behalten Sie mich im Auge, bis ein Wagen kommt, um mich abzuholen, und *ich nicke,* daß es *okay ist.* Haben Sie das verstanden? Ich werde schleunigst zu der Telefonzelle laufen.«

»Angenommen, Sie sind immer noch am Telefon, wenn ich hinkomme?«

»Gehen Sie weiter, aber *sehen Sie sich um.* Der Wagen ist unterwegs.«

»Und was soll das Ganze?«

»Dieser Aktenkoffer. Auf den kommt es an. Es gibt nur eines, das Nimrod – wenn es Nimrod ist – noch lieber hätte als diesen Aktenkoffer. Und das ist das Papier in Ihrer Tasche. Also seien Sie vorsichtig!«

Ohne Warnung rannte er neben Matlock und stieß ihn vom Bürgersteig.

»Entschuldigen Sie! Ich hab's mächtig eilig!«

Matlock blickte vom Boden auf und überlegte, daß er gar nicht so *tun* mußte, als wäre er gefallen. Loring hatte so heftig zugestoßen, daß das nicht nötig war. Er fluchte und stand ungeschickt auf. Als er wieder auf den Beinen war, hinkte er langsam auf die einige hundert Meter entfernte Telefonzelle zu. Er vergeudete fast eine Minute damit, sich eine Zigarette anzuzünden. Loring war jetzt in der Zelle, saß auf dem mit Plastik bezogenen Sitz, über das Telefon gebeugt.

Jeden Augenblick erwartete Matlock, daß Lorings Wagen die Straße heraufkam.

Aber es kam keiner.

Statt dessen war da eine winzige Unstimmigkeit in den Frühlingsgeräuschen. Ein Lufthauch in den jungen Blättern. Oder war das ein Stein, der unter einem Fuß zerdrückt wurde, oder ein kleines Ästchen, das das Gewicht der neuen Blätter nicht tragen konnte? Oder hatte Matlock sich das Ganze nur eingebildet? Er wußte es nicht.

Er näherte sich der Zelle und erinnerte sich an Lorings Anweisung. *Gehen Sie vorbei und achten Sie nicht darauf.* Loring saß immer noch über das Telefon gebeugt da und sein Aktenkoffer stand auf dem Boden. Man konnte die Kette sehen. Aber Matlock konnte kein Gespräch hören, keine Bewegung von dem Mann in der Zelle. Statt dessen war da ein Geräusch: ein Freizeichen.

Entgegen seinen Instruktionen ging Matlock auf die Zelle zu und öffnete die Tür. Es gab nichts anderes, was er tun konnte. Der Mann aus Washington hatte seinen Anruf noch nicht einmal *angefangen*.

Und im nächsten Augenblick begriff er weshalb.

Loring war auf das schimmernde graue Metall des Telefons gestürzt. Er war tot. Seine Augen waren geweitet, Blut tropfte ihm von der Stirn. Ein winziges kreisförmiges Loch, nicht viel größer als ein Hemdknopf, umgeben von ein paar winzigen Glassplittern war ausreichender Beweis für das, was geschehen war.

Matlock starrte den Mann an, der ihn stundenlang instruiert hatte und ihn erst vor wenigen Minuten verlassen hatte. Der tote Mann, der ihm gedankt, mit ihm Witze gemacht und ihn schließlich gewarnt hatte. Er war wie versteinert, wußte nicht, was er tun sollte, tun *konnte*.

Er zog sich rückwärts von der Zelle zurück, auf die Stufen des nächsten Hauses zu. Sein Instinkt riet ihm, der Zelle fernzubleiben, aber nicht wegzurennen. Irgend jemand war dort draußen auf der Straße. Jemand mit einem Gewehr.

Und als die Worte kamen, erkannte er, daß sie von ihm kamen, wußte aber nicht, wann er beschlossen hatte, sie zu rufen. Sie kamen einfach unwillkürlich heraus.

»Hilfe ... *Hilfe*! Dort ist ein Mann! Man hat ihn *erschossen*!«

Matlock rannte die Treppe zum Eckhaus hinauf und begann mit aller Gewalt gegen die Tür zu schlagen. In einigen Häusern flammten Lichter auf. Und Matlock schrie:

»Um Himmels willen, jemand soll die *Polizei* anrufen. *Hier draußen ist ein toter Mann!*«

Plötzlich hörte Matlock aus dem Schatten unter den Bäumen das Aufbrüllen eines Automotors, dann das Geräusch quietschender Reifen, als der Wagen in die Straße hinausrollte und sich in Bewegung setzte. Er rannte an den Rand der Vorhalle. Der lange, schwarze Wagen schoß aus der Finsternis und raste zur Ecke. Matlock versuchte die Zulassungsnummer zu erkennen und trat, als er erkannte, daß das unmöglich war, einen Schritt nach unten, um wenigstens den Wagentyp zu erkennen. Plötzlich wurde er geblendet. Ein Scheinwerferstrahl durchdrang die schwach erleuchtete Frühlingsnacht und richtete sich auf ihn. Er zog die Hände hoch, um seine Augen zu schützen, und dann hörte er das leise Klatschen, das Rauschen von Luft, das er vor ein paar Minuten schon einmal gehört hatte.

Jemand feuerte ein Gewehr auf ihn ab. Ein Gewehr mit einem Schalldämpfer.

Er warf sich von der Vorhalle ins Gebüsch. Der schwarze Wagen fegte davon.

5

Er wartete alleine. Der Raum war klein, das Fensterglas von einem Drahtgeflecht verstärkt. Die Polizeistation von Carlyle wimmelte von Beamten in Uniform und Zivil, die man zum Dienst zurückgerufen hatte; niemand hatte eine Ahnung, was der Mord zu bedeuten hatte. Und niemand schloß die Möglichkeit aus, daß andere Morde folgen würden.

Alarm. Das typische Syndrom des Amerika der Jahrhundertmitte, dachte Matlock.

Die Pistole.

Er war geistesgegenwärtig genug gewesen, nach dem Anruf bei der Polizei Sam Kressel anzurufen. Kressel hatte ihm völlig schockiert gesagt, er würde irgendwie mit den entsprechenden Leuten in Washington Verbindung aufnehmen und dann auf die Station kommen.

Solange keine weiteren Instruktionen vorlagen, waren sich beide einig, daß Matlock sich auf die Aussage beschränken würde, er habe die Leiche gefunden und den Wagen gesehen. Er hatte einen nächtlichen Spaziergang gemacht, das war alles.

Sonst nichts.

Seine Aussage wurde abgetippt; Fragen bezüglich der Zeit, seiner Gründe, weshalb er sich in dieser Umgebung befunden hätte, Beschreibungen des ›Fahrzeugs des mutmaßlichen Täters‹, Richtung, geschätzte Geschwindigkeit – alle diese Fragen wurden routinemäßig gestellt und seine Antworten kommentarlos zur Kenntnis genommen.

Matlocks eindeutiges Nein auf eine Frage beunruhigte ihn etwas.

»Haben Sie den Getöteten schon einmal gesehen?«

»Nein.«

Das tat weh. Loring verdiente mehr als eine bewußte, überlegte Lüge. Matlock erinnerte sich, daß der Agent gesagt hatte, er hätte eine siebenjährige Tochter. Eine Frau und ein Kind; Mann und Vater getötet, und er konnte nicht einmal zugeben, daß er seinen Namen kannte.

Er wußte nicht genau, weshalb es ihn störte, aber jedenfalls tat es das. Vielleicht, dachte er, weil er wußte, daß dies nur der Anfang von einer ganzen Reihe von Lügen war.

Er unterzeichnete die kurze Beschreibung und sollte gerade entlassen werden, als er in einem Büro hinter dem Schreibtisch ein Telefon klingeln hörte. Nicht *auf* dem Schreibtisch, sondern dahinter. Sekunden später kam ein uniformierter Polizeibeamter heraus und sprach mit lauter Stimme seinen Namen, wie um sich zu vergewissern, daß er das Gebäude noch nicht verlassen hatte.

»Ja, Officer?«

»Wir müssen Sie bitten, noch etwas zu warten. Wenn Sie mir bitte folgen würden.«

Matlock war fast eine Stunde lang in dem kleinen Raum gewesen; es war zwei Uhr fünfundvierzig früh, und die Zigaretten waren ihm ausgegangen. Dies war nicht die Zeit, um sich die Zigaretten ausgehen zu lassen.

Die Türe öffnete sich, und ein großer, dünner Mann mit großen, ernsten Augen trat ein. Er trug Lorings Aktenkoffer.

»Es tut mir leid, daß wir Sie aufhalten müssen, Dr. Matlock. ›Doktor‹ stimmt doch, oder?«

»›Mr.‹ genügt völlig.«

»Mein Ausweis. Ich heiße Greenberg, Jason Greenberg. Federal Bureau of Investigation. Ich mußte Ihre Position bestätigen … Eine scheußliche Sache, nicht wahr?«

»›Eine scheußliche Sache‹? Ist das alles, was Sie sagen können?«

Der Agent sah Matlock rätselhaft an. »Tiefer möchte ich nicht gehen«, sagte er leise. »Wenn Ralph Loring zu Ende gewählt hätte, hätte er mich erreicht.«

»Tut mir leid.«

»Schon gut. Ich bin nicht völlig informiert – das heißt, ich weiß ein wenig, aber nicht alles, über die Nimrod-Situation; weiteres erfahre ich vor morgen früh. Übrigens, dieser Kressel ist hierher unterwegs. Er weiß, daß ich hier bin.«

»Ändert das irgend etwas? ... Das klingt dumm, nicht wahr? Ein Mann wird getötet, und ich frage Sie, ob das etwas ändert. Noch einmal, entschuldigen Sie bitte.«

»Keine Ursache; Sie haben etwas Schreckliches miterlebt ... Es liegt bei Ihnen, ob das etwas ändert. Wir akzeptieren die Tatsache, daß Ralphs Tod die Entscheidung von heute nacht ändern könnte. Wir bitten Sie nur, daß Sie bezüglich dessen, was man Ihnen mitgeteilt hat, mit sich zu Rate gehen.«

»Sie bieten mir also eine Chance auszusteigen?«

»Natürlich. Sie sind uns in keiner Weise verpflichtet.«

Matlock ging an das kleine rechteckige Fenster mit dem Drahtglas. Die Polizeistation befand sich am südlichen Ende der Ortschaft Carlyle, etwa eine halbe Meile vom Campus entfernt, die Gegend galt als Gewerbegebiet. Trotzdem standen Bäume am Straßenrand. Carlyle war eine sehr saubere Stadt, eine ordentliche Stadt. Die Bäume bei der Polizeistation waren gestutzt und gepflegt.

Und Carlyle war auch noch etwas anderes.

»Ich möchte Sie etwas fragen«, sagte er. »Bringt mich die Tatsache, daß ich Lorings Leiche gefunden habe, mit ihm in Verbindung? Ich meine, würde man mich mit dem in Verbindung bringen, was er getan hat?«

»Das glauben wir nicht. So wie Sie sich verhalten haben, kann eigentlich keinerlei Verdacht auf Sie fallen.«

»Was meinen Sie?« Matlock drehte sich herum und sah den Agenten an.

»Offen gestanden, das war eine Panikreaktion bei Ihnen.

Sie sind nicht weggerannt, haben sich nicht einfach vom Schauplatz des Verbrechens entfernt; Sie haben durchgedreht und fingen an zu schreien. Jemand, der einen Auftrag erfüllt und darauf programmiert ist, würde nicht so reagieren.«

»*Dafür* war ich nicht programmiert.«

»Das Ergebnis bleibt dasselbe. Sie haben ihn einfach gefunden und den Kopf verloren. Wenn dieser Nimrod auch nur *annimmt*, daß wir in die Sache verwickelt sind ...«

»Annimmt!« unterbrach ihn Matlock. »Sie haben ihn *getötet!*«

»Irgend jemand hat ihn getötet. Es ist höchst unwahrscheinlich, daß Nimrod damit zu tun hat. Vielleicht irgendeine andere Gruppe. Es gibt keine absolut sichere Tarnung, auch die Lorings war das nicht. Aber seine kam am nächsten.«

»Ich verstehe nicht, was Sie damit sagen wollen.«

Greenberg lehnte sich gegen die Wand und verschränkte die Arme. Seine großen, traurigen Augen blickten nachdenklich. »Ralphs Deckung im Außendienst war die beste im Justizministerium. Fast fünfzehn Jahre lang.« Der Agent blickte zu Boden. Seine Stimme klang tief, und man konnte die Bitterkeit in ihr hören. »Die Art von Deckung, die am besten funktioniert, wenn sie dem Betreffenden nichts mehr zu bedeuten hat. Wenn sie schließlich benutzt wird, bringt sie alle aus dem Gleichgewicht. Und verletzt seine Familie.«

Greenberg blickte auf und versuchte zu lächeln, aber es wollte ihm nicht gelingen.

»Ich verstehe Sie immer noch nicht.«

»Das ist nicht notwendig. Worauf es ankommt, ist, daß Sie mitten in die Szene hineingestolpert sind, in Panik gerieten und eine Heidenangst hatten. Wir können Sie freigeben, Mr. Matlock ... also?«

Ehe Matlock antworten konnte, flog die Türe auf und Sam Kressel trat ein. Sein Gesicht wirkte verängstigt und nervös.

»Herrgott! Das ist ja schrecklich! Wirklich schrecklich. Sind Sie Greenberg?«

»Und Sie sind Mr. Kressel.«

»Ja. Was geschieht jetzt?« Kressel wandte sich zu Matlock herum und sprach im selben Atemzug. »Alles klar, Jim?«

»Sicher.«

»Also Greenberg, *was geht hier vor*? Man hat mir in Washington gesagt, Sie würden uns das erklären.«

»Ich habe mit Mr. Matlock gesprochen und ...«

»Hören Sie mir zu«, unterbrach ihn Kressel plötzlich. »Ich habe Sealfont angerufen, und wir sind derselben Meinung. Das, was geschehen ist, war schrecklich ... tragisch. Wir möchten der Familie des Mannes unser Beileid ausdrücken, aber wir legen großen Wert darauf, daß jede Erwähnung von Carlyle mit uns abgestimmt wird. Wir vermuten, daß das alles in ein völlig anderes Licht rückt, und bestehen deshalb darauf, daß wir herausgehalten werden. Ich denke, das ist verständlich.«

Greenbergs Gesicht verriet seinen Ekel. »Sie kommen hier hereingerannt, fragen mich, was geschehen wäre, und erklären mir, ehe ich auch nur eine Chance habe, Antwort zu geben, was geschehen muß. Also, wie wollen Sie es jetzt haben? Soll ich Washington anrufen und denen *Ihre* Version durchgeben oder wollen Sie zuerst zuhören? Mir ist es egal.«

»Sie brauchen nicht gleich gereizt zu reagieren. Wir haben nie verlangt, daß man uns da hineinzieht.«

»Das tut niemand.« Greenberg lächelte. »Lassen Sie mich bitte zu Ende sprechen. Ich habe Matlock angeboten, daß er aussteigen kann. Er hat mir bis jetzt noch keine Antwort gegeben, also kann ich Ihnen auch keine geben. Aber wenn er das sagt, was ich annehme, daß er sagen wird, wird Lorings Tarnung sofort aktiviert werden. Das wird ohnehin geschehen, aber wenn der Professor mitmacht, blasen wir es noch ein wenig auf.«

»Wovon zum Teufel reden Sie eigentlich?« Kressel starrte den Agenten an.

»Ralph war jahrelang Partner in der so ziemlich am schlechtesten beleumundeten Anwaltskanzlei in Washington. Ihre Mandantenliste las sich wie ein Ausschnitt aus einem Mafia-Verzeichnis ... Am frühen Morgen heute fand ein Wagentausch statt, der erste von zwei. Das war in einer

Vorstadt von Hartford, in Elmwood. Lorings Wagen mit einem Washingtoner Nummernschild blieb in der Nähe des Hauses eines allgemein bekannten Capo stehen. Ein Mietwagen erwartete ihn ein paar Straßen weiter. Mit dem fuhr er nach Carlyle und parkte ihn vor 217 Crescent Street, fünf Straßen von Sealfonts Haus entfernt. 217 Crescent ist die Wohnung eines Dr. Ralston …«

»Ich bin ihm schon begegnet«, warf Matlock ein. »Wie ich höre, ist er auf …«

»… Abtreibungen spezialisiert«, beendete Greenberg den Satz.

»Er ist in keiner Weise mit dieser Universität verbunden«, sagte Kressel voll Betonung.

»Sie hatten schon schlimmere«, konterte Greenberg leise. »Und der Arzt steht immer noch in den Listen der Mafia. Jedenfalls hat Ralph den Wagen dort abgestellt und ist dann in die Stadt gegangen, um den zweiten Tausch vorzunehmen. Ich habe ihn gedeckt; dieser Aktenkoffer ist wichtig. Er wurde von einem Servicewagen von Bell Telephone aufgenommen, der einige Routinebesuche machte – darunter auch einen in einem Restaurant, das Cheshire Cat heißt – und schließlich bei Sealfont abgeliefert. Niemand konnte wissen, daß er dort war. Wenn sie das gewußt hätten, hätten sie ihn draußen abgefangen; sie beobachteten den Wagen an der Crescent Street.«

»Das hat er mir auch gesagt«, meinte Matlock.

»Er wußte, daß es möglich war; die Spur, die zur Crescent Street wies, wurde absichtlich offengelassen. Als er sich davon überzeugt hatte, handelte er schnell. Ich weiß nicht, was er tat, aber er hat wahrscheinlich gewartet, bis er Sie entdeckte.«

»Ja, das hat er.«

»Er war nicht schnell genug.«

»Was in Gottes Namen hat das mit *uns* zu tun? Welchen Einfluß kann das denn haben?« Kressel war nahe daran zu schreien.

»Wenn Mr. Matlock weitermachen will, wird Lorings Tod als Unterweltmord publiziert werden. Ein Unterweltanwalt, vielleicht ein Geldkurier; unliebsame Mandanten. Der Capo und der Arzt werden festgenommen werden; sie sind ersetzbar. Das gibt so dichten Nebel, daß alle aus dem Gleichgewicht geraten. Selbst die Mörder. Matlock wird dann vergessen. Es wird funktionieren, es wäre nicht das erstemal.«

Greenbergs Sicherheit schien Kressel zu erstaunen, ebenso sein Selbstvertrauen, sein ruhiges, professionelles Auftreten. »Sie reden verdammt schnell, wie?«

»Ich bin auch sehr intelligent.«

Matlock mußte unwillkürlich lachen. Er mochte Greenberg selbst unter – vielleicht sogar wegen der – bedauerlich unangenehmen Umstände. Der Agent wußte, was er sagte, und konnte offensichtlich schnell und scharf denken. Er war tatsächlich intelligent.

»Und wenn Jim sagt, daß er nichts damit zu tun haben will?«

Greenberg zuckte die Achseln. »Ich halte nicht viel davon, überflüssige Reden zu halten. Wollen wir doch hören, was er zu sagen hat.«

Die beiden Männer sahen Matlock an.

»Ich fürchte, das werde ich nicht, Sam. Ich bin immer noch dabei.«

»Das kann nicht Ihr Ernst sein! Der Mann ist ermordet worden!«

»Ich weiß. Ich bin derjenige, der ihn gefunden hat.«

Kressel legte Matlock die Hand auf den Arm. Es war die Geste eines Freundes. »Ich bin kein hysterischer Hirte, der seine Herde bewacht. Ich bin besorgt. Ich habe *Angst*. Ich sehe, wie da ein Mann in eine Lage hineinmanövriert wird, der er nicht gewachsen ist.«

»Das ist subjektiv«, unterbrach ihn Greenberg leise. »Wir sind auch besorgt. Wenn wir nicht der Ansicht wären, daß er fähig ist, wären wir nie an ihn herangetreten.«

»Doch, ich glaube schon, daß Sie das getan hätten«, sagte Kressel. »Ich glaube Ihnen keine Minute lang, daß eine solche Überlegung Sie daran hindern würde. Sie gebrauchen das Wort *ersetzbar* zu leicht, Mr. Greenberg.«

»Es tut mir leid, wenn Sie so denken. Das tue ich nämlich

nicht. Wir alle tun das nicht ... Ich bin noch nicht in allen Einzelheiten informiert worden, Kressel, aber sollen Sie nicht als Verbindungsmann tätig sein? In dem Fall schlage ich nämlich vor, daß Sie sich entfernen. Wir lassen jemand anderen dafür einteilen.«

»Ich soll Ihnen wohl freie Bahn lassen? Zulassen, daß Sie auf diesem Campus Ihr Unwesen treiben? Kommt nicht in Frage.«

»Dann arbeiten wir zusammen. So unangenehm das auch für uns beide sein mag ... Sie sind feindselig eingestellt; vielleicht ist das gut. Sie werden mich in Trab halten. Sie protestieren zu viel.«

Greenbergs Feststellung verblüffte Matlock. Es war eine Sache, eine Koalition aus Feinden zu bilden, und eine ganz andere, verdeckte Anklagen zu machen, beleidigend literarische Klischees zu verwenden.

»Die Bemerkung müssen Sie mir erklären«, sagte Kressel mit vor Ärger gerötetem Gesicht.

Als Greenberg antwortete, klang seine Stimme weich und vernünftig, ganz im Gegensatz zu dem, was er sagte. »Sie können mich mal, Mister. Ich habe heute nacht einen sehr guten Freund verloren. Vor zwanzig Minuten habe ich mit seiner Frau gesprochen. Unter diesen Umständen gebe ich keine Erklärungen ab. An dem Punkt endet mein Dienstvertrag. Und jetzt halten Sie den Mund. Ich schreibe Ihnen die Kontaktstunden auf und gebe Ihnen die Not-Telefonnummern. Wenn Sie sie nicht haben wollen, dann verschwinden Sie hier.«

Greenberg hob den Aktenkoffer auf ein kleines Tischchen und klappte ihn auf. Sam Kressel ging wie benommen auf den Agenten zu.

Matlock starrte den abgewetzten ledernen Aktenkoffer an, der noch vor wenigen Stunden an das Handgelenk eines Toten gekettet gewesen war. Er wußte, daß der tödliche Reigen begonnen hatte.

Jetzt mußten Entscheidungen getroffen, Leute konfrontiert werden.

6

Der seltsame Name unter der Glocke des Zweifamilienhauses lautete: Mr. und Mrs. Archer Beeson. Matlock war es nicht schwergefallen, sich die Einladung zu verschaffen. Sein Interesse, ein gemeinsames Seminar zu veranstalten, hatte dem Geschichtsdozenten Beeson geschmeichelt. Beeson wäre sogar geschmeichelt gewesen, wenn ein Mitglied der Fakultät von Matlocks Rang ihn gefragt hätte, wie seine Frau im Bett wäre (und das fragten sich die meisten). Da Matlock offensichtlich männlichen Geschlechts war, war Archer Beeson der Ansicht, daß 'n Schluck zu trinken und 'n bißchen zu quatschen, wobei seine Frau in einem kurzen Rock herumtänzelte, vielleicht dazu beitragen würde, seine Beziehung zu dem hochgeachteten Professor für englische Literatur zu vertiefen.

Matlock hörte den atemlosen Ruf aus dem Obergeschoß: »Augenblick!«

Das war Beesons Frau. Ihr bei Miß Porter's and Finch überzüchteter, breiter Akzent wirkte wie eine Karikatur. Matlock versuchte, sich das Mädchen vorzustellen, wie sie herumrannte und die Teller mit Käse und Cocktaildip noch einmal überprüfte – sehr seltener Käse und ungewöhnlicher Cocktaildip, etwas, worüber man reden konnte –, während ihr Mann die Bücherschränke noch einmal überprüfte – vielleicht ein paar obskure Folianten, die ganz beiläufig offen auf irgendwelchen Tischen herumlagen, so unauffällig, daß es einem Besucher schlechthin unmöglich war, sie zu übersehen. Matlock fragte sich, ob die beiden wohl auch kleine Tabletts mit Lyserginsäure oder Metedrinkapseln bereitstellten.

Die Tür öffnete sich und Beesons mädchenhafte Frau, bekleidet mit dem von ihm erwarteten kurzen Rock und einer durchsichtigen Seidenbluse, die ihre großen Brüste nur ungenügend bedeckte, lächelte unschuldig.

»Hi! Ich bin Ginny Beeson. Wir sind uns bei ein paar *irren* Cocktailparties begegnet. Ich bin so froh, daß Sie kommen konnten. Archie korrigiert gerade noch ein paar Arbeiten. Kommen Sie doch rein.«

Sie ging vor Matlock die Treppe hinauf und gab ihm keine Gelegenheit zu antworten. »Diese Treppen sind wirklich *schrecklich*! Nun, das ist eben der Preis, den man bezahlen muß, wenn man unten anfängt.«

»Es wird bestimmt nicht lange dauern«, sagte Matlock.

»Das sagt Archie auch immer. Hoffentlich hat er recht, sonst bekomme ich Muskeln an den Beinen!«

»Ganz sicher hat er das«, sagte Matlock und betrachtete die weichen, völlig unmuskulösen, reichlich zur Schau gestellten Beine vor ihm.

Käse und Cocktaildips standen an einer auffallenden Stelle auf einem seltsam geformten Couchtisch. Der von ihm erwartete Schauband war eines seiner eigenen Bücher. Der Titel lautete *Untersuchungen zu Richard II.* Er ruhte auf einem Tisch unter der Lampe mit Fransen. Unmöglich, daß ein Besucher ihn übersah.

Kaum hatte Ginny die Türe geschlossen, als Archie in das kleine Wohnzimmer geschossen kam, vermutlich aus seinem Arbeitszimmer – ebenfalls klein. Er hielt ein Bündel Papiere in der linken Hand und hatte die rechte ausgestreckt.

»Prima! Bin froh, daß Sie es schaffen konnten, alter Junge! … Setzen Sie sich, setzen Sie sich. Höchste Zeit, daß es was zu trinken gibt! Großer Gott! Richtig ausgedörrt bin ich! … Ich habe gerade drei Stunden damit verbracht, zwanzig Versionen des Dreißigjährigen Krieges zu lesen!«

»Das kommt vor. Gestern bekam ich einen Aufsatz über *Volpone* mit dem seltsamsten Schluß, den ich je gehört habe. Dann hat sich herausgestellt, daß der Junge es nie gelesen, sondern nur den Film in Hartford gesehen hat.«

»Mit einem neuen Schluß?«

»Total.«

»Du lieber Gott! Ist ja Wahnsinn!« warf Ginny halb hysterisch ein. »Was trinken Sie denn gerne, Jim? Ich darf Sie doch Jim nennen, oder, Doktor?«

»Bourbon und ein wenig Wasser. Das sollten Sie wirklich tun, Ginny. Ich habe mich nie richtig an den ›Doktor‹ gewöhnt. Mein Vater sagte, das wäre Betrug. Wenn man sich ›Doktor‹ nennt, muß man ein Stethoskop tragen, keine Bücher.« Matlock nahm auf einem Lehnsessel, der mit einer Indianerserape bedeckt war, Platz.

»Weil wir gerade von Doktoren reden, ich arbeite jetzt an meiner Dissertation. Das und noch zwei hektische Sommer – dann sollte es geschafft sein.« Beeson nahm seiner Frau den Eiskübel ab und ging zu einem langen Tisch unter einem Fenster, wo Flaschen und Gläser herumstanden.

»Das ist es wert«, sagte Ginny Beeson begeistert. »Ist es das nicht, Jim?«

»Eigentlich schon. Es zahlt sich aus.«

»Das und das *Schreiben*.« Ginny Beeson nahm den Käse und die Kräckers und trug sie zu Matlock. »Das ist ein interessanter irischer *Fromage*. Können sie sich vorstellen, daß er ›Blarney‹ heißt? Ich habe ihn vor zwei Wochen in einem kleinen Laden in New York gefunden.«

»Sieht ja herrlich aus. Habe noch nie davon gehört.«

»Weil wir vom Schreiben reden. Ich bin neulich auf Ihre *Untersuchungen* gestoßen. *Verdammt faszinierend!* Wirklich!«

»Du lieber Gott, das habe ich fast vergessen. Ich habe es vor vier Jahren geschrieben.«

»Es gehörte in den *Lehrplan*! Das hat Archie gesagt, nicht wahr, Archie?«

»Verdammt, ja! Hier ist das Gift, alter Junge«, sagte Beeson und brachte Matlock sein Glas. »Arbeiten Sie mit einem Agenten, Jim? Aber halten Sie mich nicht für neugierig – es dauert noch Jahre, bis ich etwas schreiben kann.«

»Das stimmt nicht, und das weißt du auch ganz genau«, schmollte Ginny.

»Ja. Irving Block in Boston. Wenn Sie an etwas arbeiten, könnte ich es ihm ja vielleicht zeigen.«

»Oh, nein, ich würde niemals … das wäre schrecklich anmaßend von mir …« Beeson zog sich gespielt bescheiden mit seinem Drink zur Couch zurück. Er setzte sich neben seine Frau und dann tauschten sie – ohne es zu wollen, dachte Matlock – befriedigte Blicke.

»Kommen Sie schon, Archie. Sie sind ein cleverer Bursche. Sie werden es auf diesem Campus noch zu etwas bringen. Warum glauben Sie wohl, daß ich Sie wegen des Seminars gefragt habe? Am Ende erweisen Sie *mir* einen Gefallen. Wer weiß, vielleicht bringe ich Block einen Bestseller. Da bleibt immer etwas hängen, wissen Sie.«

Beesons Blick wirkte ehrlich dankbar. Matlock war es peinlich den Blick zu erwidern, bis er in Beesons Augen noch etwas anderes sah. Er konnte es nicht definieren, aber es war da. Etwas Wildes, eine Spur von Panik.

Der Blick eines Mannes, der Rauschgift kannte, geistig und körperlich.

»Das ist *verdammt* nett von Ihnen, Jim. *Wirklich*, ich bin fast gerührt.«

Irgendwie gingen der Käse, die Drinks und das Abendessen vorüber. Es gab Augenblicke, in denen Matlock das Gefühl hatte, seinem Körper entrückt zu sein und drei Personen in einer Szene aus einem alten Film zu beobachten. Vielleicht an Bord eines Ozeandampfers oder in einem schlampig elegant New Yorker Apartment, in dem sie alle drei eng anliegende, festliche Kleider trugen. Er fragte sich, warum er sich die Szene so vorstellte – und dann wußte er es. Die Beesons wirkten, als lebten sie in den dreißiger Jahren. Jenen dreißiger Jahren, die er so oft in den Filmen spätnachts im Fernsehen gesehen hatte. Irgendwie waren sie ein Anachronismus, aber sie wirkten nicht künstlich, nur ihr eindringliches Gehabe, ihre Konversation, ihre altmodischen Ausdrücke wirkten so falsch. Und doch gehörten sie der gegenwärtigen Generation an.

Lyserginsäure und Methedrin.

Irgendwie zwangen sich die Beesons, sich als Teile einer vergangenen, sorglosen Zeit darzustellen. Vielleicht um die Zeit und die Umstände, in denen sie sich fanden, zu verleugnen.

Archie Beeson und seine Frau konnten einem Angst machen.

Gegen Elf, nach ziemlich viel Wein, den Archie zu dem ›interessanten-kleinen-Kalbfleischgericht-von-einem-Rezept-in-einem-alten-italienischen-Kochbuch‹ ausschenkte, setzten sich die drei ins Wohnzimmer. Inzwischen waren sämtliche Probleme in Verbindung mit dem vorgeschlagenen Seminar gelöst. Matlock wußte, daß er jetzt anfangen mußte; der schlimme, peinliche Augenblick war da. Er wußte nicht, wie er es machen sollte; das beste war, er vertraute auf seine Amateurinstinkte.

»Hört mal zu, ihr beiden … ich hoffe, das ist jetzt kein Schock, aber ich habe schon lange nicht mehr geraucht.« Er holte ein dünnes Zigarettenetui aus der Tasche und klappte es auf. Er kam sich albern vor, irgendwie tolpatschig. Aber er wußte, daß er diese Gefühle nicht zeigen durfte. »Ehe Sie ein Urteil fällen, sollte ich Ihnen sagen, daß ich ganz und gar gegen diese Rauschgiftgesetze bin und das immer schon war.«

Matlock wählte eine Zigarette aus dem Dutzend, die in dem Etui lagen und legte es offen auf den Tisch. War das so richtig? Er war nicht sicher; er wußte es nicht. Archie und seine Frau sahen einander an. Durch die Flamme vor seinem Gesicht beobachtete Matlock ihre Reaktion. Sie war vorsichtig, aber positiv. Vielleicht war es der Alkohol, den Ginny getrunken hatte, aber sie lächelte zögernd, so, als wäre sie erleichtert, einen Freund zu finden. Ihr Mann reagierte nicht ganz so deutlich.

»Nur zu, alter Junge«, sagte der junge Dozent mit einer Spur von Herablassung. »Wir arbeiten ja auch nicht gerade für die Staatsanwaltschaft.«

»Kaum«, kicherte seine Frau.

»Die Gesetze sind archaisch«, fuhr Matlock fort und inhalierte tief. »Auf allen Gebieten. Dabei kommt es doch nur auf die richtige Selbstkontrolle und ein Gefühl der Diskretion an – Diskretion vor einem selbst. Einem solches Erleben zu versagen, ist das eigentliche Verbrechen. Einem intelligenten Menschen das Recht auf Erfüllung zu versagen, ist … verdammt nochmal, das ist repressiv.«

»Nun, ich finde, das Wort, auf das es ankommt, lautet *intelligent*, Jim. Zügelloser Gebrauch seitens unintelligenter Menschen führt zu Chaos.«

»Im sokratischen Sinne haben Sie nur zur Hälfte recht. Die andere Hälfte bezieht sich auf ›Kontrolle‹. Effektive Kontrolle unter dem ›Eisen‹ und der ›Bronze‹ legt das ›Gold‹ frei – um eine Anleihe aus dem *Staat* zu machen. Wenn die intellektuell überlegenen Individuen beständig davon abgehalten würden, zu denken und zu experimentieren, weil ihre Denkprozesse das Verständnis ihrer Mitbürger übersteigen, würde es keine großen Werke geben – weder in der Kunst noch in der Technik noch in der Politik. Wir würden immer noch im finsteren Mittelalter leben.«

Matlock inhalierte den Rauch seiner Zigarette und schloß die Augen. War er zu eindringlich gewesen, zu positiv? Hatte das, was er gesagt hatte, zu sehr nach Missionar geklungen? Er wartete, aber er brauchte nicht lange zu warten. Archie sagte leise, aber nichts destoweniger eindringlich:

»Jeden Tag werden Fortschritte erzielt, alter Junge. Glauben Sie mir das. Das ist die Wahrheit.«

Matlock öffnete erleichtert die Augen halb und sah Beeson durch den Zigarettenrauch an. Er ließ seinen Blick auf dem anderen ruhen ohne zu blinzeln, und sah dann langsam zu Beesons Frau hinüber. Er sagte nur drei Worte:

»Sie sind Kinder.«

»Das ist eine relative Annahme unter den gegebenen Umständen«, antwortete Beeson, immer noch darauf bedacht, seine Stimme gleichmäßig und ruhig zu halten.

»Und das sind Worte.«

»Oh, da wäre ich nicht so sicher!« Ginny Beeson hatte genug getrunken, um unvorsichtig zu werten. Ihr Mann griff nach ihrem Arm und hielt ihn fest. Das war eine Warnung. Jetzt sprach er wieder, wendete den Blick von Matlock und blickte ins Leere.

»Ich bin gar nicht sicher, daß wir auf derselben Wellenlänge liegen …«

»Nein, wahrscheinlich nicht. Vergessen Sie es … Ich rauche die hier zu Ende und verschwinde dann. Ich melde mich wieder wegen des Seminars.« Matlock achtete darauf, daß sein Hinweis auf das Seminar beiläufig wirkte, fast desinteressiert.

Archie Beeson, der junge Mann, der es mit seiner akademischen Karriere eilig hatte, konnte dieses Desinteresse nicht ertragen.

»Macht es Ihnen etwas aus, wenn ich mir auch eine nehme?«

»Wenn es Ihre erste ist, ja … Versuchen Sie nicht, Eindruck auf mich zu machen. Es ist wirklich nicht wichtig.«

»Meine erste? … Wovon?« Beeson erhob sich von der Couch und ging auf den Tisch zu, auf dem das offene Zigarettenetui lag. Er beugte sich vor, hob es auf und hielt es sich an die Nase. »Das ist ganz passables Gras. Ich darf vielleicht hinzufügen, nur passabel. Ich will eine versuchen … für den Anfang.«

»Für den Anfang?«

»Sie scheinen es ehrlich zu meinen, aber wenn Sie mir verzeihen, Sie sind ein wenig weg vom Fenster.«

»Weg vom Fenster?«

»Nun, ja.« Beeson nahm zwei Zigaretten aus dem Etui und zündete sie geziert an. Er inhalierte tief, nickte, zuckte dann etwas reserviert die Achseln und reichte eine seiner Frau. »Nennen wir das ein *hors d'œuvre*. Einen Appetithappen.«

Er ging in sein Arbeitszimmer und kam mit einer chinesischen Lackkassette zurück und zeigte Matlock dann den winzigen Knopf, mit dem man den doppelten Boden der Kassette öffnen konnte. Darunter lagen zwei Dutzend weiße Tabletten, die in durchsichtige Plastikbeutel eingeschweißt waren.

»Das ist das Hauptgericht … falls Sie das schaffen.«

Matlock war für sein Wissen und das intensive Heimstudium, dem er sich in den letzten achtundvierzig Stunden unterzogen hatte, dankbar. Er lächelte, aber seine Stimme klang fest.

»Ich mache nur unter zwei Bedingungen weiße Trips. Die eine ist, daß es in *meinem* Haus sein muß, mit sehr guten, sehr alten Freunden. Die zweite, mit sehr guten, sehr alten Freunden in *ihrem* Haus. Ich kenne Sie nicht gut genug, Archie. Diskretion … Aber gegen eine kleine rote Reise habe ich nichts einzuwenden. Nur, daß ich darauf nicht vorbereitet bin.«

»Sagen Sie nichts mehr. Vielleicht bin ich es.« Beeson trug die chinesische Kassette in sein Arbeitszimmer zurück und kam mit einem kleinen Lederbeutel zurück, so wie Pfeifenraucher ihn für ihren Tabak benutzen, und trat neben Matlocks Stuhl. Ginny Beesons Augen weiteten sich, und sie knöpfte einen weiteren Knopf ihrer schon halb geöffneten Bluse auf und streckte die Beine.

»Das beste von Dunhill.« Beeson öffnete den Beutel und hielt ihn Matlock so hin, daß er hineinsehen konnte. Wieder waren da in Plastik gehüllte Tabletten. Die hier aber waren von tiefem Rot und etwas größer als die weißen Pillen in der chinesischen Box. Es waren wenigstens fünfzig bis sechzig Seconal.

Ginny sprang auf und quietschte: »Das *liebe* ich! Das ist Pinky groovy!«

»Jedenfalls besser als Brandy«, fügte Matlock hinzu.

»Jetzt gehen wir auf den Trip. Nicht zu viel, alter Junge. Höchstens fünf. Das ist meine Regel für neue alte Freunde.«

Die nächsten zwei Stunden verliefen für James Matlock so, als sähe er die Welt durch dichten Nebel, wenn auch nicht durch so dichten Nebel, wie er die Beesons umgab. Der Geschichtsdozent und seine Frau erreichten mit den fünf Pillen ihr »High« – wie es auch Matlock ergangen wäre, wenn es ihm nicht gelungen wäre, die letzten drei in die Tasche zu stecken, wobei er vorgab, sie zu verschlucken. Aber sobald er das erste Stadium erreicht hatte, fiel es Matlock nicht schwer, seine Gastgeber zu imitieren und Beeson dann davon zu überzeugen, daß er noch eine weitere Dosis holte.

»Wo bleibt denn die Diskretion, Doktor?« gluckste Beeson, der vor der Couch auf dem Boden saß und gelegentlich nach den Beinen seiner Frau griff.

»Sie sind viel bessere Freunde, als ich das dachte.«

»Das ist erst der *Anfang* einer schönen, *schönen* Freundschaft.« Die junge Frau lehnte sich langsam auf der Couch zurück und kicherte. Sie schien sich zu winden und legte ihrem Mann die rechte Hand auf den Kopf, schob sein Haar nach vorne.

Beeson lachte, diesmal mit viel weniger Selbstkontrolle, als er vorher an den Tag gelegt hatte, und stand dann auf. »Dann hole ich den Zauber eben.«

Als Beeson in sein Arbeitszimmer ging, beobachtete Matlock seine Frau. Das was sie tat, war nicht mißzuverstehen. Sie sah Matlock, öffnete langsam den Mund und streckte ihm die Zunge heraus. Matlock erkannte, daß sich da eine der Nebenwirkungen des Seconal zeigte. Ebenso wie der größte Teil von Virginia Beeson.

Bei der zweiten Dosis hatte man sich auf drei geeinigt, und Matlock fiel es jetzt nicht mehr schwer, Wirkung vorzutäuschen. Beeson schaltete seine Stereoanlage ein und spielte eine Aufnahme der »Carmina Burana«. Fünfzehn Minuten später saß Ginny Beeson Matlock auf dem Schoß und rieb sich immer wieder an seinen Schenkeln. Ihr Mann saß breitbeinig vor den Stereolautsprechern, die zu beiden Seiten des Plattenspielers angebracht waren. Matlock sprach, als atmete er aus, gerade laut genug, daß man ihn trotz der Musik hören konnte.

»Ich habe noch selten so gute gehabt, Archie … Wo? Wo kommen die her?«

»Wahrscheinlich vom gleichen Lieferanten wie die Ihren, alter Junge.« Beeson drehte sich herum und sah Matlock und seine Frau an. Dann lachte er. »Aber ich weiß nicht, was Sie meinen. Den Zauber oder das Mädchen auf Ihrem Schoß. Bei der müssen Sie aufpassen, Doktor, die kann recht wild werden.«

»Das glaube ich. Ihre Pillen sind besser als die meinen, und mein Gras war Ihnen auch nur gerade gut genug. Wo? Seien Sie ein guter Freund.«

»Sie sind komisch, Mann. Sie stellen die ganze Zeit Fragen. Stelle ich Ihnen Fragen. Nein … das ist unhöflich … Spielen Sie mit Ginny. Lassen Sie mich Musik hören.« Beeson rollte wieder zurück und blieb mit dem Gesicht auf dem Boden liegen.

Das Mädchen auf Matlocks Schoß legte ihm plötzlich die Arme um den Hals und drückte ihre Brüste gegen seine Brust. Sie legte ihm den Kopf an die Wange und fing an, seine Ohren zu küssen. Matlock fragte sich, was wohl geschehen würde, wenn er sie jetzt aus dem Stuhl hob und sie ins Schlafzimmer trug. Er fragte sich das, wollte es aber nicht in Erfahrung bringen. Nicht jetzt. Ralph Loring war nicht ermordet worden, um sein, Matlocks, Sexualleben zu bereichern.

»Lassen Sie mich einen von Ihren Joints versuchen. Lassen Sie mich sehen, wie gut Ihr Geschmack ist. Vielleicht machen Sie mir bloß etwas vor, Archie.«

Plötzlich setzte Beeson sich auf und starrte Matlock an. Das galt nicht seiner Frau. Irgend etwas in Matlocks Stimme schien einen instinktiven Zweifel ausgelöst zu haben. Oder war es das, was er gesagt hatte? Oder die zu normale Sprechweise? An all das dachte der Englisch-Professor, während er Beesons Blick über die Schulter des Mädchens hinweg erwiderte. Archie Beeson wirkte plötzlich wie ein Mann, den man gewarnt hat, Matlock wußte nicht, weshalb. Er sprach stockend.

»Sicher, alter Junge … Ginny, du darfst Jim nicht lästig fallen.« Er begann sich zu erheben.

»Pinky groovy …«

»Ich hab' ein paar in der Küche … Ich weiß nicht genau wo, aber ich gehe nachsehen. Ginny, ich habe dir gesagt, du sollst Jim nicht lästig fallen … Sei nett zu ihm, sei gut zu ihm.« Beeson starrte immer noch Matlock an, die Augen von Seconal geweitet, die Lippen geöffnet, die Gesichtsmuskeln völlig gelockert, geradezu schlaff. Er ging rückwärts auf die offenstehende Küchentüre zu. Als er die Türe passiert hatte, tat Archie Beeson etwas Seltsames. Wenigstens schien es James Matlock so.

Er schloß die Flügeltüre langsam hinter sich und hielt sie zu.

Matlock schob schnell das halb betäubte Mädchen von seinem Schoß, worauf sie sich still auf dem Boden ausstreckte. Sie lächelte engelhaft und streckte ihm die Arme entgegen. Er lächelte auf sie hinunter und trat über sie hinweg.

»Bin gleich wieder da«, flüsterte er. »Ich will Archie etwas fragen.« Das Mädchen rollte sich auf den Bauch, während Matlock vorsichtig auf die Küchentüre zuging. Er brachte sich das Haar in Unordnung und taumelte dann lautlos auf die Küchentüre zu, hielt sich dabei an dem Eßzimmertisch fest. Wenn Beeson plötzlich herauskam, wollte er benommen, verstört aussehen. Das Stereo war jetzt etwas lauter, aber Matlock konnte trotzdem Archie leise und erregt am Telefon in der Küche sprechen hören.

Er lehnte sich gegen die Wand neben der Küchentüre und versuchte, die Gründe zu analysieren, die Archie Beeson in Panik getrieben hatten, ihn veranlaßt hatten, jemanden anzurufen.

Warum? Was?

Hatte er seine Rolle zu auffällig gespielt? Hatte er bereits beim ersten Kontakt versagt?

Wenn ja, dann war das Mindeste, was er jetzt tun konnte, daß er versuchte herauszufinden, wer am anderen Ende der Leitung war, an wen Beeson sich in seiner Angst wandte.

Eines schien klar: Wer auch immer es war, er mußte wichtiger sein als Archie Beeson. Ein Mann – selbst ein Drogensüchtiger – geriet nicht in Panik und nahm dann Verbindung mit jemandem auf, der auf gleicher Stufe mit ihm stand.

Vielleicht war der Abend gar nicht mißlungen, oder wenn doch – dann war dieses Mißlingen notwendig. Vielleicht rutschte Beeson in seiner Verzweiflung irgendeine Information heraus, die er, wäre er *nicht* verzweifelt gewesen, nie preisgegeben hätte. Es war keineswegs unsinnig zu versuchen, dem verängstigten, unter Drogen stehenden Dozenten diese Information abzuringen. Andererseits war das natürlich die am wenigsten erwünschte Methode. Wenn ihm das auch mißlang, dann war er am Ende, noch ehe er richtig angefangen hatte. Lorings detaillierte Erklärungen wären dann umsonst gewesen, sein Tod ein makaberer Witz, seine schreckliche Tarnung – die seiner Familie so weh tun mußte und irgendwie so unmenschlich war – sinnlos gemacht von einem ungeschickten Amateur.

Es gab keine andere Möglichkeit, dachte Matlock, er mußte es versuchen. Er mußte versuchen, herauszufinden, wen Beeson angerufen hatte, *und* versuchen, alles wieder so zusammenzusetzen, daß Beeson ihn erneut akzeptierte. Aus irgendeinem verrückten Grund sah er vor seinem geistigen Auge Lorings Aktentasche und die dünne schwarze Kette, die vom Griff baumelte. Und aus einem noch verrückteren Grund verlieh ihm das Selbstvertrauen; nicht viel, aber immerhin etwas.

Er nahm eine Haltung ein, die dem Zusammenbruch so ähnlich schien, wie er sich das vorstellen konnte, legte dann seinen Kopf an den Türrahmen und schob die Türe langsam, Zentimeter um Zentimeter nach innen. Er rechnete damit, plötzlich Beeson in die Augen zu sehen. Statt dessen wandte der Dozent ihm den Rücken zu; er war nach vorne gebeugt, wie ein kleiner Junge, der versucht, seine Blase unter Kontrolle zuhalten, den Telefonhörer an den dünnen Hals gepreßt, den Kopf zur Seite gebeugt. Es war offenkundig, daß Beeson glaubte, er könne damit das tarnen, was er sagte, die Stimme von dem immer wiederkehrenden Crescendo der »Carmina Burana« übertönen zu lassen. Aber das Seconal hatte ihm da eine Posse gespielt. Beesons Ohr und das, was er sagte, waren nicht mehr synchronisiert. Seine Worte waren nicht nur klar – sie wurden sogar betont, durch die Zwischenräume zwischen ihnen, und dann wiederholte er sie sogar.

»... Sie *verstehen mich nicht*. Ich möchte, daß Sie mich verstehen. *Bitte*, verstehen Sie doch. Er stellt die ganze Zeit Fragen. Aber er ist nicht *echt*. Er *ist nicht echt*. Ich schwöre bei Gott, er ist ein Schwindler. Sie müssen Herron erreichen. Sagen Sie Herron, er soll mit ihm Verbindung aufnehmen, um *Himmels* willen. *Bitte*, Sie müssen ihn erreichen! Ich könnte alles verlieren! ... Nein. Nein, ich weiß das! Ich *sehe* was ich *sehe, Mann*! Wenn dieses Weibsstück geil wird, hab' ich *Probleme*. Ich meine, man muß doch die Form wahren, alter Junge ... Holen Sie Lucas ... Um Himmels willen, Sie *müssen*! Ich habe hier *Probleme*, und ich kann nicht ...«

Matlock ließ die Türe langsam zurückfallen. Er war so schockiert, daß in ihm jede Empfindung und jedes Gefühl abgestorben war; er sah seine Hand an der Küchentüre, und doch spürte er kein Holz unter seinen Fingern. Was er gerade gehört hatte, war nicht weniger schrecklich, als der Anblick von Ralph Lorings lebloser Leiche in der Telefonzelle.

Herron. *Lucas Herron!*

Eine siebzig Jahre alte Legende. Ein stiller Gelehrter, den

man ebenso wegen seines Verständnisses für alle menschlichen Schwächen verehrte wie wegen seiner Brillanz. Ein reizender Mann, ein allseits geehrter Mann. Irgend etwas mußte hier nicht stimmen, es mußte eine Erklärung geben.

Aber es war keine Zeit, um über das Unerklärliche nachzugrübeln.

Archer Beeson dachte, er sei ein ›Spitzel‹. Und jetzt dachte das noch jemand anderer. Das durfte er nicht zulassen. Er mußte nachdenken, sich zum *Handeln* zwingen.

Plötzlich begriff er. Beeson selbst hatte ihm gesagt, was zu tun war.

Kein Spitzel – keiner, der nicht narkotisiert war – würde es versuchen.

Matlock sah zu dem Mädchen hinüber, das auf dem Wohnzimmerboden lag. Er eilte um den Speisetisch herum und rannte neben sie, löste dabei seinen Gürtel. In großer Hast zog er die Hosen aus und griff nach unten, rollte sie auf den Rücken. Er legte sich neben sie und öffnete die übrigen zwei Knöpfe ihrer Bluse, zog ihren Büstenhalter hoch, bis der Verschluß brach. Sie stöhnte und kicherte. Als er ihre jetzt freigelegten Brüste berührte, stöhnte sie wieder und hob ein Bein über Matlocks Hüfte.

»Pinky groovy, pinky groovy …« Sie begann, durch den Mund zu atmen und schob ihr Becken gegen Matlocks Unterleib; ihre Augen standen halb offen, und ihre Hände griffen nach unten, strichen über sein Bein, krallten sich in seiner Haut fest.

Matlock sah die ganze Zeit zur Küchentür hinüber, betete, daß sie sich öffne.

Und dann öffnete sie sich, und er schloß die Augen.

Archie Beeson stand neben dem Eßtisch und blickte auf seine Frau und seinen Gast hinunter. Als Matlock Beesons Schritte hörte, fuhr sein Kopf herum, und er tat erschreckt und verwirrt. Er erhob sich langsam und fiel gleich wieder hin. Er griff nach seinen Hosen, hielt sie sich vor die Unterhosen, stand noch einmal unsicher auf und fiel schließlich auf die Couch.

»O Gott! Du großer Gott, Archie! Gott, junger Freund! Ich

hätte nicht gedacht, daß es soweit! ... Ich bin völlig weg, Archie! Du lieber Gott, was *mache* ich denn? Ich bin *hinüber*, Mann, tut mir das leid! Herrgott, tut mir das leid!«

Beeson ging auf die Couch zu, seine halbnackte Frau lag zu seinen Füßen. Aus seinem Gesichtsausdruck war unmöglich zu erkennen, was er dachte. Oder wie weit seine Wut ging.

Oder war es Wut?

Seine Reaktion war völlig unerwartet: Er fing zu lachen an. Zuerst leise und dann immer lauter werdend, bis er fast hysterisch wirkte.

»*O Gott*, alter Junge! Ich habe es doch gesagt! Ich habe doch *gesagt*, daß sie unmöglich ist! Keine Sorge. Keiner wird etwas erfahren. Nichts von wegen schmutziger alter Mann. Aber wir machen unser *Seminar*. Oh, Gott, ja! Das wird vielleicht ein *Seminar*! Und Sie werden denen allen sagen, daß Sie *mich* ausgesucht haben! Machen Sie das? Oh, ja! Sonst werden Sie denen gar nichts sagen, nicht wahr?«

Matlock sah in die wilden Augen des Süchtigen, der über ihm stand.

»Sicher. Sicher, Archie. Was Sie wollen.«

»Und ob Sie das machen werden, alter Junge! Und entschuldigen Sie sich bloß nicht. Das ist nicht nötig! Ich habe mich zu entschuldigen!« Archer Beeson brach vor Lachen brüllend auf dem Boden zusammen. Dann streckte er den Arm aus und legte die Hand auf die linke Brust seiner Frau. Sie stöhnte und kicherte ihr wahnsinnig machendes, schrilles Kichern.

Und Matlock wußte, daß er gewonnen hatte.

7

Er war erschöpft, ebenso von der späten Stunde wie von den Spannungen der Nacht. Es war zehn Minuten nach drei. In seinen Ohren hämmerten immer noch die Klänge der »Carmina Burana«. Das Bild der Frau mit den nackten Brüsten und dem Mann, dessen Stimme wie die eines Esels klang –

und beide wanden sich vor ihm auf dem Boden – fügte dem widerlichen Geschmack, den er im Mund hatte, noch Ekel hinzu.

Aber was ihn am meisten störte, war das Wissen, daß der Name von Lucas Herron im Zusammenhang eines solchen Abends gebraucht wurde.

Es war unvorstellbar.

Lucas Herron. Der ›große alte Vogel‹, wie man ihn nannte. Eine schweigsame aber unübersehbare Einrichtung des Campus von Carlyle. Der Vorsitzende der Abteilung für Romanische Sprachen und die Verkörperung des stillen Gelehrten, ein Mann voll tiefen Mitgefühls mit seiner Umwelt. In seinen Augen stand stets ein leichtes Glitzern, und in seinem Blick mischte sich Verwirrung und Toleranz.

Ihn mit der Welt des Rauschgifts in Verbindung zu bringen – und wenn auch noch so fern –, war unvorstellbar. Zu hören, wie ein hysterischer Süchtiger – denn dem Wesen nach *war* Archie Beeson süchtig, wenn nicht im chemischen, dann im psychologischen Sinne – nach ihm verlangte, als wäre Lucas eine besondere Macht, überstieg jede Vernunft.

Die Erklärung mußte irgendwo in Lucas Herrons ungeheurer Fähigkeit für Mitgefühl liegen. Er war vielen ein Freund, eine verläßliche Zuflucht für die Bedrückten. Unter seiner ruhigen, alten, bewährten Oberfläche war Herron ein starker Mann, ein Führer. Vor einem Vierteljahrhundert hatte er zahllose Monate der Hölle auf den Salomoninseln verbracht, als Infantrieoffizier in mittleren Jahren. Vor einem ganzen Leben war Lucas Herron ein echter Held gewesen, während eines schrecklichen Augenblicks in einem wilden Krieg im Pazifik. Heute, mit über siebzig Jahren, war Herron so etwas wie eine Institution.

Matlock bog um die Ecke und sah sein Apartment einen halben Häuserblock entfernt. Der Campus war finster; abgesehen von den Straßenlampen, kam das einzige Licht aus einem seiner Zimmer. Hatte er eines brennen lassen? Er konnte sich nicht erinnern.

Er ging auf seine Türe zu und schob den Schlüssel ein.

Gleichzeitig mit dem Klicken des Schlosses war drinnen ein lautes Krachen zu hören. Obwohl es ihn erschreckte, war seine erste Reaktion eher Heiterkeit. Seine tolpatschige, langhaarige Hauskatze hatte ein Glas umgeworfen oder eine jener Keramikkreationen, die Patricia Ballantyne ihm aufgedrängt hatte. Dann wurde ihm klar, daß ein solcher Gedanke lächerlich war. Das Produkt eines erschöpften Geistes. Das Krachen war für Keramik zu laut, das Klirren zu heftig gewesen.

Er rannte in den kleinen Vorraum, und das, was er sah, ließ ihn jede Müdigkeit vergessen. Er stand reglos vor Staunen da.

Der ganze Raum war ein einziges Chaos. Tische waren umgekippt; Bücher von den Regalen gerissen, die Seiten herausgefetzt und über den Boden verstreut; seine Stereoanlage und die Lautsprecher zerschlagen. Die Kissen seiner Couch und die Sessel waren aufgeschlitzt und überall lag Füllung und Schaumgummi herum; die Teppiche waren umgedreht und zusammengeknüllt, die Vorhänge von den Stangen gerissen und über die umgestürzten Möbel geworfen.

Er sah jetzt, was den Lärm verursacht hatte. Das große Flügelfenster an der rechten Wand, das auf die Straße hinausblickte, war eine Masse von zerdrücktem Blei und zerbrochenem Glas. Das Fenster hatte zwei Scheiben; er erinnerte sich deutlich, daß er sie beide geöffnet hatte, ehe er zu den Beesons gegangen war. Er mochte die Frühlingsbrise. Es war noch zu früh im Jahr, um schon die Fliegengitter anzubringen. Es gab keinen Anlaß, das Fenster zu zerschlagen; bis zum Boden waren es nur vier oder fünf Fuß. Das war hoch genug, um einen Eindringling abzuhalten, niedrig genug, daß ein erschreckter Einbrecher hier ohne weiteres entweichen konnte.

Man hatte also das Fenster nicht zerschlagen, um zu fliehen. Es war Absicht gewesen.

Man hatte ihn beobachtet und ein Signal gegeben.

Es war eine Warnung.

Matlock wußte, daß er die Warnung nicht annehmen

konnte. Dies zu tun, hieße zugeben, daß es hier um mehr als Einbruch und Raub ging; und darauf war er nicht vorbereitet.

Er eilte in sein Schlafzimmer und sah hinein. Falls dies überhaupt möglich war, war sein Schlafzimmer in noch schlimmerem Zustand als das Wohnzimmer. Die Matratze war gegen die Wand geschleudert und in Fetzen gerissen. Jede einzelne Schublade seines Schreibsekretärs war herausgerissen, lag auf dem Boden, der Inhalt im ganzen Zimmer verstreut. Sein Kleiderschrank war wie der Rest – Anzüge und Jacken von der Stange gerissen, Schuhe im Zimmer verstreut.

Noch ehe er nachgesehen hatte, wußte er, daß seine Küche in keinem besseren Zustand sein würde als der Rest seiner Wohnung. Die Lebensmittel in Dosen und Schachteln waren nicht auf den Boden geworfen worden, nur herumgeschoben, aber alle weichen Gegenstände waren in Stücke gerissen. Wieder begriff Matlock. Wenn es in den anderen Räumen ein- oder zweimal gekracht hatte, war das noch erträglich, aber wenn der Lärm sich in der Küche fortsetzte, hätte das eine der anderen Familien in dem Haus aufschrecken können. Er konnte ohnehin schon über sich leise Schritte hören. Das Krachen des Fensters hatte jemanden geweckt.

Die Warnung war deutlich gewesen, aber hier war es darum gegangen, seine Wohnung zu durchsuchen.

Er glaubte, den Gegenstand jener Suche zu kennen. Wieder wurde ihm klar, daß er nicht darauf eingehen durfte. Schlüsse wurden gezogen, ebenso wie sie bei Beeson gezogen worden waren; er mußte abwarten, mußte überzeugend lügen. Soviel wußte er instinktiv.

Aber ehe er dies tat, mußte er herausfinden, ob die Suche Erfolg gehabt hatte.

Er schüttelte die Lethargie ab und sah erneut sein Wohnzimmer an, studierte es. Sämtliche Fenster lagen frei, und das Licht reichte aus, daß jemand mit einem Feldstecher, der in einem der nahe stehenden Gebäude stationiert war oder auf der anderen Straßenseite auf dem Rasen des Campus stand, jede Bewegung beobachten konnte, die er machte. Wenn er das Licht ausschaltete, würde eine solch unnatürliche Handlung dann den Schlüssen, die er vermeiden wollte, Glaubwürdigkeit verleihen.

Ohne Frage. Man betrat nicht eine Wohnung, die in so chaotischem Zustand war, wie die seine, und schaltete das Licht ab.

Und doch mußte er sein Badezimmer erreichen, in diesem Augenblick den wichtigsten Raum der Wohnung. Er mußte weniger als dreißig Sekunden dort verbringen, um festzustellen, ob die Suche Erfolg gehabt hatte oder gescheitert war, und mußte dies auf eine Art und Weise tun, die nicht ungewöhnlich schien. Falls ihn *tatsächlich* jemand beobachtete.

Es war eine Frage des Scheins, der Geste, dachte er. Er sah, daß das Stereogerät der Badezimmertüre am nächsten stand, höchstens fünf Fuß entfernt. Er ging hinüber und beugte sich hinunter, hob einige Stücke auf, darunter auch den Tonarm. Er sah ihn an, ließ ihn dann plötzlich sinken und führte den Finger zum Mund, als hätte er sich die Haut aufgerissen. Dann eilte er ins Badezimmer.

Drinnen angelangt, öffnete er das Medizinschränkchen und holte eine Rolle Heftpflaster von dem gläsernen Regal. Dann beugte er sich neben der Toilettenschüssel hinunter, wo die gelbe Plastikbox der Katze stand, und hob das Zeitungspapier in dem Kistchen an. Unter der Zeitung spürte er die zwei Schichten Leinwand, die er eingelegt hatte, und hob sie an der Ecke an.

Die mit der Schere auseinandergetrennte Seite war noch intakt. Das silberne korsische Papier, das mit dem tödlichen Satz *Venerare Omerta* endete, war nicht entdeckt worden.

Er legte das Zeitungspapier wieder hin, zerwühlte den Unrat in dem Kistchen und richtete sich auf. Er sah, daß das Milchglas des kleinen Fensters über der Toilette teilweise offenstand und fluchte.

Jetzt war keine Zeit, daran zu denken.

Er ging in das Wohnzimmer zurück und riß das Schutzpapier von dem Heftpflaster ab.

Die Suche war erfolglos gewesen. Jetzt mußte er die Warnung ignorieren, die Schlüsse leugnen. Er ging ans Telefon und rief die Polizei an.

»Können Sie mir eine Liste geben, was alles fehlt?« Ein uniformierter Streifenbeamter stand mitten in dem Durcheinander. Ein zweiter Polizist ging in der Wohnung herum und machte sich Notizen.

»Das weiß ich noch nicht genau. Ich habe es noch nicht überprüft.«

»Das verstehe ich. Sieht ja schrecklich aus. Aber Sie sollten nachsehen. Je schneller wir die Liste bekommen, desto besser.«

»Ich glaube nicht, daß etwas fehlt, Officer. Ich meine, ich besitze nichts, was für jemand anderen besonders wertvoll wäre. Höchstens vielleicht die Stereoanlage ... Und die ist hin. Im Schlafzimmer ist ein Fernseher, der ist noch da. Einige der Bücher sind vielleicht wertvoll, aber sehen Sie sie doch an.«

»Kein Bargeld, Schmuck, Uhren?«

»Mein Geld ist auf der Bank oder in meiner Brieftasche. Meine Uhr trage ich, und Schmuck besitze ich nicht.«

»Wie ist es denn mit Examensarbeiten? Das kommt ziemlich oft vor.«

»In meinem Büro. Im Institut.«

Der Streifenbeamte schrieb etwas in ein kleines schwarzes Notizbuch und rief dann seinen Partner, der ins Schlafzimmer gegangen war.

»Hey, Lou, hat das Revier bestätigt, daß der Fingerabdruckmann kommt?«

»Sie wecken ihn jetzt. Er ist in ein paar Minuten hier.«

»Haben Sie irgend etwas berührt, Mr. Matlock?«

»Ich weiß nicht. Vielleicht. Es war ein Schock.«

»Insbesondere irgendwelche von den zerbrochenen Gegenständen, zum Beispiel den Plattenspieler? Es wäre gut, wenn wir dem Fingerabdruckspezialisten ein paar Dinge zeigen könnten, die Sie nicht berührt haben.«

»Ich habe den Tonarm aufgehoben, nicht das Gehäuse.«

»Gut. Damit kann man anfangen.«

Die Polizei blieb eineinhalb Stunden. Der Fingerabdruckspezialist kam an, tat seine Arbeit, und ging wieder. Matlock dachte daran, Sam Kressel anzurufen, überlegte dann aber, daß Kressel eigentlich um diese Stunde nichts tun konnte. Falls jemand draußen das Gebäude beobachtete, war es besser, wenn Kressel nicht gesehen wurde. Verschiedene Leute aus den anderen Wohnungen waren aufgewacht und heruntergekommen. Sie hatten ihn bedauert und ihm Hilfe und Kaffee angeboten.

Als die Polizeibeamten am Gehen waren, drehte sich ein großer Streifenbeamter unter der Türe um. »Tut mir leid, daß es so lange dauerte, Mr. Matlock. Gewöhnlich nehmen wir bei einem Einbruch keine Abdrücke, wenn es keine Verletzten gegeben hat oder etwas fehlt, aber in letzter Zeit waren diese Dinge ziemlich häufig. Ich persönlich glaube, es sind diese langhaarigen Spinner mit ihren Perlenketten. Oder die Nigger. Bevor die Spinner und die Nigger herkamen, hatten wir nie solchen Ärger.«

Matlock sah den uniformierten Beamten an, der sich seiner Analyse so sicher war. Es hatte keinen Sinn, etwas dagegen zu sagen; es wäre nutzlos, und Matlock war so müde. »Danke, daß Sie mir beim Ordnungmachen geholfen haben.«

»Aber gern.« Der Streifenbeamte ging den betonierten Weg hinunter und blieb dann noch einmal stehen. »Oh, Mr. Matlock.«

»Ja?« Matlock zog die Türe auf.

»Wir haben uns gedacht, daß jemand vielleicht etwas gesucht hat. Ich meine, wo er doch all die Kissen zerfetzt, die Bücher zerrissen hat und all das ... Wissen Sie, was ich meine?«

»Ja.«

»Sie würden uns das sagen, wenn es der Fall wäre, oder?«

»Natürlich.«

»Yeah. Wäre ja dumm, irgendeine Information zurückzuhalten.«

»Ich bin nicht dumm.«

»War nicht böse gemeint. Bloß, daß Leute wie Sie manchmal an so was nicht denken.«

»Ich bin nicht geistesabwesend. Das sind nur wenige von uns.«

»Yeah.« Der Streifenbeamte lachte etwas spöttisch. »Ich wollte es bloß erwähnen. Ich meine, wir können schließlich unsere Arbeit nicht tun, wenn wir nicht alle Fakten bekommen, verstehen Sie?«

»Ich verstehe.«

»Yeah. Gut.«

»Gute Nacht.«

»Gute Nacht, Doktor.«

Er schloß die Tür und ging in sein Wohnzimmer. Dann überlegte er, ob seine Versicherung wohl für den Wert seiner selteneren Bücher und Drucke aufkommen würde. Das Durcheinander war immer noch groß, der oder die Einbrecher hatten gründlich gearbeitet. Da war es nicht damit getan, die Möbel wieder geradezurücken und die Sachen vom Boden aufzuheben. Die Warnung war klar und heftig gewesen.

Was ihn erschreckte, war die Tatsache, daß überhaupt eine Warnung stattgefunden hatte.

Warum? Von wem?

Archer Beesons hysterischer Telefonanruf? Das war möglich, vielleicht sogar vorzuziehen. Dann stand das Motiv dahinter vielleicht nicht mit Nimrod in Verbindung. Es konnte bedeuten, daß Beesons Kreis von Dealern und Süchtigen ihm genügend Angst einjagen wollte, daß er Archie in Frieden ließ. Sie alle in Frieden ließ, Loring hatte ganz eindeutig gesagt, daß es keine Beweise gab, daß die Beesons mit der Nimrod-Einheit in Verbindung standen.

Es gab aber auch keine Beweise, daß das nicht der Fall war.

Dennoch, wenn es Beeson gewesen war, würde der Alarm am nächsten Morgen zurückgenommen werden. Der Schluß, der aus den Geschehnissen des Abends zu ziehen war, war eindeutig. Die ›Fast-Vergewaltigung‹ durch einen unter Drogen stehenden ›alten Jungen‹. Er war für Beeson eine Sprosse auf der akademischen Leiter.

Andererseits, und das war viel weniger wünschenswert, bestand die Möglichkeit, daß die Warnung und die Durchsuchung dem Papier aus Korsika galten. Was hatte Loring hinter ihm auf dem Bürgersteig geflüstert?

»… Es gibt nur einen Gegenstand, den sie noch mehr als diese Aktentasche wollen; das ist das Papier in Ihrer Tasche.«

Man durfte also vernünftigerweise annehmen, daß man ihn mit Ralph Loring in Verbindung gebracht hatte.

Washingtons Annahme, die Panik, die er zeigte, als er Loring fand, habe der Gegenseite bestätigt, daß keine Verbindung zwischen ihm und dem Agenten bestanden hatte, war also falsch, Jason Greenbergs Zuversicht verfehlt.

Andererseits war es möglich, wie Greenberg das angedeutet hatte, daß sie ihn auf die Probe stellten. Ihn etwas unter Druck setzten, ehe sie ihm sozusagen die Unbedenklichkeitsbescheinigung ausstellten.

War es möglich, könnte vielleicht, andererseits.

Vermutungen.

Er mußte einen kühlen Kopf bewahren; er durfte nicht überreagieren. Wenn er das Geringste ausrichten sollte, mußte er den Unschuldigen spielen.

Hätte können, könnte bedeuten, möglich.

Sein Körper tat weh. Seine Augen waren angeschwollen, und er hatte immer noch den schrecklichen Nachgeschmack der Kombination aus Seconal, Wein und Marihuana im Mund. Er war erschöpft; die Belastung, die darin bestand, daß er Schlüsse zu ziehen versuchte, die ihm unerreichbar waren, begann ihm zu groß zu werden. Seine Erinnerung wanderte in die Vergangenheit, nach Vietnam und er erinnerte sich an den besten Rat, den er damals in jenen Wochen unerwarteter Kampfhandlungen bekommen hatte. Dieser Rat hatte gelautet, er solle ausruhen, wann immer er konnte, schlafen, wenn es möglich war. Der Rat war von einem alten Sergeant gekommen, von dem das Gerücht ging, daß er mehr Angriffe als jeder andere Mann im ganzen Mekong-Delta überlebt hätte. Es ging auch das Gerücht, daß er einen Überfall überlebt hatte, dem fast seine ganze Kompanie zum Opfer gefallen war.

Matlock streckte sich auf der kaum noch als solche erkennbaren Couch aus. Es hatte keinen Zweck, ins Schlafzimmer zu gehen – seine Matratze war erledigt. Er schnallte sei-

nen Gürtel auf und streifte die Schuhe ab. Er konnte ein paar
Stunden schlafen; anschließend würde er mit Kressel reden.
Er würde Kressel und Greenberg bitten, sich irgendeine Ge-
schichte für ihn zu überlegen, die das Eindringen in seine
Wohnung plausibel machte. Eine Geschichte, die Washing-
ton und vielleicht auch die Polizei von Carlyle billigte.

Die Polizei.

Plötzlich setzte er sich auf. Es war ihm nicht gleich aufgefallen, aber jetzt dachte er darüber nach. Der vierschrötige,
aber vorbildlich höfliche Streifenpolizist, dessen primitive
detektivische Gaben sich auf die ›langhaarigen Spinner und
Nigger‹ konzentriert hatten, hatte ihn während der annä-
hernd zwei Stunden polizeilicher Ermittlungen als ›Mister‹
angesprochen. Aber als er dann ging, als er so beleidigend
angedeutet hatte, Matlock könne etwa irgendwelche Informationen zurückhalten, hatte er ihn ›Doktor‹ genannt. Das
›Mister‹ war normal. Das ›Doktor‹ war höchst ungewöhnlich. Niemand außerhalb der akademischen Gemeinde – und
auch dort nur wenige – nannten ihn je ›Doktor‹, nannten je
irgendeinen Ph.D. ›Doktor‹. Den meisten Trägern solcher akademischer Grade kam das albern vor, und nur alberne Leute
erwarteten es.

Warum hatte der Streifenpolizist seinen Titel gebraucht?
Er kannte ihn nicht, hatte ihn, nach seiner Kenntnis, noch nie
gesehen. Wie konnte der Polizist wissen, daß ihm überhaupt
der Titel ›Doktor‹ zustand?

Während er so dasaß und überlegte, fragte sich Matlock,
ob die Anstrengungen und Belastungen der letzten Stunde
jetzt etwa ihren Tribut forderten. Fing er an unvernünftige
Verbindungen herzustellen und Bedeutungen zu finden, wo
es gar keine gab? War es denn nicht völlig plausibel, daß die
Polizei von Carlyle eine Liste der Fakultätsmitglieder besaß
und daß der Revierbeamte oder wer sonst solche Anrufe entgegennahm, seinen Namen auf der Liste gefunden hatte und
ganz beiläufig seinen Titel erwähnt hatte? Reihte er nicht etwa den Streifenpolizisten in die Gruppe der unwissenden
Ignoranten ein, weil ihm die Vorurteile des Beamten nicht
gefielen?

Es gab eine Menge Möglichkeiten.

Das beunruhigte ihn.

Matlock fiel auf die Couch zurück und schloß die Augen.

Zuerst nahm er das Geräusch nur als ein schwaches Echo wahr, wie aus einem langen, engen Tunnel. Dann wurde es deutlicher, ein schnelles Tappen, das nicht aufhören wollte, das lauter und lauter wurde.

Matlock schlug die Augen auf und sah Licht von zwei Tischlampen, die vor der Couch standen. Er hatte die Beine angezogen und schwitzte am Hals, der auf dem rauhen Cordsamtbezug der Couch lag. Und doch kam durch das eingeschlagene bleigefaßte Fenster eine kühle Brise herein.

Das Tappen hielt an. Es kam aus dem Flur, von seiner Haustüre. Er schwang die Beine von der Couch und stellte fest, daß sie beide voll tausend Nadeln waren. Er mußte sich anstrengen, um aufzustehen.

Das Tappen und das Klopfen wurde lauter. Und dann die Stimme: »Jamie! Jamie!«

Er ging etwas unsicher zur Türe.

»Komme schon!« Er erreichte die Tür und öffnete sie schnell. Patricia Ballantyne, mit einem Regenmantel bekleidet, unter dem er deutlich den seidenen Pyjama erkannte, trat schnell ein.

»Jamie, um Gottes willen. Ich habe versucht, dich anzurufen.«

»Ich bin hier gewesen. Das Telefon hat nicht geklingelt.«

»Ich weiß. Ich habe schließlich die Störungsstelle angerufen und erfahren, daß es nicht funktioniert. Ich habe mir einen Wagen geborgt und bin so schnell ich konnte hergefahren und ...«

»Das ist es nicht, Pat. Es funktioniert schon. Die Polizei – die Polizei war hier. Wenn du dich hier umsiehst, wirst du wissen warum – sie haben es ein dutzendmal benutzt.«

»Oh, du liebe Güte!« Das Mädchen ging an ihm vorbei in den immer noch chaotischen Raum. Matlock ging ans Telefon und hielt sich den Hörer ans Ohr. Als er das durchdringende Geräusch des Besetztzeichens hörte, legte er schnell wieder auf.

»Im Schlafzimmer«, sagte er, stellte das Telefon wieder auf den Tisch und ging zur Schlafzimmertüre.

Auf dem Bett, auf den zerfetzten Überresten seiner Matratze stand sein Schlafzimmertelefon. Der Hörer war abgenommen und lag unter dem Kissen, so daß man das Tuten nicht hören konnte. Jemand hatte nicht gewollt, daß es klingelte.

Matlock versuchte sich zu erinnern, wer alles hier gewesen war. Insgesamt mehr als ein Dutzend Leute. Fünf oder sechs Polizisten – teils in Uniform, teils in Zivil; Männer und Frauen aus anderen Wohnungen; einige nächtliche Passanten, die die Polizeifahrzeuge gesehen hatten und heraufgekommen waren. Das Ganze war ziemlich wirr. Er konnte sich nicht an sämtliche Gesichter erinnern.

Er stellte den Apparat auf den Nachttisch zurück und bemerkte jetzt, daß Pat unter der Türe stand. Er ging davon aus, daß sie nicht gesehen hatte, wie er den Hörer unter dem Kissen herausholte.

»Jemand muß es umgestoßen haben, als er hier Ordnung machte«, sagte er und gab sich verärgert. »Scheußlich; ich meine, daß du einen Wagen borgen mußtest ... Warum hast du das getan? Was ist denn?«

Sie gab keine Antwort. Vielmehr drehte sie sich um und blickte wieder ins Wohnzimmer. »Was ist passiert?«

Matlock erinnerte sich, wie der Streifenbeamte es genannt hatte. »Die nennen das ›Einbruch‹. Für die Polizei fällt da alles darunter, auch menschliche Tornados ... Ich nenne es Raub. Ich bin zum erstenmal in meinem Leben beraubt worden. Ein ganz neues Erlebnis. Ich denke, die armen Schweine waren böse, weil sie nichts Wertvolles fanden, also haben sie alles in Stücke gerissen ... Warum bist du herübergekommen?«

Sie sprach ganz leise, aber die Intensität ihrer Stimme ließ Matlock erkennen, daß sie der Panik nahe war. Immer wenn ihre Gefühle in ihr die Oberhand zu gewinnen drohten, hielt sie sich straff am Zügel. Das war eine wesentliche Eigenschaft dieses Mädchens.

»Vor ein paar Stunden – um Viertel vor vier, um es genau zu sagen – klingelte mein Telefon. Der Mann, wenn es ein Mann war, fragte nach dir. Ich schlief und habe wahrscheinlich nicht ganz zusammenhängend gesprochen, aber ich gab mich verärgert, daß jemand annehmen konnte, du wärest da ... Ich wußte nicht, was ich tun sollte. Ich war durcheinander ...«

»Okay, das verstehe ich. Und?«

»Er sagte, er glaube mir nicht. Ich sei eine Lügnerin. Ich ... ich war so überrascht, daß jemand um die Zeit anruft – um Viertel vor vier – und mich eine Lügnerin nennt ... Ich war verwirrt ...«

»Was hast du gesagt?«

»Es geht nicht darum, was *ich* gesagt habe. Es geht um das, was *er* gesagt hat. Er hat mich aufgefordert, dir zu sagen, du ... solltest nicht ›hinter dem Globus‹ bleiben oder ›Licht in die Unterwelt tragen‹. *Zweimal* hat er es gesagt. Er sagte, es sei ein dummer Witz, aber du würdest es verstehen. Ich hatte solche Angst ...! Verstehst du das? Sag?«

Matlock ging an ihr vorbei ins Wohnzimmer. Er suchte seine Zigaretten und gab sich Mühe, ruhig zu bleiben. Sie folgte ihm. »Was hat er gemeint?«

»Das weiß ich nicht.«

»Hat es etwas mit ... dem ... zu tun?« Ihre Handbewegung schloß die ganze Wohnung ein.

»Ich glaube nicht.« Er zündete sich seine Zigarette an und fragte sich, was er ihr sagen sollte. Die Nimrod-Leute hatten keine Zeit vergeudet, Verbindungen herzustellen. Wenn es die Nimrod-Leute waren.

»Was hat er gemeint, mit ›hinter dem Globus bleiben‹? Es klingt wie ein Rätsel.«

»Es ist ein Zitat, denke ich.«

Matlock brauchte nicht zu denken. Er wußte es und erinnerte sich ganz exakt an Shakespeares Worte: *Weißt du denn nicht, daß, wenn das suchend' Aug' des Himmels sich hinter dem Globus birgt und Licht trägt in die Unterwelt ... daß Diebe dann und Räuber durch die Straßen ziehn ... daß Mord und Missetat dann herrschen.*

»Was bedeutet das?«

»Das *weiß* ich nicht! Ich kann mich nicht erinnern ... Jemand muß mich mit jemand anderem verwechseln. Sonst kann ich mir nichts vorstellen ... Wie klang die Stimme denn?«

»Ganz normal. Er war verärgert, aber er hat nicht geschrien oder so etwas.«

»Niemand, den du erkanntest? Ich meine, nicht persönlich, aber hast du die Stimme je zuvor gehört.«

»Ich bin nicht sicher. Ich glaube nicht. Niemand, den ich kenne, aber ...«

»Aber was?«

»Nun, es war eine ... kultivierte Stimme. Ein wenig schauspielerhaft, denke ich.«

»Ein Mann, der es gewöhnt ist, Vorträge zu halten.« Das war eine Feststellung, keine Frage. Seine Zigarette schmeckte bitter, also drückte er sie aus.

»Ja, so könnte man sagen.«

»Und wahrscheinlich nicht in einem wissenschaftlichen Labor ... Das verringert die Auswahl auf ungefähr achtzig Leute auf dem Campus.«

»Das sind jetzt Annahmen, die ich nicht verstehe! Dieser Telefonanruf hatte also *doch* etwas mit dem zu tun, was dir gschehen ist.«

Er wußte, daß er zuviel redete. Er wollte Pat nicht hineinziehen; er *durfte es nicht*. Und doch hatte jemand anderer das getan – diese Tatsache komplizierte die Dinge außerordentlich. »Vielleicht hat es das. Nach den besten Gewährsleuten, die ich kenne – und damit meine ich natürlich die Detektive im Fernsehen – vergewissern sich Diebe immer, daß Leute nicht zu Hause sind, ehe sie eine Wohnung ausrauben. Wahrscheinlich wollten sie das überprüfen.«

Das Mädchen wich seinem Blick nicht aus. »Du warst also nicht zu Hause? Um Viertel vor vier ...? Das soll keine inquisitorische Frage sein, Darling, nur zu meiner Information.«

Er schalt sich einen Narren. Es war die Erschöpfung, die Beeson-Episode, der Schock, den er beim Betreten seiner Wohnung erlitten hatte. Natürlich war die Frage nicht inquisitorisch. Er war ein freier Mensch. Und natürlich war er um Viertel vor vier zu Hause gewesen.

»Ich weiß es nicht genau. Ich habe nicht so auf die Zeit geachtet. Es war ein verdammt langer Abend geworden.« Er lachte schwach. »Ich war bei Archie Beeson. Wenn einem junge Dozenten Seminare vorschlagen, dann wird das meistens ein feuchter Abend.«

Sie lächelte. »Ich glaube, du verstehst mich nicht. Es ist mir wirklich gleichgültig, was du machst ... Nun, das ist es natürlich nicht, aber im Augenblick verstehe ich nicht, warum du mich belügst ... Du warst vor zwei Stunden *hier*, und dieser Telefonanruf kam nicht von einem Dieb, der wissen wollte, wo du bist, und das *weißt du* auch.«

»Jetzt wirst du neugierig. Das mag ich nicht.« Matlock war unfreundlich. Ebenso wie sein Lügen war das offensichtlich unecht. Er mochte früher ein Rebell gewesen sein, ein harter Bursche, aber er war dem Wesen nach freundlich. Das wußte sie.

»Schon gut, entschuldige. Nur eine Frage noch, und dann gehe ich ... Was bedeutet *Omerta*?«

Matlock erstarrte. »Was hast du gesagt?«

»Der Mann am Telefon. Er hat das Wort *Omerta* gebraucht.«

»Wie?«

»Ganz beiläufig. Nur als Erinnerung, sagte er.«

8

Agent Jason Greenberg trat durch die Türe der Squashhalle. »Sie kommen ja ganz schön ins Schwitzen, Doktor Matlock.«

»Ja, analysieren möchte ich den Schweiß nicht lassen ... Jedenfalls war es Ihre Idee. Mir wäre es in Kressels Büro oder irgendwo in der Innenstadt ebensolieb gewesen.«

»Hier ist es besser ... Aber wir müssen uns beeilen. Ich habe mich bei der Verwaltung als Versicherungsinspektor ausgegeben. Ich überprüfe die Feuerlöscher in den Korridoren.«

»Das schadet sicher nichts.« Matlock ging in eine Ecke, wo ein graues Sweatshirt in ein Handtuch gewickelt war. Er wickelte es aus und zog es sich über den Kopf. »Was haben die denn gefunden? Die letzte Nacht war ziemlich wirr.«

»Wenn man einmal von dem Durcheinander absieht, haben wir überhaupt nichts gefunden. Zumindest nichts, womit man weiterkäme. Bloß ein paar Theorien … Wir sind der Ansicht, daß Sie Ihre Sache sehr gut gemacht haben.«

»Danke. Ich war verwirrt. Was sind das für Theorien? Das klingt so akademisch. Ich bin nicht sicher, ob mir das zusagt.«

Greenbergs Kopf fuhr plötzlich herum. Von der rechten Wand war ein stumpfes Klopfen zu hören. »Ist das eine weitere Halle?«

»Ja. Auf dieser Seite gibt es sechs. Das sind Übungshallen. Aber das wissen Sie ja.«

Greenberg hob den Ball auf und warf ihn scharf gegen die vordere Wand. Matlock begriff und fing ihn auf, als er zurückprallte. Er warf ihn zurück; Greenberg fing und warf seinerseits. Sie behielten einen langsamen Rhythmus bei. Keiner der beiden Männer bewegte sich mehr als ein oder zwei Schritte, sie warfen abwechselnd. Greenberg sprach ganz leise mit monotoner Stimme.

»Wir glauben, daß Sie getestet werden sollen. Das wäre die logischste Erklärung. Sie *haben* nun einmal Ralph gefunden. Sie haben ausgesagt, daß Sie den Wagen gesehen haben. Ihre Gründe für Ihre Anwesenheit am Ort seiner Ermordung waren schwach, so schwach, daß wir sie für plausibel hielten. Die wollen sichergehen, deshalb haben sie das Mädchen ins Spiel gebracht. Die sind gründlich.«

»Okay. Theorie Nummer eins. Und was ist Nummer zwei?«

»Ich sagte, das wäre die logischste Theorie … In Wirklichkeit ist es die einzige.«

»Was ist mit Beeson?«

»Was soll mit ihm sein? Sie waren ja dort.«

Matlock hielt den Squashball ein paar Sekunden in der

Hand, ehe er ihn gegen die Seitenwand warf. Die von Greenberg abgewandte Wand.

»Könnte es sein, daß Beeson raffinierter war, als ich dachte, und Alarm geschlagen hat?«

»Könnte sein. Wir bezweifeln es ... So wie Sie den Abend geschildert haben.«

Aber Matlock hatte *nicht* den ganzen Abend geschildert. Er hatte weder Greenberg noch sonst jemandem von Beesons Telefongespräch berichtet. Seine Gründe dafür waren nicht rational, sie waren emotional. Lucas Herron war ein alter Mann, ein freundlicher Mann. Seine Sympathie für in Schwierigkeiten geratene Studenten war legendär, seine Sorge für junge, unerprobte, häufig arrogante neue Dozenten war eine willkommene Linderung mancher Fakultätskrise. Matlock hatte sich selbst überzeugt, daß der ›große alte Vogel‹ sich mit einem verzweifelten jungen Mann angefreundet hatte und ihm in einer verzweifelten Situation half. Er hatte nicht das Recht, Herrons Namen nur wegen eines Telefonanrufs eines in Panik geratenen Rauschgiftsüchtigen an die Oberfläche zu zerren. Dafür gab es zu viele mögliche Erklärungen. Irgendwie würde er mit Herron sprechen, vielleicht beim Kaffee in der Mensa oder auf der Tribüne bei einem Baseballspiel – Herron war ein begeisterter Baseballanhänger – mit ihm reden, würde ihm sagen, er solle die Verbindung zu Archer Beeson lösen.

»– über Beeson?«

»Was?« Matlock hatte Greenberg nicht gehört.

»Ich hatte gefragt, ob Ihnen über Beeson noch etwas eingefallen ist.«

»Nein. Ist es nicht. Er ist nicht wichtig. Wahrscheinlich wird er das Gras und die Pillen wegwerfen – höchstens für mich welche bereithalten, falls er glaubt, er könne von mir irgendwelche Vorteile erlangen.«

»Ich will gar nicht den Versuch machen, das zu begreifen.«

»Lassen Sie es bleiben. Ich hatte nur einen Augenblick lang Zweifel ... Ich kann nicht glauben, daß Sie nur eine Theorie gebildet haben. Kommen Sie schon. Was noch?«

»Also gut. Es gibt noch zwei weitere Theorien, und die sind nicht einmal plausibel – sie stammen beide aus derselben Quelle. Die erste geht davon aus, daß es in Washington ein Leck gibt. Die zweite – ein Leck hier in Carlyle.«

»Warum nicht plausibel?«

»Zuerst Washington. Es gibt weniger als ein Dutzend Leute, die von dieser Operation wissen, und das schließt das Justizministerium, das Schatzamt und das Weiße Haus ein. Alles Männer von einem Kaliber, daß sie gewöhnlich Geheimbotschaften mit dem Kreml austauschen. Unmöglich.«

»Und Carlyle?«

»Sie, Adrian Sealfont und der ekelhafte Samuel Kressel ... Ich würde nichts lieber tun, als Kressel hineintauchen – er ist ein richtiges Ekel –, aber das ist unmöglich. Es würde mir auch großes Vergnügen bereiten, einen hochgeschätzten WASP (White Anglo Saxon Protestant) wie Sealfont von seinem Podest zu stoßen, aber auch das gibt keinen Sinn. Bleiben Sie. Sind Sie derjenige, welcher?«

»Sie haben wirklich einen umwerfenden Humor.« Matlock mußte rennen, um den Ball aufzufangen, den Greenberg in eine Ecke geworfen hatte. Er hielt ihn in der Hand und sah den Agenten an. »Mißverstehen Sie mich nicht – ich mag Sam, oder zumindest glaube ich das – aber warum ist er ›unmöglich‹?«

»Genau wie Sealfont ... In einer Operation wie dieser fangen wir beim Anfang an. Und ich meine wirklich *den Anfang*. Positionen, Status oder Ruf sind uns dabei egal – ob gut oder schlecht. Wir setzen jeden uns bekannten Trick ein, um zu beweisen, daß jemand schuldig ist, nicht unschuldig. Wir suchen auch den fadenscheinigsten Grund, ihn *nicht* freizugeben.

Kressel ist so sauber wie Johannes der Täufer. Trotzdem ist er ein Ekel, aber sauber. Sealfont ist noch schlimmer. Er ist wirklich das, was alle sagen. Ein verdammter Heiliger – englische Hochkirche natürlich. Damit bleiben nur Sie.«

Matlock schleuderte den Ball in die linke hintere Ecke. Greenberg trat zurück und schmetterte ihn gegen die rechte Wand, wo er abprallte und Matlock zwischen die Beine fuhr.

»Ich schätze, Sie haben das schon einmal gespielt«, sagte Matlock und grinste verlegen.

»Ich denke schon. Was ist mit dem Mädchen? Wo ist sie?«

»In meiner Wohnung. Ich habe ihr das Versprechen abgenommen, daß sie nicht weggeht, bis ich zurückkomme. Abgesehen von den Sicherheitsaspekten, bekomme ich auf die Weise die Bude aufgeräumt.«

»Ich stelle einen Mann für sie ab. Ich glaube nicht, daß es notwendig ist, aber *Sie* fühlen sich dann besser.« Greenberg sah auf seine Uhr.

»Das tue ich tatsächlich, vielen Dank.«

»Wir müssen uns beeilen ... Jetzt hören Sie zu. Wir lassen alles seinen normalen Gang gehen. Polizeibericht, Zeitungen, alles. Keine Tarnung, keine Gegenberichte, nichts, um die normale Neugierde oder Ihre völlig normalen Reaktionen zu beeinträchtigen. Jemand ist in Ihre Wohnung eingebrochen und hat dort alles in Stücke geschlagen. Das ist alles, was Sie wissen ... Und da ist noch etwas. Vielleicht gefällt es Ihnen nicht, aber wir glauben, daß es so am besten ist – und am sichersten.«

»Was?«

»Wir sind der Ansicht, daß Miß Ballantyne den Telefonanruf, den sie bekommen hat, der Polizei melden sollte.«

»Hey, hören Sie mal! Der Anrufer hat damit gerechnet, mich um vier Uhr früh dort zu finden. So etwas tritt man in dieser Stadt nicht breit. Nicht, wenn man ein Stipendium hat und für Museumsstiftungen arbeiten will. Die Uhren gehen hier etwas langsamer.«

»Das Auge des Betrachters, Doktor Matlock ... Sie hat einfach einen Anruf bekommen; jemand fragte nach Ihnen, zitierte Shakespeare und machte einen unverständlichen Hinweis auf irgendein ausländisches Wort oder eine fremde Stadt. Sie war wütend. Das gibt keine fünf Zeilen in einer Zeitung, aber da man in Ihre Wohnung eingebrochen ist, ist nur logisch, daß sie es meldet.«

Matlock schwieg. Er ging in die Ecke der Squashhalle, wo der Ball liegengeblieben war, und hob ihn auf. »Wir sind einfach zwei Figuren, die herumgeschoben wurden. Wir wissen nicht, was geschehen ist; nur, daß es uns nicht gefällt.«

»Genau das. Nichts ist so überzeugend, wie jemand, der etwas abgekriegt hat und nicht weiß, was das Ganze soll, und das allen erzählt. Streiten Sie sich mit Ihrer Versicherung über Ihre alten Bücher herum ... Ich muß jetzt gehen. In dem Gebäude gibt es nicht viele Feuerlöscher. Noch etwas? Was machen Sie als nächstes?«

Matlock ließ den Ball ein paarmal hüpfen. »Eine zufällige Einladung. Zufällig bei ein paar Gläsern Bier in der Afro-Mensa erhalten. Man hat mich zu einer Bühnenversion der Original-Pubertätsriten der Mau-Mau-Stämme eingeladen. Heute abend um zehn Uhr im Keller der Lumumba Hall ... Früher war das einmal das Verbindungshaus von Alpha Delt. Ich kann Ihnen sagen, daß eine ganze Menge weißer Episkopalisten in der Hölle rotieren.«

»Jetzt komme ich schon wieder nicht mit, Doktor.«

»Sie haben Ihre Hausaufgabe nicht gemacht ... Lumumba Hall steht sehr groß auf Ihrer Liste.«

»Entschuldigung. Rufen Sie mich morgen an?«

»Ja.«

»Ich werde Sie Jim nennen, wenn Sie Jason zu mir sagen.«

»Einverstanden, aber einen Kuß kriegen Sie keinen.«

»Okay. Sie sollten hier noch etwas üben. Wenn das hier vorbei ist, spielen wir einmal.«

»Geht klar.«

Greenberg ging hinaus. Er sah sich in dem schmalen Korridor um und stellte befriedigt fest, daß niemand da war; niemand hatte gesehen, wie er die Squashanlage betrat oder verließ. Hinter den Wänden war ein dauerndes Pochen zu hören. Sämtliche Hallen wurden benutzt. Greenberg fragte sich, als er gerade um die Ecke in den Hauptgang gehen wollte, wie es kam, daß die Sporthalle von Carlyle um elf Uhr früh so intensiv genutzt wurde. In Brandeis war das nie der Fall gewesen; vor fünfzehn Jahren wenigstens nicht. Elf Uhr morgens war eine Zeit für Vorlesungen.

Er hörte ein seltsames Geräusch, das nicht von einem harten Ball stammte, der gegen dickes Holz prallte, und drehte sich schnell um.

Niemand.

Er trat in den Hauptkorridor und drehte sich erneut um. Niemand. Er verließ das Gebäude schnell.

Das Geräusch, das er gehört hatte, war das einer Türe, die sich etwas verklemmt hatte. Es war die neben Matlocks Halle. Jetzt trat ein Mann durch jene Türe. Auch er sah sich im Korridor um, ebenso wie Greenberg das vor weniger als einer Minute getan hatte. Aber statt zufrieden zu sein, daß niemand da war, ärgerte er sich. Das defekte Türschloß hatte dazu geführt, daß er den Mann nicht gesehen hatte, der sich mit James Matlock getroffen hat.

Jetzt öffnete sich die Tür von Halle Vier, und Matlock selbst trat in den Korridor hinaus. Der zehn Fuß von ihm entfernte Mann erschrak, zog sich das Handtuch über das Gesicht und ging hustend weg.

Aber der Mann war nicht schnell genug. Matlock erkannte das Gesicht.

Es war der Streifenbeamte, der um vier Uhr morgens in seiner Wohnung gewesen war.

Der Streifenbeamte, der ihn ›Doktor‹ genannt hatte. Der Mann in Uniform, der eindeutig wußte, daß der ganze Ärger auf dem Campus von den ›Spinnern und Niggern‹ verursacht wurde.

Matlock blickte der sich entfernenden Gestalt nach.

9

Über den großen Portalen konnte man – wenn man genau hinsah oder die Sonne in einem bestimmten Winkel einfiel – die verblaßten griechischen Buchstaben A Δ Φ erkennen. Sie waren seit Jahrzehnten im Halbrelief dagewesen, und noch so viel Sandstrahlen oder studentische Streiche waren außerstande gewesen, sie völlig zu löschen. Das Verbindungshaus von Alpha Delta Phi war den gleichen Weg gegangen, wie viele andere solcher Gebäude in Carlyle. Das Haus war – mit lebendem und totem Inventar, dem undichten Dach und der schlimmen Hypothek – an die Schwarzen verkauft worden.

Die Schwarzen hatten gute, ja sogar ungewöhnlich gute Arbeit mit dem geleistet, was sie vorgefunden hatten. Das heruntergekommene alte Haus war innen und außen völlig renoviert worden. Alle Bezüge zu seinem ehemaligen Besitzer waren, wo immer möglich, völlig ausgetilgt worden. Die Dutzende von verblaßten Fotografien verehrter ehemaliger Verbindungsmitglieder waren durch wildtheatralische Porträts der neuen Revolutionäre ersetzt worden – Afrikaner, Lateinamerikaner, Schwarze Panther. Und überall in den alten Hallen kreischten die neuen Befehle auf Plakaten und in Gestalt psychedelischer Kunst: *Tod den Schweinen! Malcolm lebt! Lumumba der Schwarze Christus!*

Zwischen diesen Schreien um Anerkennung hingen Nachbildungen primitiver afrikanischer Artefakte – Fruchtbarkeitsmasken, Speere, Schilde, in rote Farbe getauchte Tierfelle, Schrumpfköpfe mit unverkennbar weißer Hautfarbe, die an ihrem Haar aufgehängt waren.

Lumumba Hall versuchte nicht, irgend jemanden zu täuschen. Sie spiegelte die Wut wider. Wut und Ärger.

Matlock brauchte den Türklopfer aus Bronze, der neben der grotesken eisernen Maske am Türstock angebracht war, nicht zu benutzen. Die große Tür öffnete sich, als er sich ihr näherte, und ein Student begrüßte ihn mit strahlendem Lächeln.

»Ich habe schon gehofft, daß Sie kommen würden! Das wird 'ne Schau.«

»Danke, Johnny. Ich hätte es mir nie entgehen lassen.« Matlock trat ein und stutzte über die Vielzahl brennender Kerzen überall in der Halle und in den anliegenden Räumen. »Sieht ja wie ein Begräbnis aus. Wo steht der Sarg?«

»Der kommt später. Warten Sie nur, Sie werden schon sehen.«

Ein Schwarzer, in dem Matlock einen der Extremisten des Campus erkannte, kam auf sie zu. Adam Williams trug sein Haar lang – im afrikanischen Stil und im perfekten Halbkreis über dem Kopf gestutzt. Seine Züge waren scharf; Matlock hatte das Gefühl, daß er Williams, wenn sie sich im Busch begegneten, für einen Stammeshäuptling halten würde.

»Guten Abend«, sagte Williams mit einem ansteckenden Grinsen. »Willkommen am Sitz der Revolution.«

»Vielen Dank.« Sie schüttelten sich die Hand. »Sie wirken gar nicht wie ein Revolutionär, eher wie ein Leichenbestatter. Ich habe Johnny schon gefragt, wo der Sarg wäre.«

Williams lachte. Seine Augen waren intelligent, sein Lächeln echt, ohne Arroganz, arglos. Aus der Nähe gesehen zeigte der schwarze Radikale wenig von dem flammenden Enthusiasmus, den er auf dem Podium an den Tag legte, wenn alle ihm zujubelten. Matlock überraschte das nicht. Seine Kollegen in der Fakultät, deren Kurse Williams belegt hatte, äußerten sich oft über sein freundliches, eher zurückhaltendes Auftreten. Völlig anders als das Bild, das er dem Campus darbot.

»Du großer Gott! Dann stimmt das ganze Bild nicht! Das ist ein fröhlicher Anlaß. Ein wenig schauerlich vielleicht, aber im Wesen freudig.«

»Ich bin nicht sicher, ob ich das verstehe«, lächelte Matlock.

»Ein junger Mann aus dem Stamm erreicht das Alter der Mannbarkeit, die Schwelle eines aktiven, verantwortungsvollen Lebens. Eine Art Dschungel Bar-Mitzvah. Das ist eine Zeit der Freude. Hier ist kein Platz für Särge oder Klageweiber.«

»Das stimmt! Richtig, Adam!« sagte der Junge namens Johnny begeistert.

»Besorg Mister Matlock doch etwas zu trinken, Bruder.« Dann wandte er sich Matlock zu. »Bis zur Zeremonie trinken alle das gleiche – es nennt sich Swahili-Punsch. Okay?«

»Natürlich.«

»Richtig.« Johnny verschwand in der Menge und arbeitete sich auf die Punschbowle im Speisesaal zu. Adam lächelte.

»Ein leichtes Rumgetränk, mit Limonensaft und Heidelbeeren. Gar nicht schlecht ... Danke, daß Sie gekommen sind. Ich meine das ehrlich.«

»Ich war überrascht, eine Einladung zu bekommen. Ich

dachte, das hier wäre eine kleine ›Insider‹-Sache. Auf den Stamm beschränkt ... Das ist jetzt nicht so herausgekommen, wie ich es sagen wollte.«

Williams lachte. »Schon gut. Ich habe das Wort ja auch gebraucht. Es ist gut, in Stämmen zu denken. Gut für die Brüder.«

»Ja, das kann ich mir vorstellen ...«

»Die kollektive, schützende gesellschaftliche Gruppe. Sie besitzt ihre eigene Identität.«

»Wenn das das Ziel ist – das konstruktive Ziel –, dann bin ich auch dafür.«

»Oh, das ist es. Sie müssen wissen, daß die Stämme im Busch sich auch nicht die ganze Zeit bekriegen. Es wird nicht nur gestohlen und geraubt, und man entführt auch nicht die ganze Zeit Frauen. Das kommt nur von all den Robert-Ruark-Büchern. Sie treiben Handel, teilen sich die Jagd- und Farmgründe, und koexistieren im wesentlichen vermutlich besser, als Nationen oder selbst politische Gruppierungen.«

Jetzt mußte Matlock lachen. »Schon gut, Professor. Ich werde mir *nach* dem Vortrag Notizen machen.«

»Entschuldigung. Berufskrankheit.«

»Haupt- oder Nebenberuf?«

»Das wird sich erweisen, nicht wahr? ... Aber eines sollte ich wohl klarstellen. Daß Sie dafür sind, ist nicht wesentlich.«

Johnny kam mit Matlocks Swahili-Punsch zurück. »Hey, wissen Sie was? Bruder Davis, das ist Bill Davis, hat gesagt, Sie hätten ihm erklärt, Sie würden ihn durchfallen lassen, und dann haben Sie ihm mitten im Semester gesagt, daß er bestanden hätte!«

»Bruder Davis hat sich eben von seinem fetten Hintern erhoben und ein wenig gearbeitet.« Matlock sah Adam Williams an. »Dagegen sind Sie doch nicht, wenn ich so etwas sage, oder?«

Williams lächelte breit und legte Matlock die Hand auf den Arm. »Nein, Sir, Bwana ... In der Beziehung sind Sie der Chef von König Salomons Minen. Bruder Davis ist hier, um zu arbeiten, und zwar so hart er kann, um so weit zu kommen, wie es seine Anlagen erlauben. In dem Punkt sind wir uns einig. Packen Sie ihn nur hart an, den Bruder.«

»Sie machen mir ja geradezu Angst.« Matlock sprach mit einer Leichtigkeit, die er nicht empfand.

»Aber ganz und gar nicht. Das ist eine rein pragmatische Betrachtungsweise … Ich habe noch ein paar Vorbereitungen zu treffen. Bis später.« Williams rief einen vorübergehenden Studenten an und ging mit ihm quer durch die Menschenmenge auf die Treppe zu.

»Kommen Sie, Mister Matlock. Ich zeig' Ihnen die Änderungen, die wir gemacht haben.« Johnny führte Matlock in den Raum, der einmal der Versammlungsraum von Alpha Delt gewesen war.

In dem Meer von schwarzen Gesichtern sah Matlock ein paar feindselige, reservierte Blicke. Die Begrüßung war vielleicht weniger herzlich, als er es draußen auf dem Campus erwarten durfte, aber im großen und ganzen akzeptierte man seine Gegenwart. Er dachte einen Augenblick lang, wenn die Brüder wüßten, weshalb er gekommen war, würden sich die Bewohner von Lumumba Hall wütend gegen ihn stellen. Er war der einzige Weiße im Raum.

Die Änderungen, die man vorgenommen hatte, waren drastisch. Verschwunden waren die dunklen Holzvertäfelungen, die dicken Eichensitze unter den mächtigen Fenstern, das schwere, solide Mobiliar mit dem dunkelroten Leder. Statt dessen war der Raum in etwas völlig anderes verwandelt worden. Es gab keine Bogenfenster mehr. Sie waren jetzt oben abgekantet und von schwarzen, ein oder zwei Zoll breiten Schlitzen gesäumt. Von den Fenstern verlief ein Muster winziger, hölzerner Bambusstreifen, die mit farblosem Lack auf Hochglanz gebracht waren, zu den Wänden. Das Muster ging auch in die Decke über; Tausende hochglanzpolierte Röhrchen, die auf die Mitte zuliefen. Die Mitte der Decke beherrschte ein großer Kreis, der vielleicht drei Fuß durchmaß und in dem eine dicke Glasscheibe eingelassen war. Hinter dem Glas leuchtete ein helles, gelblich weißes Licht, das den ganzen Raum erfüllte. Die Möbel, die er hinter der Masse von Leibern erkennen konnte, waren eigentlich gar keine Möbel. Da waren nur ein paar niedrige Holzstücke in verschiedenen Formen und mit kurzen Beinen – Matlock vermutete, daß es sich dabei um Tische handelte. Anstelle von Stühlen gab es Dutzende von Kissen in grellen Farben, die die Wände säumten. Matlock brauchte nicht lange, um den Effekt zu erkennen.

Der Versammlungssaal von Alpha Delta Phi war auf brillante Weise in das Abbild einer großen schilfgedeckten afrikanischen Hütte verwandelt worden. Die flammende Äquatorsonne eingeschlossen, die durch das Loch in der Decke hereinschien.

»Das ist erstaunlich! Wirklich erstaunlich. Das muß Monate gekostet haben.«

»Fast eineinhalb Jahre«, sagte Johnny. »Es ist sehr bequem, sehr entspannend. Wußten Sie, daß heute eine ganze Anzahl von Innenarchitekten diese Richtung übernommen haben? Ich meine, das Zurück-zur-Natur-Motiv. Es ist sehr funktionell und leicht zu pflegen.«

»Das klingt ja gefährlich nach einer Entschuldigung. Sie brauchen sich nicht zu entschuldigen. Es ist großartig.«

»Oh, ich entschuldige mich *keineswegs*«, berichtigte Johnny seine Erklärung. »Adam sagt, daß im Primitiven eine gewisse Majestät liegt. Unser stolzes Erbe.«

»Adam hat recht. Nur, daß er nicht der erste ist, der das festgestellt hat.«

»Bitte, machen Sie sich nicht über uns lustig, Mister Matlock …«

Matlock sah Johnny über den Rand seines Glases mit Swahili-Punsch an. Du lieber Gott, dachte er, je mehr die Dinge sich verändern, desto mehr bleiben sie die alten.

Der Kapitelraum von Alpha Delta Phi war am äußersten Ende des Verbindungshauses im Keller. Man hatte ihn kurz nach der Jahrhundertwende gebaut, als wohlhabende ehemalige Mitglieder beträchtliche Summen in Hobbies wie Geheimgesellschaften und Debütantinnenbälle gesteckt hatten. Solche Aktivitäten trugen dazu bei, eine bestimmte Lebensweise zu verbreiten und Propaganda für sie zu machen, sorgten aber gleichzeitig auch dafür, daß man unter sich blieb.

Tausende junger Männer mit gestärkten weißen Hemden und ebenso gestärktem Charakter waren in diesem kapellenartigen Raum aufgenommen worden, hatten die geheimen Gelübde geflüstert und die fremdartigen, geheimen Handgriffe getauscht, die ihnen ältere Kinder mit strengen Gesichtern erklärt hatten. Sie hatten gelobt, den geheimen Glauben bis zum Tode zu bewahren. Anschließend hatten sie sich betrunken und sich in den Ecken übergeben.

Diesen Gedanken hing Matlock nach, während er zusah, wie sich vor ihm das Mau-Mau-Ritual abspielte. Es war nicht weniger kindisch, nicht weniger absurd, als die früheren Szenen in diesem Raum, überlegte er. Vielleicht waren die physischen Aspekte – die simulierten physischen Aspekte – in dem, was sie vermittelten, brutaler. Aber dann wurzelte die Zeremonie auch nicht in den stilisierten Schritten eines Gesellschaftstanzes, sondern in harten, animalischen Bitten an primitive Götter. Bitten um Kraft und Überleben, nicht um eine Erhaltung der Exklusivität.

Der Stammesritus selbst war eine Serie unverständlicher Gesänge, deren Intensität immer mehr zunahm. Auf dem Betonboden ausgestreckt lag nackt, sah man von dem roten Lendentuch ab, das man ihm um Hüften und Beine gebunden hatte und das seine Genitalien bedeckte, der Körper eines schwarzen Studenten – offensichtlich der jüngste Bruder von Lumumba Hall. Am Ende eines jeden Gesanges wurde der Körper des Jungen von vier ungewöhnlich hochgewachsenen Studenten über die Menge gehoben, die selbst bis zur Hüfte nackt waren und nachtschwarze Tanzgürtel trugen. Ihre Beine waren mit Lederspiralen bedeckt. Der Raum wurde von Dutzenden dicker Kerzen erleuchtet, die auf Ständern befestigt waren und deren Schatten über die oberen Wände und die Decke tanzten. Die Tatsache, daß die fünf aktiven Teilnehmer des Rituals sich die Haut eingeölt und die Gesichter in diabolischen Mustern bemalt hatten, verstärkte den theatralischen Effekt. Der Gesang wurde immer wilder. Der starre Körper des Jungen flog höher und höher, bis er die Hände der vier Träger verließ und den Bruchteil einer Sekunde später wieder in die ausgestreckten Arme zurückfiel. Jedesmal, wenn der schwarze Körper mit dem roten Lendentuch in die Luft gewirbelt wurde, reagierte die Menge mit immer lauter werdenden gutturalen Schreien.

Dann registrierte Matlock, der bisher eher distanziert zugesehen hatte, daß er Angst bekam. Angst um den kleinen Neger, dessen steifer, geölter Körper mit solcher Ausgelassenheit in die Luft geschleudert wurde. Jetzt hatten sich nämlich zwei weitere Schwarze, die wie die anderen gekleidet waren, den vieren angeschlossen. Statt aber mitzuhelfen, die jetzt immer höher fliegende Gestalt hochzuwerfen, duckten sich die zwei Schwarzen zwischen den vieren – unter den Körper – und zogen Messer mit langen Klingen. Sie hielten in jeder Hand eines. In Hockstellung streckten sie die Arme aus, bis die Messerklingen starr und ebenso steif wie der Körper darüber nach oben stachen. Jedesmal, wenn der kleine Neger heruntersank, schoben sich die vier Klingen näher an das fallende Fleisch heran. Ein winziger Fehler, ein einziger öliger Rechenfehler von auch nur einem der vier Schwarzen, und das Ritual würde für den kleinen Studenten mit dem Tod enden. Mit Mord.

Matlock, der das Gefühl hatte, daß das Ritual jetzt weit genug gegangen war, begann die Menge nach Adam Williams abzusuchen. Er sah ihn ganz vorne am Rande des Kreises sitzen und fing an, sich auf ihn zuzuarbeiten. Die Schwarzen, die ihn umgaben, hielten ihn – still, aber bestimmt – auf. Er sah einen Neger, der seinen Arm festhielt, ärgerlich an. Der Schwarze bemerkte seinen Blick nicht; das, was sich jetzt in der Mitte des Raumes vollzog, hypnotisierte ihn.

Matlock sah sofort weshalb. Der Körper des kleinen Jungen wurde nämlich jetzt *gedreht*, fiel einmal mit dem Gesicht nach oben, das andere mal wieder mit dem Gesicht nach unten. Die Gefahr eines Fehlers hatte um das Zehnfache zugenommen. Matlock packte die Hand an seinem Arm, drehte sie nach innen und schüttelte sie ab. Wieder sah er zu Adam Williams hinüber.

Er war nicht da. Er war nirgends zu sehen! Matlock stand

reglos und unschlüssig da. Wenn er seine Stimme zwischen dem brüllenden Crescendo der Menge erhob, war es durchaus möglich, daß die Konzentration der vier Schwarzen darunter litt, die den Körper immer wieder hochwarfen und auffingen. Das konnte er nicht riskieren, und doch durfte er auch nicht zulassen, daß diese gefährliche Absurdität fortgeführt wurde.

Plötzlich spürte Matlock wieder eine Hand, diesmal an der Schulter. Er drehte sich um und sah hinter sich das Gesicht von Adam Williams. Es erschreckte ihn. War Williams irgendein primitives Stammessignal übermittelt worden? Der schwarze Radikale deutete Matlock mit einer Kopfbewegung an, er solle ihm durch die brüllende Menge an den äußeren Rand des Kreises folgen. Und zwischen den Schreien sprach Williams.

»Sie wirken besorgt. Das brauchen Sie nicht zu sein.«

»Hören Sie! Der Unfug ist jetzt weit genug gegangen! Der Junge könnte dabei getötet werden!«

»Keine Gefahr. Die Brüder haben monatelang geübt ... Das ist wirklich der simpelste der Mau-Mau-Riten. Die Symbolik ist fundamental ... Sehen Sie? Die Augen des Jungen bleiben offen. Zuerst zum Himmel, dann blickt er auf die Messer. Er ist sich die ganze Zeit bewußt – jede Sekunde –, daß sein Leben in den Händen seiner Krieger-Brüder liegt. Er kann, er *darf* keine Furcht zeigen. Das zu tun, würde seine Brüder verraten. Das Vertrauen verraten, das er in ihre Hände legen muß – so wie sie eines Tages ihr Leben in *seine* Hände legen werden.«

»Das ist kindisch, *gefährlich dumm*, und das *wissen* Sie!« unterbrach ihn Matlock. »Ich sage Ihnen jetzt, Williams, machen Sie dem ein Ende, sonst tue ich das!«

»Es gibt natürlich«, fuhr der schwarze Radikale fort, als hätte Matlock überhaupt nicht gesprochen, »Anthropologen, die darauf beharren, daß es sich im Wesen um eine Fruchtbarkeitszeremonie handelt. Die bloßen Messer stellen Erektionen dar, die vier Beschützer, die das Kind während seiner frühen Jahre bewachen. Offen gestanden finde ich das etwas weit hergeholt. Außerdem scheint es mir selbst für primitive Geister widersprüchlich ...«

»Verdammt!« Matlock packte Williams an der Hemd-brust. Sofort umschlossen ihn andere Schwarze.

Plötzlich herrschte in dem gespenstisch beleuchteten Raum völliges Schweigen. Die Stille dauerte nur einen Augenblick. Dann folgten ihr eine Folge ohrenbetäubender Schreie aus den Mündern der vier Neger inmitten der Menge, von deren Händen das Leben des jungen Studenten abhing. Matlock wirbelte herum und sah, wie der glänzende schwarze Körper aus unglaublicher Höhe auf die ausgestreckten Hände herunterfiel.

Das konnte nicht wahr sein! Das geschah nicht! Doch tat es das!

Die vier Schwarzen kauerten plötzlich auf den Knien, von der Mitte *abgewandt*, die Arme an den Seiten. Der junge Student schoß herunter, das Gesicht den Messern *zugewandt*. Zwei weitere Schreie folgten. Im Bruchteil einer Sekunde schwangen die Studenten, die die riesigen Messer hielten, ihre Waffen übereinander und *fingen* den Körper auf der flachen Seite der Messer mit unglaublicher Kraft in den Handgelenken auf.

Die Schwarzen tobten.

Die Zeremonie war vorbei.

»Glauben Sie mir jetzt?« fragte Williams, der mit Matlock in einer Ecke stand.

»Ob ich Ihnen glaube oder nicht, ändert nichts an dem, was ich gesagt habe. Sie *dürfen* so etwas nicht tun! Es ist zu verdammt gefährlich!«

»Sie übertreiben ... Hier, erlauben Sie, daß ich Ihnen einen anderen Gast vorstelle.« Williams hob die Hand, und ein hochgewachsener, dünner Schwarzer mit kurzgeschorenem Haar, einer Brille, und in einem teuer geschnittenen beigen Anzug gekleidet, schloß sich ihnen an. »Das ist Julian Dunois, Mr. Matlock. Bruder Julian ist unser Experte. Unser Choreograph, wenn Sie so wollen.«

»Freut mich.« Dunois streckte Matlock die Hand hin, er sprach mit leichtem Akzent.

»Bruder Julian kommt aus Haiti ... Harvard, von Haiti.

Eine höchst ungewöhnliche Entwicklung. Sie werden mir vermutlich recht geben.«

»Das ist es ohne Zweifel ...«

»Viele Haitianer, selbst die Ton Ton Macoute, regen sich immer noch auf, wenn sie seinen Namen hören.«

»Du übertreibst, Adam«, sagte Julian und lächelte.

»Das habe ich gerade Mister Matlock gesagt. *Er* übertreibt. Was die Gefahr der Zeremonie angeht.«

»Oh, natürlich ist da Gefahr – ebenso wie es auch Gefahr gibt, wenn man mit einer Binde um die Augen in Boston über die Straße geht. Die Sicherheitsgarantie sozusagen, Mister Matlock, ist, daß die Männer, die die Messer halten, sehr gut aufpassen. Beim Training wird ebensoviel Gewicht darauf gelegt, die Messer sofort fallenzulassen, wie darauf, sie richtig zu halten.«

»Das mag sein«, räumte Matlock ein. »Aber die Fehlermöglichkeit erschreckt mich.«

»Sie ist nicht so groß, wie Sie denken.« Die leicht singende Stimme des Haitianers klang beruhigend. »Übrigens, ich bin einer Ihrer Anhänger. Ihre Arbeiten über die elisabethanische Zeit haben mir großes Vergnügen bereitet. Darf ich hinzufügen, daß Sie ganz anders sind, als ich Sie erwartet habe. Ich meine, Sie sind viel, viel jünger.«

»Sie schmeicheln. Ich hätte nicht gedacht, daß man mich auf den juristischen Schulen kennt.«

»Ich habe zwei Semester englische Literatur gehört.«

Adam unterbrach höflich: »Ich hoffe, Sie werden sich gut unterhalten. In ein paar Minuten gibt es oben Getränke; Sie brauchen nur der Menge zu folgen. Ich habe einiges zu tun ... Ich freue mich, daß Sie sich kennengelernt haben. Auf Ihre Art sind Sie beide Fremde. Fremde sollten sich in unbekannten Gegenden miteinander bekanntmachen. Das beruhigt.«

Er warf Dunois einen rätselhaften Blick zu und entfernte sich schnell quer durch die Menge.

»Warum hat Adam eigentlich das Gefühl, er müsse immer in profunden Rätseln sprechen?« fragte Matlock.

»Er ist sehr jung. Er gibt sich die ganze Zeit Mühe, die Dinge zu betonen. Sehr intelligent, aber sehr jung.«

»Sie werden entschuldigen, aber Sie sind ja auch nicht gerade ein alter Mann. Ich bezweifle, daß Sie mehr als ein oder zwei Jahre älter als Adam sind.«

Der Neger in dem teuer geschnittenen beigen Anzug sah Matlock in die Augen und lächelte.

»Jetzt schmeicheln Sie *mir*«, sagte er. »Wenn die Wahrheit bekannt wäre – und weshalb sollte sie das nicht? – und wenn meine Tropenfarbe die Jahre nicht so gut kaschierte, würden Sie wissen, daß ich genau ein Jahr, vier Monate und sechzehn Tage *älter* als *Sie* bin.«

Matlock starrte den Neger sprachlos an. Er brauchte fast eine ganze Minute, um die Worte des Anwalts aufzunehmen und das was sich hinter ihnen verbarg. Die Augen des Schwarzen rührten sich nicht von der Stelle. Er erwiderte Matlocks Blick, ohne mit der Wimper zu zucken. Schließlich fand Matlock seine Stimme wieder. »Ich bin nicht sicher, ob mir dieses Spiel gefällt.«

»Oh, kommen Sie schon, wir sind doch beide zum selben Zweck hier, oder nicht? Sie von Ihrer Warte, und ich von der meinen ... Gehen wir hinauf und trinken einen Schluck ... Bourbon und Soda nicht wahr? Sour Mash, wenn es ihn gibt, soweit mir bekannt ist.«

Dunois ging Matlock durch die Menge voran, und Matlock hatte keine andere Wahl, als ihm zu folgen.

Dunois lehnte sich gegen die Ziegelwand.

»Also schön«, sagte Matlock, »jetzt hätten wir ja wohl die Annehmlichkeiten hinter uns. Alle haben Ihre Show unten gelobt, und es ist niemand mehr da, den ich mit meiner weißen Haut beeindrucken könnte. Ich glaube, jetzt ist Zeit, daß Sie mit den Erklärungen anfangen.«

Sie waren jetzt alleine und standen draußen auf der Veranda. Beide hielten Gläser in der Hand.

»Oh, jetzt werden wir aber professionell, nicht wahr? Hätten Sie gerne eine Zigarre? Ich kann Ihnen versichern, daß es eine Havanna ist.«

»Keine Zigarre. Ich will nur reden. Ich kam heute abend hierher, weil dies meine Freunde sind. Ich empfand es als

Privileg, eingeladen zu werden ... Jetzt haben Sie etwas anderes angehängt, und das gefällt mir nicht.«

»Bravo! Bravo!« sagte Dunois und hob das Glas. »Sie machen das sehr gut ... Keine Sorge, sie wissen nichts. Sie vermuten vielleicht etwas, aber glauben Sie mir, nur auf ganz vage Weise.«

»Wovon zum Teufel reden Sie?«

»Trinken Sie aus, und gehen wir auf den Rasen.« Dunois leerte sein Glas, und Matlock trank wie im Reflex den Rest seines Bourbon. Die beiden Männer gingen die Treppe der Lumumba Hall hinunter und Matlock folgte dem Schwarzen an den Stamm einer großen Ulme. Dunois drehte sich plötzlich herum und packte Matlock an den Schultern.

»Nehmen Sie die verdammten Hände weg!«

»Hören Sie! Ich will das Papier! Ich *muß dieses Papier haben*! Und Sie müssen mir sagen, *wo es ist*!«

Matlock warf die Hände hoch, um Dunois' Griff zu brechen. Aber seine Arme reagierten nicht. Sie waren plötzlich schwer, schrecklich schwer. Und ein Pfeifen war zu hören. Ein immer lauter werdendes, durchdringendes Pfeifen in seinem Kopf.

»Was? Was? ... Was für ein Papier? Ich habe kein Papier ...«

»Seien Sie nicht schwierig! Wir werden es bekommen, wissen Sie! ... Und jetzt sagen Sie mir, wo es ist!«

Matlock bemerkte, daß man ihn auf den Boden legte. Die Umrisse des mächtigen Baumes über ihm begannen sich zu drehen, und das Pfeifen in seinem Gehirn wurde lauter und lauter. Es war unerträglich. Er kämpfte dagegen an.

»Was machen Sie? Was machen Sie mit mir!?«

»Das Papier, Matlock! Wo ist das korsische *Papier*?«

»Lassen Sie mich *los*!« versuchte Matlock zu schreien. Aber nichts kam über seine Lippen.

»*Das silberne Papier, verdammt sollen Sie sein!*«

»Kein Papier ... Nein. Habe kein Papier! Nein!«

»Hören Sie mir zu! Sie haben gerade etwas getrunken, erinnern Sie sich? ... Sie haben gerade ausgetrunken. Erinnern

Sie sich? ... Sie dürfen jetzt nicht alleine sein! Sie dürfen es nicht wagen, alleine zu sein!«

»Was? ... Was? Lassen Sie mich los! Sie erdrücken mich!«

»Ich *berühre* Sie ja nicht einmal. Das ist das, was Sie getrunken haben! Sie haben gerade drei Tabletten *Lyserginsäure* zu sich genommen! Sie haben Schwierigkeiten, Doktor! ... *Jetzt! Sie sagen mir jetzt, wo dieses Papier ist!*«

Tief in seinem Bewußtsein fand er einen Augenblick der Klarheit. Inmitten der kreisenden, wirbelnden Spiralen von Farben, die seinen Geist zu zersprengen drohten, sah er die Gestalt des Mannes über sich und schlug zu. Er packte das weiße Hemd zwischen den dunklen Umrissen der Jacke und riß es mit aller Kraft zu sich herunter, die er aufbieten konnte. Seine Faust zuckte hoch und traf das sich senkende Gesicht, so hart er konnte. Als er das Gesicht getroffen hatte, begann er gnadenlos auf die Kehle darunter einzuhämmern. Er konnte spüren, wie Glas zersplitterte, und wußte, daß seine Faust die Augen gefunden hatte und das Glas in den Schädel getrieben hatte.

Während eines Zeitraums, den er nie ermessen konnte, lag Dunois' Körper bewußtlos neben ihm.

Und er wußte, daß er wegrennen mußte. Schleunigst wegrennen, so schnell er konnte! Was hatte Dunois gesagt? ... Wagen Sie nicht alleine zu sein. Wagen Sie es nicht! Er mußte Pat finden! Pat würde wissen, was zu tun war. Er mußte sie finden! Die Chemikalie in seinem Körper würde bald volle Wirkung erreichen, und das wußte er! Er mußte wegrennen, um Christi willen!

Aber wohin?! In welche Richtung?! Er kannte den *Weg* nicht! Den *verdammten Scheißweg*! Die Straße war da, er rannte die Straße entlang, aber war es der *richtige Weg*?! War es die *richtige Straße*?!

Dann hörte er einen Wagen. Es *war* ein Wagen. Er näherte sich dem Randstein, und der Fahrer sah ihn an. Sah ihn an! Also rannte er schneller, stolperte einmal über den Randstein, fiel aufs Pflaster und stand wieder auf. Rannte um Christi willen, rannte, bis er keinen Atem mehr in den Lungen hatte, und er die Bewegungen seiner Füße nicht mehr kontrollieren konnte. Er spürtet, wie er taumelte, außerstande, stehenzubleiben. Er taumelte auf den weiten Strom der Straße zu, die plötzlich ein Fluß wurde, ein schwarzer, schmieriger Fluß, in dem er ertrinken würde.

Undeutlich hörte er das Kreischen der Bremsen. Die Lichter blendeten ihn, die Gestalt eines Mannes beugte sich hinunter und blickte ihm in die Augen. Es war ihm jetzt alles gleichgültig. Statt dessen lachte er, lachte durch das Blut, das ihm in den Mund und über das Gesicht floß.

Er lachte hysterisch, als Jason Greenberg ihn zum Wagen trug.

Dann wurden die Erde, die Welt, der Planet, die Galaxis und das ganze Sonnensystem verrückt.

10

Die Nacht war voller Pein.

Der Morgen brachte ein Maß der Realität zurück, weniger für Matlock, als für die beiden Leute, die neben ihm saßen, zu beiden Seiten seines Bettes. Jason Greenberg, die großen, traurigen Augen gesenkt, die Hände ruhig im Schoß verschränkt, nach vorne gebeugt. Patricia Ballantyne drückte einen kühlen, feuchten Lappen auf Matlocks Stirn.

»Die Nigger haben Ihnen ja 'ne hübsche Party gegeben, Freund.«

»Sch!« Flüsterte das Mädchen. »Lassen Sie ihn.«

Matlocks Augen wanderten so gut sie konnten im Zimmer herum. Er befand sich in Pats Apartment im Schlafzimmer, ihrem Bett.

»Acid haben sie mir gegeben.«

»Das mußt du *uns* nicht sagen … Wir haben einen Doktor – einen richtigen Doktor – aus Litchfield kommen lassen. Das ist der nette Mann, dem du immer die Augen auskratzen wolltest … Keine Sorge, er arbeitet für die Bundesbehörden. Keine Namen.«

»Pat? Wieso …«

»Du warst auf einem netten Trip, Jamie. Du hast die ganze Zeit meinen Namen gerufen.«

»Es war auch ganz logisch«, unterbrach Greenberg. »Keine Krankenhäuser. Keine Aufzüge, hübsch privat; das war gut gedacht. Außerdem können Sie sehr überzeugend sein, wenn Sie böse sind. Sie sind viel stärker, als ich dachte. Besonders, wo Sie doch ein so lausiger Handballspieler sind.«

»Sie hätten mich nicht hierherbringen dürfen. Verdammt noch mal, Greenberg, Sie hätten mich nicht hierherbringen dürfen!«

»Wenn wir für den Augenblick einmal vergessen, daß es Ihre Idee war …«

»Ich stand unter Drogeneinfluß!«

»… war es eine *gute* Idee. Was hätten Sie denn vorgezogen? Die Unfallklinik? ›Wer ist das auf der Trage, Doktor? Der so schreit …‹, ›… Oh, das ist nur Professor Matlock, Schwester. Er ist gerade auf einem Acid-Trip‹.«

»Sie wissen genau, was ich meine! Sie hätten mich nach Hause bringen können. Festschnallen.«

»Es erleichtert mich wirklich, daß Sie nicht viel von Acid wissen«, sagte Greenberg.

»Was er meint, Jamie …«, Pat nahm seine Hand, »…wenn es schlimm ist, sollte man mit jemandem zusammen sein, den man gut kennt. Man braucht das.«

Matlock sah das Mädchen an. Und dann Greenberg. »Was haben Sie ihr gesagt?«

»Daß Sie sich freiwillig erboten haben, uns zu helfen; daß wir dankbar sind. Mit Ihrer Hilfe gelingt es uns vielleicht zu verhindern, daß eine schwierige Situation noch schlimmer wird.« Greenberg sprach mit monotoner Stimme; es war offenkundig, daß er nicht mehr sagen wollte.

»Es war eine sehr geheimnisvoll klingende Erzählung«, sagte Pat. »Wenn ich ihm nicht gedroht hätte, hätte ich nicht einmal die bekommen.«

»Sie wollte die Polizei rufen.« Greenberg seufzte. Seine traurigen Augen wirkten noch trauriger. »Sie wollte mich einsperren lassen, weil ich Ihnen eine Dosis verpaßt hätte. Ich hatte keine andere Wahl.«

»Warum tust du das, Jamie?« Pat fand an dem, was Greenberg gesagt hatte, nichts Erheiterndes.

»Der Mann hat es ja gesagt: Die Situation ist sehr ernst.«

»Aber warum gerade *du*?«

»Weil ich kann.«

»Was kannst du? Die jungen Leute der Polizei ausliefern?«

»Das habe ich Ihnen doch gesagt«, schaltete Jason sich ein. »Wir interessieren uns nicht für Studenten ...«

»Was ist denn Lumumba Hall? Eine Filiale von General Motors?«

»Das ist ein Kontaktpunkt; es gibt andere. Offen gestanden, wir hätten uns lieber nicht mit dem Verein eingelassen; das ist recht kitzlig. Unglücklicherweise haben wir keine Wahl.«

»Das ist ja widerlich.«

»Ich glaube, es gibt nicht viel, was ich sagen könnte, das für Sie nicht widerlich wäre, Miß Ballantyne.«

»Mag sein. Das liegt vielleicht daran, daß ich bisher der Ansicht war, das FBI hätte wichtigere Arbeit, als junge Schwarze unter Druck zu setzen. Aber offenbar irre ich mich da.«

»Hey, hör auf.« Matlock drückte dem Mädchen die Hand.

»Nein, ich meine das ernst, Jamie! Mir geht es hier nicht um irgendwelche Spielchen oder um Radikalenschick. Ganz Carlyle ist doch voll von dem Zeug. Einiges ist ziemlich schlimm, aber im großen und ganzen ist es doch nicht schlimmer als in anderen Universitäten. *Wir beide* wissen das. Warum werden da plötzlich die jungen Leute von Lumumba Hall herausgepickt?«

»Wir würden diesen jungen Leuten nie etwas anhaben wollen. Bloß ihnen helfen.« Greenberg war von der langen Nacht müde. Man merkte ihm an, daß er etwas gereizt war.

»Mir gefällt die Art nicht, wie Sie den Leuten helfen, und mir gefällt auch nicht, was Jamie passiert ist! Warum haben Sie ihn dorthin geschickt?«

»Er hat mich nicht *geschickt*. Das habe ich selbst manipuliert.«

»Warum?«

»Das ist zu kompliziert, und ich bin jetzt zu ausgepumpt, um es zu erklären.«

»Oh, das hat schon Mr. Greenberg getan. Er hat mir alles erklärt. Die haben dir eine Plakette gegeben, nicht wahr? Selbst können sie das nicht machen, also picken sie sich einen netten, freundlichen Burschen heraus, damit der es für sie erledigt. Du gehst das ganze Risiko ein, und wenn alles vorbei ist, vertraut dir keiner im ganzen Campus mehr. Jamie, um Himmels willen, das ist dein *Zuhause*, deine *Arbeit*!«

Matlock hielt die Augen des Mädchens mit den seinen fest und gab sich große Mühe, sie zu beruhigen. »Ich weiß das besser als du. Mein Zuhause braucht Hilfe – und das ist auch kein Spiel, Pat. Ich glaube, es ist das Risiko wert.«

»Ich verstehe nicht.«

»Sie können es nicht verstehen, Miß Ballantyne, weil wir Ihnen nicht genug sagen können, um es vernünftig klingen zu lassen. Das werden Sie akzeptieren müssen.«

»Muß ich das?«

»Ich bitte dich darum«, sagte Matlock. »Er hat mir das Leben gerettet.«

»Soweit würde ich nicht gehen, Professor.« Greenberg zuckte die Achseln, als er das sagte.

Pat stand auf. »Ich glaube, daß er dich über Bord geworfen und dir dann nachher ein Tau nachgeworfen hat … Bist du wieder in Ordnung?«

»Ja«, antwortete Matlock.

»Ich muß gehen. Aber wenn du willst, bleibe ich da.«

»Nein, geh nur. Ich rufe dich später an. Vielen Dank für die Pflege.«

Das Mädchen warf Greenberg einen kurzen Blick zu – keinen freundlichen Blick – und trat an ihre Frisierkommode. Sie nahm eine Bürste und strich sich schnell über das Haar und schob sich dann ein orangerotes Stirnband zurecht. Sie beobachtete Greenberg im Spiegel. Er erwiderte den Blick.

»Der Mann, der mir gefolgt ist, Mr. Greenberg. Ist er einer von Ihren Leuten?«

»Ja.«

»Das paßt mir nicht.«

»Tut mir leid.«

Pat drehte sich um. »Würden Sie ihn bitte entfernen?«

»Das kann ich nicht. Ich werde ihm sagen, er soll weniger auffällig sein.«

»Ich verstehe.« Sie nahm ihre Handtasche von der Kommode und bückte sich dann, um ihre Aktentasche aufzuheben. Dann ging sie ohne ein weiteres Wort hinaus. Ein paar Sekunden später hörten die beiden Männer, wie die Wohnungstür geöffnet und gleich wieder fest geschlossen wurde.

»Eine junge Dame mit ausgeprägtem Willen«, sagte Jason.

»Mit gutem Grund.«

»Was meinen Sie damit?«

»Ich dachte, in Ihrem Verein weiß man so genau über die Leute Bescheid, mit denen Sie zu tun haben …«

»Mein Briefing ist noch nicht abgeschlossen. Ich bin Ersatzmann, erinnern Sie sich?«

»Dann will ich Ihnen die Zeit sparen. Ende der fünfziger Jahre hat McCarthy ihren Vater aus dem Außenministerium bugsiert … Er war natürlich sehr gefährlich. Er war Sprachenberater. Er übersetzte Zeitungsartikel.«

»Scheiße.«

»Sie sagen es, Bruder. Er hat seine Stelle nie wieder zurückbekommen. Sie hatte ihr ganzes Leben lang Stipendien; der Schrank ist leer. Sie reagiert auf Ihresgleichen etwas empfindlich.«

»Junge, Sie suchen sich auch die Richtigen!«

»Sie haben *mich* ausgesucht, erinnern Sie sich?«

Matlock öffnete die Tür zu seiner Wohnung und trat in den Vorraum. Pat hatte beim Aufräumen gute Arbeit geleistet – das hatte er gewußt. Selbst die Vorhänge hatte sie wieder aufgehängt. Es war kurz nach drei – der größte Teil des Tages war vergeudet. Greenberg hatte darauf bestanden, daß sie beide nach Litchfield hinüberfuhren, damit der Arzt ihn sich noch einmal ansehen konnte. Etwas zittrig, aber funktionsfähig, lautete das Urteil.

Sie hielten beim Cheshire Cat an, um zu Mittag zu essen. Während der Mahlzeit blickte Matlock immer wieder zu dem kleinen Tisch hinüber, wo vor vier Tagen Ralph Loring mit seiner gefalteten Zeitung gesessen war. Das Essen verlief ziemlich still. Nicht angespannt – jeder der beiden Männer fühlte sich in der Gesellschaft des anderen gelockert – aber still, so als hätte jeder viel nachzudenken.

Auf der Rückfahrt nach Carlyle forderte Greenberg ihn auf, in seiner Wohnung zu bleiben, bis er Verbindung mit ihm aufnehme. Washington hatte keine neuen Instruktionen ausgegeben. Sie waren dabei, die neue Information auszuwerten. Matlock solle, bis sie daraus ihre Schlüsse gezogen hatten, »OOS« bleiben – ein Begriff, bei dem es dem Dozenten schwerfiel, ihn mit erwachsenen Menschen in Verbindung zu bringen: *out of strategy*.

Aber eigentlich war es ganz gut so, dachte er. Er mußte über seine eigene Strategie nachdenken – Lucas Herron. Den ›großen alten Vogel‹, die Respektsperson des Campus. Es war Zeit, mit ihm Verbindung aufzunehmen, ihn zu warnen. Der alte Mann befand sich außerhalb seines gewohnten Elements, und je schneller er den Rückzug antrat, desto besser war es für alle – Carlyle eingeschlossen. Und doch wollte er ihn nicht anrufen, wollte er kein formelles Treffen vereinbaren – er mußte subtiler vorgehen. Er wollte den alten Lucas nicht erschrecken, vermeiden, daß er mit den falschen Leuten sprach.

Matlock kam es in den Sinn, daß er Herron schützte. Er ging von der Annahme aus, daß Lucas nicht ernsthaft in die Sache verwickelt war. Er fragt sich, ob er das Recht hatte, diese Annahme zu treffen. Andererseits hatte er als zivilisierter Mensch nicht das Recht, etwas anderes anzunehmen.

Das Telefon klingelte. Das konnte nicht Greenberg sein, dachte er. Er hatte ihn gerade erst an der Einfahrt verlassen. Er hoffte, daß es nicht Pat war; er war noch nicht soweit, daß er mit ihr reden wollte. Widerstrebend hob er den Hörer ans Ohr. »Hello!«

»Jim! Wo *sind Sie gewesen*!? Ich rufe schon seit acht Uhr morgens an! Ich habe mir solche Sorgen gemacht, daß ich sogar zweimal zu Ihrer Wohnung gefahren bin. Ich habe mir Ihren Schlüssel vom Hausmeister geben lassen.« Es war Sam Kressel. Es klang, als hätte Carlyle seine Akkreditierung verloren.

»Das ist jetzt viel zu kompliziert, um es zu erklären, Sam. Sehen wir uns doch später. Ich komme nach dem Abendessen zu Ihnen hinüber.«

»Ich weiß nicht, ob es solange Zeit hat. Herrgott! Was ist denn *in* Sie gefahren?«

»Ich verstehe nicht.«

»Gestern abend in der Lumumba Hall!«

»Wovon reden Sie denn? Was haben Sie gehört?«

»Dieser schwarze Bastard, dieser Adam Williams, hat mir einen Bericht eingereicht, in dem man Ihnen abgesehen von der Befürwortung der Sklaverei so ziemlich alles vorwirft, was man sich denken kann! Er behauptet, der einzige Grund, weshalb er nicht bei der Polizei Anzeige erstattet, sei, daß Sie völlig betrunken gewesen seien! Natürlich hat der Alkohol Ihnen die Fassade abgestreift und deutlich gezeigt, was für ein Rassist Sie sind!«

»Was?«

»Sie haben Möbel zerstört, ein paar junge Leute verprügelt, Fenster zerschlagen ...«

»Sie wissen verdammt genau, daß das Bockmist ist!«

»Das habe ich mir schon gedacht.« Kressel senkte die Stimme. Er war jetzt im Begriff, sich zu beruhigen. »Aber daß ich das weiß, hilft gar nichts, verstehen Sie? Das ist es genau, was wir *vermeiden* müssen. Polarisierung! Kaum läßt sich die Regierung auf einem Campus sehen, beginnt die Polarisierung.«

»Hören Sie mir zu. Williams Erklärung ist ein Täuschungsmanöver – wenn man das so nennt. Es ist Tarnung. Man hat mich letzte Nacht unter Drogen gesetzt. Wenn Greenberg nicht gewesen wäre, weiß ich nicht, wo ich jetzt wäre.«

»O Gott! ... Lumumba steht auf Ihrer Liste, nicht wahr? Das hat uns gerade noch gefehlt! Die Schwarzen werden ein Geschrei erheben, daß man sie verfolgt. Der Himmel alleine weiß, was geschehen wird.«

Matlock zwang sich, ruhig zu sprechen. »Ich komme gegen sieben Uhr hinüber. Tun Sie nichts, sagen Sie nichts. Ich muß jetzt das Telefon frei machen. Ich erwarte einen Anruf von Greenberg.«

»Augenblick noch, Jim! Eine Sache. Dieser Greenberg … Ich vertraue ihm nicht. Keinem von denen vertraue ich. Denken Sie immer daran. Ihre Loyalität gilt Carlyle …« Kressel verstummte, aber er war noch nicht fertig. Matlock begriff, daß ihm die richtigen Worte fehlten.

»Seltsam, daß Sie so etwas sagen.«

»Ich denke, Sie verstehen, was ich meine.«

»Da bin ich nicht sicher. Ich dachte, es ginge um Zusammenarbeit …«

»*Aber nicht um den Preis, daß dieser Campus in Stücke gerissen wird!*« Die Stimme des Dekans klang fast hysterisch.

»Keine Sorge«, sagte Matlock. »Er wird nicht in Stücke gerissen werden. Bis später.« Matlock legte auf, bevor Kressel weiterreden konnte. Seine Gedanken mußten jetzt etwas ausruhen, und Kressel ließ nie zu, daß jemand ausruhte, wenn es um etwas ging, was ihm wichtig war. Kressel war auf seine eigene Art ebenso militant wie jeder beliebige Extremist und vielleicht viel schneller bei der Hand, ›foul‹ zu rufen.

Diese Gedanken führten Matlock zu einer anderen Überlegung – zwei Überlegungen. Vor vier Tagen hatte er Pat gesagt, er wolle ihre Pläne für St. Thomas nicht ändern. Die Semesterferien, zehn kurze Tage Ende April, würden in drei Tagen, am Samstag nach der Vorlesung, beginnen. Unter den vorliegenden Umständen kam St. Thomas nicht in Frage – es sei denn, Washington käme zu dem Beschluß, ihn zurückzuziehen, und das bezweifelte er. Er würde seine Eltern als Ausrede benutzen. Pat würde das begreifen, ihm sogar zustimmen. Der andere Gedanke betraf seine Arbeit. Er war zurückgeblieben. Sein Schreibtisch war mit Papier überhäuft – hauptsächlich Arbeiten und Examina. Außerdem hatte er seine beiden Vorlesungen am Vormittag verpaßt. Nicht, daß er um seine Studenten besorgt gewesen wäre – er pflegte im Herbst und Winter Tempo vorzulegen und im Frühjahr dafür langsamer vorzugehen –, aber er wollte nicht noch die Feuer, wie zum Beispiel Williams falsche Anklage, schüren. Ein außerordentlicher Professor, der seine Vorlesungen schwänzte, war ein beliebtes Ziel der Klatschmäuler. Seine Belastung in den nächsten drei Tagen war nicht besonders groß – drei, zwei und zwei. Er würde die Arbeit später organisieren. Und zwischen jetzt und sieben Uhr mußte er Lucas Herron finden. Wenn Greenberg anrief, solang er unterwegs war, würde er das auf eine Besprechung schieben, die er zu erwähnen vergessen hatte.

Er beschloß zu duschen, sich zu rasieren und sich umzuziehen. Im Badezimmer überprüfte er das Kästchen der Katze. Das korsische Papier war da – das hatte er gewußt.

Als er geduscht und sich rasiert hatte, ging Matlock in sein Schlafzimmer und wählte dort seine Kleidung aus. Er überlegte, wie er vorgehen solle. Er kannte Herrons Tagesplan nicht, obwohl es ganz einfach sein würde, herauszufinden, ob Lucas am späten Nachmittag irgendeine Vorlesung oder ein Seminar hatte. Matlock kannte Herrons Haus; er würde mit dem Wagen etwa fünfzehn Minuten dorthin brauchen. Herron wohnte acht Meilen vom Campus entfernt auf einer selten befahrenen Nebenstraße, die einmal zu dem alten Familienanwesen der Carlyles gehört hatte. Herrons Haus war ein sogenanntes Kutschenhaus gewesen. Es lag etwas abseits, aber wie Lucas zu sagen pflegte: »Wenn man einmal dort ist, ist es die Mühe wert.«

Das hastige Klopfen an der Tür riß ihn aus seiner Konzentration. Es machte ihm gleichzeitig Angst – er merkte, wie er nach Luft rang; das beunruhigte ihn.

»Komme gleich«, rief er und zog sich ein weißes Sporthemd über den Kopf. Er ging barfuß zur Türe und öffnete sie. Es war ihm unmöglich, seinen Schock zu verbergen. Unter der Türe stand Adam Williams – alleine.

»Tag.«

»Herrgott! ... Jetzt weiß ich nicht, ob ich Ihnen gleich eins auf die Schnauze geben soll, oder zuerst die Polizei rufen! Was zum Teufel wollen Sie? Kressel hat mich bereits angerufen, falls Sie das überprüfen wollen.«

»Bitte, hören Sie mich an. Ich mache schnell.« Der Schwarze sprach eindringlich, Matlock hatte das Gefühl, als versuchte er seine Angst zu verbergen.

»Kommen Sie rein. Und machen Sie schnell.« Matlock schlug die Türe zu, als Williams an ihm vorbei in den Vorraum trat. Der Schwarze drehte sich herum und versuchte zu lächeln, aber in seinen Augen war kein Humor.

»Das mit dem Bericht tut mir leid. Wirklich leid. Das war eine unangenehme Notwendigkeit.«

»Das nehme ich Ihnen nicht ab! Was wollten Sie denn, daß Kressel tut? Sollte er mich vor den Ausschuß schleppen und mich hier verjagen? Sie dachten wohl, ich würde mich einfach hinsetzen und zulassen, daß alle auf mir herumtrampeln? Sie sind ein verdammter Irrer!«

»Wir haben nicht gedacht, daß *irgend etwas* geschehen würde. Genau deshalb haben wir es ja getan ... Wir konnten nicht sicher sein, wohin Sie gegangen sind. Sie sind verschwunden, wissen Sie. Man könnte sagen, daß wir die Offensive ergreifen mußten und später dann erklären, alles sei ein bedauerliches Mißverständnis gewesen ... Die Taktik wäre nicht neu. Ich werde Kressel noch einen Bericht schikken und einiges zurücknehmen – aber nicht alles. In ein paar Wochen ist das alles vergessen.«

Matlock war wütend, ebenso wegen Williams Einstellung als auch wegen seines gewissenlosen Pragmatismus. Aber als er sprach, hob er seine Stimme nicht an. »Verschwinden Sie. Sie widern mich an.«

»Oh, hören Sie doch auf, Mann! Haben wir Sie nicht *immer angewidert*?« Matlock hatte den Nerv getroffen, und Williams reagierte entsprechend. Aber ebenso plötzlich riß er sich wieder zusammen. »Wollen wir nicht über theoretische Dinge reden. Lassen Sie mich zur Sache kommen und wieder gehen.«

»Ja bitte.«

»Also gut. Hören Sie mir zu. Was immer Dunois von Ihnen wollte, *geben* Sie es ihm! ... Das heißt, geben Sie es mir, und ich schicke es weiter. Keine gespaltene Zunge; das ist die Sprache der letzten Not!«

»Wie abgedroschen. Kommt nicht in Frage. Warum sollte ich etwas haben, das Bruder Julian will? Hat er das gesagt? Warum kommt er nicht selbst?«

»Bruder Julian bleibt nicht lange an einem Ort. Seine Talente sind sehr gefragt.«

»Die Aufführung von Mau-Mau-Pubertätsriten?«

»Das macht er wirklich, wissen Sie. Das ist sein Hobby.«

»Schicken Sie ihn mir.«

Matlock ging vor Williams vorbei und trat an den Couchtisch. Er bückte sich und nahm ein halb leeres Päckchen Zigaretten auf. »Dann vergleichen wir unsere Notizen über assoziative Körperbewegungen. Ich habe eine umfangreiche Sammlung von Volkstänzen aus dem sechzehnten Jahrhundert.«

»Bleiben Sie ernst. Wir haben keine *Zeit*!«

Matlock zündete sich eine Zigarette an. »Ich habe viel Zeit. Ich möchte einfach Bruder Julian wiedersehen; ich möchte ihn ins Gefängnis stecken lassen.«

»Keine Chance! Keine Chance. Ich bin um *Ihretwillen* hier! Wenn ich ohne es weggehe, kann ich es nicht mehr *kontrollieren*!«

»Zwei Pronomina, die denselben Gegenstand bezeichnen oder unterschiedliche?«

»Ach, hören Sie doch auf! Wissen Sie eigentlich, wer Julian Dunois ist?«

»Ein Angehöriger der Familia Borgia? Aus der äthiopischen Linie?«

»*Hören Sie auf, Matlock!* Tun Sie, was er sagt! Er ist gefährlich. Niemand will, daß jemandem etwas passiert.«

»Ich weiß *nicht*, wer Dunois ist, und es ist mir auch egal. Ich weiß nur, daß er mich unter Drogen gesetzt und mich angegriffen hat und einen gefährlichen Einfluß auf ein paar Kinder ausübt. Darüber hinaus vermute ich, daß er veranlaßt hat, daß man in meine Wohnung eingebrochen ist und meine persönlichen Habseligkeiten zerstört. Ich will, daß er weggeschafft wird. Von Ihnen *und* von mir.«

»*Bitte*, seien Sie vernünftig!«

Matlock trat schnell an den Vorhang vor seinem Flügelfenster und riß ihn mit Schwung auf und zeigte das zersplitterte Glas und die verbogene Bleifassung.

»Ist das eine von Bruder Julians Visitenkarten?«

Adam Williams starrte sichtlich schockiert auf das Bild der Zerstörung. »Nein, Mann. Absolut nein. Das ist nicht Julians Stil ... Das ist nicht einmal mein Stil. Das war jemand anders.«

11

Die Straße, die zu Lucas Herrons Haus führte, war von Schlaglöchern übersät, wie der Winter sie brachte. Matlock bezweifelte, daß die Stadtverwaltung von Carlyle sie reparieren würde; es gab viel zu viele andere allgemein benutzte Straßen, die immer noch die Auswirkungen des neuenglischen Winters zeigten. Als er sich dem alten Kutschenhaus näherte, bremste er seinen Triumph auf beinahe zehn Meilen die Stunde ab. Die Stöße, die das Fahrgestell an ihn weiterleitete, drohten ihm die Knochen zu zerbrechen, und er wollte Herrons Haus mit möglichst wenig Lärm erreichen.

In der Annahme, daß Jason Greenberg ihn vielleicht beschatten ließ, fuhr Matlock einen Umweg zu Herron, fuhr vier Meilen auf einer Parallelstraße nach Norden und wendete dann. Hinter ihm war niemand. Die nächsten Häuser waren zu beiden Seiten gute hundert Meter von dem Herrons entfernt, und gegenüber stand gar keines. Es war die Rede davon gewesen, in der Gegend ein Bauprojekt hochzuziehen, ebenso wie die Rede davon gewesen war, daß die Carlyle Universität vergrößert werden sollte, aber aus keinem der beiden Projekte war etwas geworden. Tatsächlich hing Ersteres von Letzterem ab, und die Alten Herren von Carlyle setzten allen größeren Veränderungen in Carlyle erheblichen Widerstand entgegen. Die Alten Herren waren das persönliche Kreuz, das Adrian Sealfont zu tragen hatte.

Matlock war von der Ruhe beeindruckt, die von Herrons Haus ausging. Er hatte es sich bisher noch nie richtig angesehen. Dabei hatte er Lucas bestimmt schon ein dutzendmal nach abendlichen Versammlungen nach Hause gebracht, aber er hatte es immer eilig gehabt. Lucas' Einladungen auf einen Drink hatte er nie angenommen, demzufolge hatte er das Haus auch nie betreten.

Er stieg aus dem Wagen und ging auf das alte Ziegelgebäude zu. Es war hoch und schmal. Der verblichene Stein war mit Tausenden von Efeufäden bedeckt, die das Gefühl der Isoliertheit noch verstärkten. Davor auf dem ausgedehnten Rasen standen zwei japanische Weidenbäume in voller Frühjahrsblüte. Ihre purpurnen Blüten hingen in großen Bögen zur Erde. Das Gras war gemäht, die Büsche gestutzt, und der weiße Kies auf den einzelnen Wegen glänzte. Es war ein Haus und ein Anwesen, das geliebt und gepflegt wurde. Und doch hatte man das Gefühl, daß all diese Liebe von niemandem geteilt wurde. Es war die Arbeit einer Person, die auch nur einer Person galt, nicht von oder für zwei oder eine Familie. Dann erinnerte sich Matlock, daß Lucas Herron nie geheiratet hatte. Natürlich kursierten die unvermeidlichen Gerüchte von einer verlorenen großen Liebe, einem tragischen Todesfall, ja sogar einer weggelaufenen Braut, aber jedesmal wenn Lucas Herron von solchen jugendlichen Romanzen gehört hatte, hatte er darauf nur mit einem glucksenden Lachen reagiert und der Feststellung, er sei einfach ›zu verdammt eigensüchtig‹.

Matlock ging die paar Stufen der Eingangstreppe hinauf und läutete. Er versuchte, ein Begrüßungslächeln einzuüben, aber es war falsch: Er würde es nicht durchhalten, er hatte Angst.

Die Türe öffnete sich. Der hochgewachsene, weißhaarige Lucas Herron, in zerdrückte Hosen und ein halb aufgeknöpftes dunkelblaues Hemd gekleidet, starrte ihn an.

Es dauerte weniger als eine Sekunde, bis Herron etwas sagte, aber in jenem kurzen Augenblick wußte Matlock, daß er sich geirrt hatte. Lucas Herron wußte, weshalb er gekommen war.

»Nun, Jim! Kommen Sie rein, kommen Sie rein, mein Junge. Was für eine angenehme Überraschung.«

»Vielen Dank, Lucas. Hoffentlich störe ich nicht bei irgend etwas.«

»Aber nein. Sie kommen sogar gerade zur rechten Zeit. Ich stelle gerade alchimistische Experimente an. Ein frischer Gin Collins. Jetzt brauche ich ihn nicht alleine zu trinken.«

»Das klingt aber einladend.«

Herrons Haus war innen genauso, wie Matlock es erwartet hatte – so wie seines in runden dreißig Jahren sein würde, wenn er so lange alleine lebte. Es war wie eine große Sammlung, das Produkt von fast einem halben Jahrhundert von Souvenirs und systemlosem Sammeln an hundert Orten. Das einzig Gemeinsame war Bequemlichkeit; man merkte der Einrichtung an, daß niemand auf Stil oder die richtige Periode oder gar auf Koordinierung geachtet hatte. Einige Wände waren von Büchern gesäumt. Die Wände, die frei waren, waren mit Vergrößerungen behängt, von Orten, die er im Ausland besucht hatte – wahrscheinlich während längerer Semesterferien. Die Armsessel waren dick und weich, die Tische in bequemer Reichweite. Das Zeichen geübter und erfahrener Junggesellschaft, dachte Matlock.

»Ich glaube, Sie sind noch nie hiergewesen – drinnen, meine ich.«

»Nein. Es ist sehr attraktiv. Sehr bequem.«

»Ja, das ist es. Bequem. Hier, setzen Sie sich, ich werde meine Mixtur fertigstellen und uns einen Drink bringen.« Herron ging quer durch das Wohnzimmer auf eine Türe zu, hinter der Matlock die Küche vermutete, blieb dann stehen und drehte sich um. »Ich weiß natürlich, daß Sie nicht den weiten Weg gekommen sind, um einem alten Mann Gesellschaft beim Cocktail zu leisten. Aber ich habe hier eine feste Regel: wenigstens ein Drink – sofern die Religion und die Prinzipien es zulassen – vor jeder ernsthaften Diskussion.« Er lächelte, und die tausend Fältchen um seine Augen und Schläfen prägten sich noch deutlicher aus. Er war ein *alter*, alter Mann. »Außerdem sehen Sie so schrecklich ernsthaft aus. Nach dem Collins ist das etwas besser, das verspreche ich Ihnen.«

Ehe Matlock antworten konnte, ging Herron schnell zur

Türe hinaus. Statt sich zu setzen, ging Matlock an die nächste Wand, an der ein kleiner Schreibtisch stand. Darüber hingen ein halbes Dutzend Fotografien ohne bestimmtes System an der Wand. Einige zeigten Stonehenge und waren vom selben Standpunkt aus aufgenommen, wobei die untergehende Sonne in verschiedenen, dramatisch wirkenden Winkeln aufgenommen war. Eine zeigte eine felsige Küste mit Bergen dahinter und vertäuten Fischerbooten. Es sah nach einer Mittelmeerszene aus, vielleicht Griechenland oder die Thrakischen Inseln. Dann kam eine Überraschung. Rechts unten an der Wand, nur wenige Zoll über dem Schreibtisch, hing ein kleines Foto von einem hochgewachsenen, schlanken Offizier, der neben einem Baumstamm stand. Hinter ihm war das Blattwerk dicht, gleichsam dschungelähnlich. Zu beiden Seiten konnte man die Schatten anderer Figuren sehen. Der Offizier trug keinen Helm, sein Hemd war von Schweiß durchtränkt. Seine große rechte Hand hielt den Kolben einer Maschinenpistole. In der linken Hand hielt der Offizier ein zusammengefaltetes Stück Papier – es sah wie eine Landkarte aus – und der Mann hatte offensichtlich gerade eine Entscheidung getroffen. Er blickte nach oben, wie auf hohes Terrain. Das Gesicht war angespannt, aber nicht erregt. Es war ein gutes Gesicht, ein starkes Gesicht. Es gehörte einem dunkelhaarigen Lucas Herron in mittleren Jahren.

»Das alte Foto behalte ich, damit es mich immer daran erinnert, daß die Zeit mich nicht immer so mitgenommen hat.«

Matlock fuhr hoch. Lucas war wieder eingetreten und hatte ihn erschreckt. »Es ist ein gutes Bild. Jetzt weiß ich, wer jenen Krieg wirklich gewonnen hat.«

»Ohne Zweifel. Unglücklicherweise habe ich von dieser Insel nie gehört, weder vorher noch nachher. Jemand sagte, es sei eine der Salomoninseln. Ich glaube, die haben sie in den fünfziger Jahren in die Luft gejagt. Gehörte nicht viel dazu. Ein paar Knallfrösche würden das schon bewirken. Hier.« Herron trat vor Matlock hin und reichte ihm sein Glas.

»Danke. Sie sind viel zu bescheiden. Ich habe die Geschichten gehört.«

»Ich auch. Haben mich mächtig beeindruckt. Die werden immer besser, je älter ich werde … Was meinen Sie, setzen wir uns in den Hinterhof? Das Wetter ist viel zu schön, um im Haus zu bleiben.« Ohne auf Antwort zu warten, ging Herron hinaus, und Matlock folgte ihm.

Der Garten hinter dem Haus war ebenso präzise maniküert wie der vordere. Auf einem Patio aus Naturstein standen bequem aussehende Liegestühle und neben jedem ein kleines Tischchen. Die Mitte der Terrasse beherrschte ein großer schmiedeeiserner Tisch mit einem Sonnenschirm. Der Rasen dahinter war kurzgeschoren und dicht. Ein paar Hartriegelbüsche waren über die Rasenfläche verteilt, jeder in einer sauberen Rabatte. Zwei Reihen von Blumen – vorwiegend Rosen – erstreckten sich bis ans Ende der Rasenfläche, das etwa hundert Fuß entfernt war. Dort freilich hörte das beschauliche Bild plötzlich auf. Plötzlich waren da mächtige Bäume, dichtes, ineinander verwachsenes Unterholz. Ebenso war es an den Seiten. Rings um den gepflegten Rasen des Hinterhofes wucherte ein undisziplinierter, mächtiger Wald.

Lucas Herron war von einer schützenden grünen Mauer umgeben.

»Der Drink ist wirklich gut, das müssen Sie doch zugeben.« Die beiden Männer hatten sich gesetzt.

»Ganz bestimmt. Sie bekehren mich noch zum Gin.«

»Nur im Frühling und Sommer. Gin ist nichts für den Rest des Jahres … Also schön, junger Mann, die Hausregel wäre befolgt. Was bringt Sie zu Herrons Nest?«

»Ich habe so das Gefühl, daß Sie das ahnen.«

»Tue ich das?«

»Archie Beeson.« Matlock beobachtete den alten Mann, aber Herron war ganz auf sein Glas konzentriert. Er zeigte keinerlei Reaktion.

»Der junge Geschichtsdozent?«

»Ja.«

»Aus dem wird eines Tages ein guter Lehrer. Und eine nette Frau hat er auch.«

»Nett … und nicht übermäßig treu, denke ich.«

»*Äußerlichkeiten*, Jim.« Herron lachte leise. »Ich hätte Sie nie für einen Puritaner gehalten ... Wenn man älter wird, wird man toleranter. Das sind doch unschuldige Vergnügungen. Sie werden das auch noch sehen.«

»Ist das der Schlüssel? Toleranz?«

»Der Schlüssel wofür?«

»Kommen Sie schon. Er wollte Sie doch neulich nachts erreichen.«

»Ja, das wollte er. Und Sie waren dort ... Wie ich höre, war Ihr Benehmen nicht gerade untadelig.«

»Mein Benehmen sollte diesen Eindruck hinterlassen.« Zum ersten Mal ließ Herron eine Andeutung von Besorgnis erkennen. Es war nur eine ganz kleine Reaktion, ein kurzes Blinzeln seiner Augen.

»Das war tadelnswert.« Herron sprach ganz leise und blickte zu seiner imposanten grünen Mauer. Die Sonne war gerade dabei, hinter den hohen Bäumen zu versinken. Lange Schatten dehnten sich über Rasen und Terrasse.

»Es war notwendig.« Matlock sah, wie es in dem Gesicht des alten Mannes schmerzlich zuckte. Und dann erinnerte er sich an seine eigene Reaktion darauf, als Adam Williams ihm die ›unangenehme Notwendigkeit‹ geschildert hatte, Sam Kressel den falschen Bericht über das, was in Lumumba Hall geschehen war, zu schicken. Die Parallele tat weh.

»Der Junge hat Schwierigkeiten. Er ist krank. Das ist eine Krankheit, und er versucht sich selbst zu kurieren. Dazu gehört Mut ... Das ist jetzt nicht die Zeit für Gestapo-Methoden.« Herron nahm einen langen Schluck aus seinem Glas, während seine andere Hand die Armlehne seines Sessels umfaßt hielt.

»Wie haben Sie davon erfahren?«

»Das ist vielleicht eine vertrauliche Information, auf die ich nicht näher eingehen darf. Wollen wir einmal sagen, daß ich es von einem unserer hochgeachteten Kollegen gehört habe – im medizinischen Bereich –, dem die Symptome auffielen und der sich Sorgen machte. Welchen Unterschied macht das schon? Ich habe versucht, dem jungen Mann zu helfen und würde es wieder tun.«

»Das würde ich gerne glauben. Das wollte ich auch glauben.«

»Warum fällt Ihnen das schwer?«

»Ich weiß nicht ... Etwas an der Haustüre vor ein paar Minuten. Vielleicht ist es dieses Haus. Ich kann es nicht sagen ... Ich bin ganz ehrlich zu Ihnen.«

Herron lachte, wich aber Matlocks Blick immer noch aus. »Sie konzentrieren sich zu sehr auf Ihre Arbeit, die Schriftsteller der elisabethanischen Zeit. Die Pläne und Intrigen der *Spanischen Tragödie* ... Sie sollten eigentlich aufhören, sich wie eine Amateurabteilung von Scotland Yard zu benehmen, Sie und Ihre jungen Kollegen. Es ist noch gar nicht solange her, daß es hier Mode war, zum Frühstück Red Dogs zu nehmen. Sie sehen die Situation zu schlimm, außer Proportion zur Wirklichkeit.«

»Das stimmt nicht. Ich bin keiner von diesen jungen Kreuzrittern. Ich gehöre nicht zu diesen Verrückten, und ich glaube, das wissen Sie auch.«

»Was war es dann? Persönliches Interesse? An dem jungen Mann. Oder seiner Frau? ... Tut mir leid, das hätte ich jetzt nicht sagen sollen.«

»Ich bin froh, daß Sie es getan haben. Virginia Beeson interessiert mich nicht – weder sexuell noch sonst. Obwohl ich mir nicht vorstellen kann, was sonst überhaupt an ihr interessant sein könnte.«

»Dann haben Sie ja ziemliches schauspielerisches Talent bewiesen.«

»Das habe ich wohl. Ich habe mir große Mühe gegeben, Beeson nicht erkennen zu lassen, weshalb ich dort war. Es war sehr wichtig.«

»Für wen?« Herron stellte langsam sein Glas mit der rechten Hand ab, seine linke hielt immer noch die Sessellehne umfaßt.

»Für Leute, die außerhalb dieses Campus stehen. Leute in Washington. Die Bundesbehörden ...«

Lucas Herron atmete plötzlich tief durch die Nase ein. Und dann verlor Herrons Gesicht vor Matlocks Augen die Farbe. Als er wieder sprach, war nur noch ein Flüstern zu hören.

»Was sagen Sie da?«

»Daß ein Mann vom Justizministerium an mich herangetreten ist. Die Informationen, die er mir vorlegte, waren beängstigend. Nichts war übertrieben, nichts übermäßig dramatisiert. Es waren alles klare Fakten. Man ließ mir die freie Wahl, ob ich kooperieren wollte oder nicht.«

»Und Sie haben angenommen?« Herrons Worte klangen leise und ungläubig.

»Ich hatte das Gefühl, daß es keine Alternative gab. Mein jüngerer Bruder ...«

»Sie hatten das Gefühl, daß es keine *Alternative* gab?« Herron erhob sich aus seinem Sessel, seine Hände begannen zu zittern, seine Stimme nahm an Intensität zu. »Sie hatten das *Gefühl*, daß es keine *Alternative* gab?«

»Ja, so ist es.« Matlock blieb ruhig. »Deshalb bin ich hierhergekommen. Um Sie zu warnen, alter Freund. Das geht viel tiefer – ist weit gefährlicher ...«

»*Sie* sind hierhergekommen, um *mich* zu warnen?! Was haben Sie *getan*? Was, im Namen von allem, was heilig ist, *haben Sie getan*? ... Jetzt hören Sie mir zu! Hören Sie sich an, was ich sage!« Herron trat zwei Schritte zurück und stieß gegen das kleine Tischchen, mit einer einzigen, weit ausholenden Bewegung seines linken Arms stieß er es um. »Sie halten sich da raus, haben Sie gehört! Sie gehen zu denen und sagen ihnen *nichts! Nichts existiert!* Das ist alles ... das existiert alles nur in ihrer Fantasie! *Lassen Sie die Finger davon! Halten Sie sich raus!*«

»Das kann ich nicht«, sagte Matlock leise, und plötzlich hatte er um den alten Mann Angst. »Selbst Sealfont wird da zustimmen müssen. Er kann nicht länger dagegen ankämpfen. Es ist da, Lucas ...«

»Adrian! Man hat Adrian informiert? ... Oh, mein Gott, wissen Sie, was Sie tun? *Sie werden so viel zerstören.* So viele, viele ... Verschwinden Sie hier! *Hinaus!* Ich kenne Sie nicht! Oh, *Herrgott! Herrgott!*«

»Lucas, was ist denn?« Matlock stand auf und ging einige Schritte auf den alten Mann zu. Herron entfernte sich nach rückwärts, ein alter, in Panik geratener Mann.

»Kommen Sie nicht in meine Nähe! *Rühren* Sie mich nicht *an*!«

Herron wandte sich um und fing zu laufen an, rannte so schnell seine alten Beine ihn tragen konnten über den Rasen. Er stolperte, fiel zu Boden, und stand wieder auf. Er sah sich nicht um. Statt dessen rannte er so schnell er konnte auf seine hintere Grundstücksgrenze zu, auf das Unterholz, den Wald. Und dann verschwand er in seiner mächtigen grünen Mauer.

»Lucas! Um Gottes willen!« Matlock rannte hinter dem alten Mann her, erreichte den Waldrand nur Sekunden nach ihm. Und doch war er nirgends zu sehen. Matlock versuchte das Buschwerk, das ihm den Weg versperrte, mit den Armen zu teilen und trat mitten hinein in das wuchernde Blattwerk. Zweige schlugen nach ihm, und das dichte Unkraut versperrte ihm den Weg.

Herron war verschwunden.

»Lucas! Wo sind Sie?!«

Aber keine Antwort kam, nur das Rascheln der Gräser und Zweige hinter ihm. Matlock drang tiefer in den Wald ein, duckte sich, kauerte sich nieder, schob sich zwischen den Pflanzen durch. Aber nirgends war eine Spur von Lucas Herron zu sehen, kein Laut war zu hören.

»Lucas! Um Himmels willen, Lucas, geben Sie Antwort!«

Immer noch keine Antwort, nichts, was auf seine Gegenwart hindeutete.

Matlock versuchte sich umzusehen, eine Lücke in dem dichten Blattwerk zu erkennen, einen Weg, dem er folgen konnte, doch nichts war zu sehen. Es war gerade, als hätte sich Lucas von einem Augenblick zum anderen in Luft aufgelöst. Und dann hörte er es. Undeutlich, es kam von allen Seiten, hallte leise von irgendeinem unbekannten Ort. Es war ein kehliges Stöhnen, ein Klagen. Nahe, und doch fern, im dichten Blattwerk. Dann wurde das Jammern leiser, ging in ein klagendes Schluchzen über. Schluchzende Laute, und dann ein einziges Wort, klar und haßerfüllt ausgesprochen.

Und das Wort war:

»Nimrod ...«

12

»Verdammt noch mal, Matlock! Ich habe Ihnen doch gesagt, Sie sollen sich stillhalten, bis ich Ihnen Bescheid sage!«

»Verdammt noch mal, Greenberg! Wie sind Sie in meine Wohnung gekommen?!«

»Sie haben Ihr Fenster nicht reparieren lassen.«

»Sie haben mir nicht angeboten, dafür zu bezahlen.«

»Wir sind quitt. Wo waren Sie jetzt?«

Matlock warf die Autoschlüssel auf den Couchtisch und sah zu seiner zerbrochenen Stereoanlage in der Ecke hinüber. »Das ist eine ziemlich komplizierte Geschichte, und wie ich vermute … eine, die unser Mitleid verdient. Ich werde Ihnen alles erzählen, aber zuerst brauche ich einen Drink. Bei dem letzten, den ich nahm, bin ich gestört worden.«

»Bringen Sie mir auch einen. Ich habe ebenfalls eine Geschichte, und meine ist *ganz entschieden* eine, die Mitleid verdient.«

»Was trinken Sie?«

»Sehr wenig, geben Sie mir dasselbe, was Sie nehmen.«

Matlock sah zum Fenster hinaus. Die Vorhänge waren auf dem Boden verstreut, so wie er sie vor Adam Williams hingeworfen hatte. Die Sonne war inzwischen fast untergegangen. Der Frühlingstag war vorüber. »Ich werde ein paar Lemonen ausdrücken und uns einen Tom Collins aus frischen Früchten machen.«

»In Ihrer Akte steht, daß Sie Bourbon trinken. Sour Mash.«

Matlock sah den Agenten an. »Wirklich?«

Greenberg folgte Matlock in die Küche und sah ihm schweigend zu, während er die Drinks zubereitete. Matlock reichte dem Mann aus Washington sein Glas.

»Sieht aber sehr eindrucksvoll aus.«

»Ist es aber nicht … Welche Jammergeschichte kommt zuerst?«

»Ich will die Ihre natürlich hören, aber unter den gegebenen Umständen hat die meine Priorität.«

»Das klingt aber gefährlich.«

»Nein. Nur mitleiderregend … Ich will Sie zuerst fragen,

ob Sie gerne wissen möchten, wo ich war, seit ich mich von Ihnen getrennt habe.« Greenberg lehnte sich gegen die Küchentheke.

»Eigentlich nicht, aber Sie werden es mir so oder so erzählen.«

»Ja, das werde ich. Das ist Teil der Geschichte. Ich war auf dem Flughafen, den Sie hier haben – Bradley Field – und wartete auf eine Kuriermaschine, die mein Ministerium vor ein paar Stunden vom Dulles Airport in Washington abgeschickt hat. In der Maschine war ein Mann, der mir zwei versiegelte Umschläge brachte, für die ich unterzeichnen mußte. Hier sind sie.« Greenberg griff in die Jackentasche und holte zwei lange, schmale Umschläge heraus, wie man sie für Geschäftsbriefe benutzt. Er legte einen auf die Theke und begann den zweiten zu öffnen.

»Die sehen aber sehr amtlich aus«, sagte Matlock und rutschte etwas zur Seite, so daß er neben der Spüle saß und seine langen Beine herunterbaumelten.

»Die könnten auch gar nicht amtlicher sein ... Dieser Umschlag enthält die Zusammenfassung unserer Schlüsse, basierend auf Informationen, die Sie uns gegeben haben – mit gegeben haben. Sie endet mit einer spezifischen Empfehlung. Man hat mir gestattet, Ihnen diese Information mit meinen eigenen Worten zu übermitteln, solange ich dabei alle Fakten abdecke ...«

»Jason Greenberg bekommt zwei Punkte.«

»Der Inhalt des zweiten Umschlages allerdings«, fuhr der andere fort ohne auf Matlocks Unterbrechung einzugehen, »muß wörtlich übermittelt werden. Sie sollen ihn gründlich lesen – *falls sich das als notwendig erweisen sollte* –, und wenn der Inhalt für Sie akzeptabel ist, sollen Sie das durch Ihre Unterschrift bestätigen.«

»Das wird ja immer schöner. Laufe ich in den Senatswahlen mit?«

»Nein, Sie laufen nur ... Ich will meinen Anweisungen gemäß anfangen.« Greenberg warf einen Blick auf das auseinandergefaltete Papier und sah dann zu Matlock hinüber. »Der Mann in der Lumumba Hall, der sich Julian Dunois nannte – alias Jacques Devereaux, alias Jesus Dambert, und wahrscheinlich noch einige andere Namen trägt, von denen wir nicht wissen –, ist juristischer Stratege für den militanten Flügel der Schwarzen Linken. Der Terminus *juristischer Stratege* umfaßt alles, angefangen bei Manipulationen vor Gericht bis zur Tätigkeit eines Agent Provocateur. Wenn er mit ersterem befaßt ist, gebraucht er den Namen Dunois, bei letzterem – eine beliebige Zahl von Decknamen. Seine Operationsbasis liegt im geographischen Sinne an ungewöhnlichen Orten. Algier, Marseilles, die Karibik – Kuba eingeschlossen – und, wie wir vermuten, Hanoi und wahrscheinlich Moskau. Vielleicht sogar Peking. In den Vereinigten Staaten hat er ein ordentliches Anwaltsbüro im oberen Harlem und eine Zweigstelle an der Westküste in San Francisco … Er hält sich gewöhnlich im Hintergrund auf, aber wenn er ans Licht tritt, gibt es nachher gewöhnlich Ärger. Es bedarf vermutlich keiner Erwähnung, daß er auf der Liste des Generalstaatsanwalts für unerwünschte Personen steht. Heutzutage ist das keine Empfehlung mehr …«

»Heutzutage«, unterbrach Matlock, »stehen auf dieser Liste fast sämtliche Leute, die links von AT&T und den anderen Multis stehen.«

»Kein Kommentar. Um fortzufahren … Daß Dunois in dieser Operation aufgetreten ist, bringt eine neue, unerwartete Dimension ins Spiel – einen neuen Aspekt, der bislang nicht berücksichtigt worden ist. Jetzt geht das Ganze über inländische Gesetzesbrecher hinaus und tritt in den Bereich des internationalen Verbrechens und/oder der Subversion. *Oder* einer Kombination *beider*. Im Lichte der Tatsachen, daß man Drogen gegen Sie eingesetzt hat, in Ihre Wohnung eingebrochen und sie praktisch in Stücke gerissen, und Ihre Freundin, Miß Ballantyne, indirekt bedroht hat – und machen Sie sich nichts vor, genau das war der Fall –, im Lichte all dieser Fakten ergeht folgende Empfehlung: Sie ziehen sich von der weiteren Teilnahme an dieser Untersuchung zurück. Ihre Einschaltung geht über das Maß eines vernünftigen Risikos hinaus.« Greenberg ließ das Blatt auf die Theke fallen und trank einig Male von seinem Tom Collins. Matlock ließ langsam die Beine hin und her pendeln. »Nun, was meinen Sie?« fragte Greenberg.

»Ich weiß noch nicht. Mir scheint, Sie sind noch nicht am Ende.«

»Das wäre ich aber gerne. Hier und jetzt. Die Zusammenfassung ist hinreichend genau, und ich bin der Ansicht, Sie sollten der Empfehlung folgen. Steigen Sie aus, Jim.«

»Kommen Sie zuerst zum Ende. Was ist in dem anderen Brief? Der, den ich wörtlich lesen soll?«

»Der wird nur notwendig, wenn Sie die Empfehlung ablehnen. Lehnen Sie sie nicht ab. Ich habe keine Anweisungen, was ich Ihnen empfehlen soll, das ist also ein privater Rat.«

»Sie wissen verdammt genau, daß ich sie ablehnen werde, warum vergeuden Sie also Ihre Zeit?«

»Das weiß ich *nicht*. Ich will es nicht *glauben*.«

»Es gibt keinen Ausweg.«

»Es gibt Gegenerklärungen, die ich binnen einer Stunde in Gang setzen kann. Damit werden Sie gedeckt und aus dem Bild genommen.«

»Das geht jetzt nicht mehr.«

»Was? Warum?«

»Das ist *meine* traurige Geschichte. Sie sollten also fortfahren.«

Greenberg suchte in Matlocks Augen nach einer Erklärung, fand keine und griff deshalb nach dem zweiten Umschlag und öffnete ihn.

»In dem unwahrscheinlichen Fall, daß Sie unsere Empfehlung ablehnen, Ihre Tätigkeit einzustellen und den Fall aufzugeben, müssen Sie wissen, daß Sie dies gegen die ausdrücklichen Wünsche des Justizministeriums tun. Obwohl wir Ihnen jeden in unserer Macht stehenden Schutz angedeihen lassen werden – wie wir das gegenüber jedem Bürger tun würden –, handeln Sie auf eigene Verantwortung. Wir sind für Verletzungen oder sonstige Unzuträglichkeiten jeglicher Art nicht verantwortlich.«

»Steht das hier so?«

»Nein, so steht das hier *nicht*, aber das bedeutet es«, sagte

Greenberg und entfaltete das Blatt. »Es ist viel einfacher und geht sogar noch viel weiter. Hier.« Er reichte Matlock den Brief.

Es war eine Erklärung, die von einem stellvertretenden Generalstaatsanwalt unterzeichnet war und links eine gepunktete Linie für Matlocks Unterschrift hatte.

> Ein Untersuchungsbüro des Justizministeriums hat das Angebot von James B. Matlock akzeptiert, Nachforschungen geringfügigen Umfangs in bezug auf gewisse illegale Aktivitäten anzustellen, die angeblich in der Umgebung der Carlyle Universität vorgekommen sein sollen. Das Justizministerium betrachtet die Situation jetzt als eine Angelegenheit, die professionellen Einsatz erfordert, und hält daher die weitere Teilnahme des Professors Matlock für unangemessen und im Widerspruch zur Politik des Ministeriums stehend. Das Justizministerium teilt deshalb hiermit James B. Matlock mit, daß es seine bisherige Mitarbeit dankend würdigt, ihn aber auffordert, im Interesse der Sicherheit und der ungehinderten Ermittlungen sich einer weiteren Teilnahme zu enthalten. Es ist die Meinung des Ministeriums, daß weitere Aktivitäten des Professors Matlock möglicherweise die Ziele der Ermittlungen in Carlyle beeinträchtigen könnten. Mister Matlock hat das Original dieses Briefes erhalten und bestätigt dies mit untenstehender Unterschrift.

»Wovon, zum Teufel, reden Sie? Hier steht doch, daß ich mich einverstanden erkläre, auszusteigen.«

»Sie würden einen lausigen Anwalt abgeben. Kaufen Sie nie ein Fahrrad auf Raten, ohne vorher mit mir zu sprechen.«

»Was?«

»Nirgends! *Nirgends* steht, daß, wenn Sie diesen kleinen Stinktopf unterschreiben, daß Sie *zugestimmt* hätten, sich vom Schauplatz zurückzuziehen. Nur, daß das Ministerium Sie *ersucht* hat, das zu tun.«

»Warum, zum Teufel, sollte ich dann unterschreiben?«

»Ausgezeichnete Frage. Sie dürfen sich das Fahrrad kaufen ... Sie unterschreiben das, wenn Sie, wie Sie sagen, die Empfehlung ablehnen, auszusteigen.«

»Herrgott noch mal!« Matlock rutschte von der Theke und warf das Papier Greenberg hin. »Mag sein, daß ich nichts von den Gesetzen verstehe, wohl aber von der Sprache. Sie reden in Widersprüchen!«

»Nur äußerlich scheint das so ... Lassen Sie mich eine Frage stellen. Angenommen, Sie fahren fort, den Geheimagenten zu spielen. Ist es vorstellbar, daß Sie vielleicht um Hilfe bitten würden? In einem Notfall vielleicht?«

»Natürlich. Das ist sogar unvermeidbar.«

»Sie bekommen keine irgendwie geartete Hilfe, solange dieser Brief nicht unterschrieben nach Washington geht ... Sehen Sie nicht *mich* an! Ich werde in ein paar Tagen abgelöst. Ich bin schon viel zu lange in dieser Gegend.«

»Ziemliche Heuchelei, nicht wahr? Die einzige Möglichkeit für mich, irgendwelche Unterstützung – irgendwelchen Schutz – zu bekommen, besteht darin, eine Erklärung zu unterzeichnen, die sagt, daß ich diese Unterstützung nicht brauchen werde.«

»Das reicht aus, um mich in eine Privatpraxis zu treiben ... Heutzutage gibt es einen neuen Begriff für diese Geschichten. Man nennt das ›Fortschritt ohne Risiko‹. Man setzt ein, was – und wen – man kann. Nimmt aber die Schuld nicht auf sich, wenn ein Aktionsplan schiefgeht. Man ist nicht verantwortlich.«

»Und wenn ich nicht unterschreibe, dann arbeite ich ohne Netz.«

»Sage ich ja. Lassen Sie sich raten – gratis –, ich bin ein guter Anwalt. Steigen Sie aus. Vergessen Sie das Ganze. Aber *vergessen* Sie es wirklich.«

»Und ich habe *Ihnen* gesagt, daß ich das nicht kann.«

Greenberg griff nach seinem Glas und sagte mit leiser Stimme: »Gleichgültig was Sie tun, es wird Ihren Bruder nicht mehr lebendig machen.«

»Das weiß ich.« Matlock spürte, daß der andere ihn am Nerv getroffen hatte, antwortete aber mit fester Stimme:

»Sie könnten vielleicht andere jüngere Brüder retten, aber wahrscheinlich werden Sie das nicht. Jedenfalls kann man jemand anderen aus berufsmäßigen Kreisen rekrutieren. Mir fällt es verdammt schwer, das zuzugeben, aber Kressel hatte recht. Und wenn wir diese Konferenz – diese Sitzung von Händlern in ein paar Wochen – nicht bekommen, werden andere kommen.«

»Ich gebe Ihnen in allen Punkten recht.«

»Warum zögern Sie dann? Steigen Sie aus.«

»Warum? ... Ich habe Ihnen *meine* kleine Geschichte noch nicht erzählt, das ist der Grund. Erinnern Sie sich? Sie hatten den Vortritt, aber ich komme auch noch dran.«

»Dann erzählen Sie.«

Und Matlock erzählte. Alles, was er über Lucas Herron wußte – die Legende, alles was den ›großen alten Vogel‹ in Carlyle betraf. Das schreckerfüllte Skelett, das in seinen Wald geflohen war. Das Jammern und das eine Wort: »Nimrod.« Greenberg hörte zu, und je länger Matlock sprach, desto trauriger wurden Jason Greenbergs Augen. Als Matlock schließlich endete, trank der Bundesbeamte den letzten Schluck seines Tom Collins und nickte langsam.

»Sie haben ihm alles dargelegt, nicht wahr? Sie konnten nicht zu *mir* kommen, zu *ihm* mußten Sie gehen. Ihr Campus-Heiliger mit einem Eimer voll Blut in den Händen ... Loring hatte recht. Ausgerechnet einen Amateur mit Gewissen mußten wir erwischen ... Amateure vor uns und Amateure hinter uns. Aber eines muß ich Ihnen lassen. Sie haben ein Gewissen. Das ist mehr, als ich für die hintere Flanke behaupten könnte.«

»Was sollte ich tun?«

»Unterschreiben Sie diesen Stinktopf hier.« Greenberg nahm den Brief des Justizministeriums und reichte ihn Matlock. »Sie werden Hilfe brauchen.«

Patricia Ballantyne ging vor Matlock zu dem kleinen Tisch an der Seite des Speisesaals im Cheshire Cat. Die Fahrt zu dem Lokal war etwas gespannt gewesen. Das Mädchen hatte die ganze Zeit – leise, aber mit beißender Schärfe – darauf eingehämmert, daß Matlock mit der Regierung im allgemeinen und dem FBI im speziellen zusammenarbeitete. Sie behauptete, dies sei ihrerseits keine programmierte liberale Reaktion; es gäbe einfach zu viel überwältigende Beweise, daß solche Organisationen das Land bis an den Rand eines Polizeistaats gebracht hätten.

Sie wußte das aus erster Hand. Sie selbst hatte die jammervollen Folgen eines FBI-Manövers erlebt und wußte, daß es sich dabei nicht um einen Einzelfall handelte.

Matlock hielt ihr den Stuhl, als sie sich setzte und strich ihr dabei über die Schultern. Berührte sie, beruhigte sie, linderte den Schmerz, den er ihr nachempfinden konnte. Der Tisch war klein und stand neben einem Fenster, nur wenige Schritte von einer Terrasse entfernt, die bald – Ende Mai vielleicht – ebenfalls den Gästen zur Verfügung stehen würde. Er setzte sich ihr gegenüber und griff nach ihrer Hand.

»Ich werde mich nicht für das entschuldigen, was ich tue. Ich glaube, es muß getan werden. Ich bin kein Held und ich bin kein Denunziant. Man verlangt von mir nicht heroisch zu sein. Die Information, die die wollen, wird am Ende vielen Leuten helfen. Leuten, die Hilfe brauchen – verzweifelt sogar.«

»Werden diese Leute Hilfe *bekommen*? Oder wird man sie einfach nur verfolgen? Werden sie sich statt in Krankenhäusern und Kliniken … im Gefängnis wiederfinden?«

»Die interessieren sich nicht für kranke junge Leute. Sie sind hinter denen her, die sie krank machen. Ebenso wie ich.«

»Aber dabei werden die jungen Leute verletzt.« Das war eine Feststellung, keine Frage.

»Einige vielleicht. So wenig wie möglich.«

»Das ist schändlich.« Das Mädchen entzog Matlock die Hand. »Es ist so überheblich. Wer trifft denn diese Entscheidungen? Du?«

»Du klingst langsam wie eine Schallplatte mit einem Sprung.«

»Ich habe das doch erlebt. Es ist nicht angenehm.«

»Dies hier ist völlig anders. Ich habe nur zwei Männer kennengelernt; einer … ist weggegangen. Der andere ist

Greenberg. Das sind nicht deine Alpträume aus den fünfziger Jahren. Glaube mir.«

»Das würde ich gerne.«

Der Geschäftsführer des Cheshire Cat trat an den Tisch. »Telefonanruf für Sie, Mr. Matlock.«

Matlock spürte, wie sein Magen sich verkrampfte. Das waren die Nerven der Angst. Nur ein Mensch wußte, wo er war – Jason Greenberg.

»Danke, Harry.«

»Sie können den Anruf vorne am Reservierungstisch entgegennehmen. Der Hörer liegt neben dem Apparat.«

Matlock stand auf und sah kurz Pat an. In den Monaten und Monaten, in denen sie gemeinsam ausgegangen waren, sei es nun in Restaurants oder auf Parties oder zu formellen Abendessen, hatte er nie einen Telefonanruf erhalten, war er nie auf diese Weise unterbrochen worden. Er sah in ihren Augen, daß auch sie das begriff. Er ging schnell zu dem kleinen Tischchen am Eingang.

»Hello?«

»Jim?« Es war natürlich Greenberg.

»Jason?«

»Tut mir leid, Sie zu stören. Ich würde das nicht tun, wenn ich es nicht müßte.«

»Um Himmels willen, was ist denn?«

»Lucas Herron ist tot. Er hat vor etwa einer Stunde Selbstmord begangen.«

Der Schmerz in Matlocks Magen kehrte plötzlich zurück. Diesmal war es kein kurzes Zucken, kein Krampf, sondern vielmehr ein scharfer Schlag, der ihm den Atem raubte. Alles, was er vor seinen Augen sehen konnte, war das Bild des taumelnden, in Panik geratenen alten Mannes, der über den kurz geschorenen Rasen rannte und in dem dichten Blattwerk verschwand, das sein Grundstück umgab. Und dann das klagende Schluchzen und der Name Nimrod, der voll Haß geflüstert wurde.

»Bei Ihnen alles in Ordnung?«

»Ja. Ja, es ist schon gut.« Aus Gründen, die ihm im Augenblick verschlossen blieben, sah Matlock vor seinem inneren Auge eine kleine, schwarz gerahmte Fotografie. Es handelte sich um einen vergrößerten Schnappschuß eines dunkelhaarigen Infanterieoffiziers in mittleren Jahren, der eine Waffe in der einen und eine Landkarte in der anderen Hand hielt, einen Mann mit einem schmalen, starken Gesicht, das nach oben blickte.

Vor einem Vierteljahrhundert.

»Sie sollten zu Ihrer Wohnung zurückkehren ...« Greenberg erteilte eine Anweisung, war aber so vernünftig, sie in eine Bitte zu kleiden.

»Wer hat ihn gefunden?«

»Jemand, der für mich arbeitet. Bis jetzt weiß es noch niemand.«

»Jemand, der für Sie arbeitet?«

»Nach unserem Gespräch habe ich Herron überwachen lassen. Man gewöhnt sich an, die Spuren frühzeitig zu erkennen. Er ist eingebrochen und hat ihn gefunden.«

»Wie?«

»Er hat sich in der Dusche die Pulsadern aufgeschnitten.«

»Du lieber Gott! Was habe ich getan?«

»Lassen Sie das! Kommen Sie hierher zurück. Wir müssen einige Leute erreichen ... Kommen Sie, Jim.«

»Was kann ich Pat sagen?« Matlock versuchte seine Gedanken zu ordnen, aber sie wanderten immer wieder zu einem hilflosen, verängstigten alten Mann zurück.

»So wenig wie möglich. Aber beeilen Sie sich.«

Matlock legte den Hörer auf und atmete ein paarmal tief durch. Dann durchsuchte er seine Taschen nach Zigaretten und erinnerte sich, daß er sie am Tisch liegengelassen hatte.

Dem Tisch. Pat. Er mußte zum Tisch zurückgehen und sich etwas einfallen lassen, was er ihr sagen konnte.

Die Wahrheit. Verdammt noch mal, *die Wahrheit*.

Er ging um zwei auf antik gemachte Säulen herum zum anderen Ende des Saales und schließlich zu dem kleinen Tisch am Fenster. Trotz seiner Panik empfand er eine gewisse Erleichterung, und wußte, daß das daher kam, daß er beschlossen hatte, mit Pat ehrlich zu sein. Er brauchte weiß

Gott jemand anderen, mit dem er reden konnte, als Greenberg und Kressel.

Kressel! Er hätte um sieben Kressel in seinem Haus aufsuchen sollen. Das hatte er völlig vergessen!

Doch im nächsten Augenblick entschwand Sam Kressel aus seinen Gedanken. Er sah den kleinen Tisch am Fenster, und da war niemand. Pat war verschwunden.

13

»Niemand hat sie weggehen sehen?« Greenberg folgte dem frustrierten Matlock aus dem Vorraum ins Wohnzimmer. Sam Kressels Stimme war aus dem Schlafzimmer zu hören, er brüllte aufgeregt ins Telefon. Matlock bemerkte es, aber seine Aufmerksamkeit verteilte sich auf zu viele Bereiche.

»Das dort drinnen ist doch Sam, oder?« fragte er. »Weiß er das mit Herron?«

»Ja. Ich habe ihn gleich nach unserem Gespräch angerufen … Was ist denn mit den Bedienungen? Haben Sie sie gefragt?«

»Natürlich habe ich das. Keine wußte etwas. Es war ziemlicher Betrieb. Eine sagte, sie wäre vielleicht auf die Toilette gegangen. Eine andere deutete an – das können Sie jetzt glauben oder nicht –, deutete an, sie wäre vielleicht das Mädchen gewesen, das mit einem Paar von einem anderen Tisch weggegangen sei.«

»Hätten sie dann nicht beim Hinausgehen an Ihnen vorbeigehen müssen? Hätten Sie sie da nicht gesehen?«

»Nicht unbedingt. Wir saßen ganz hinten. Es gibt zwei oder drei Türen, die auf eine Terrasse führen. Im Sommer, besonders dann, wenn es voll ist, stellen sie Tische auf die Terrasse.«

»Sie sind mit Ihrem Wagen hingefahren?«

»Natürlich.«

»Und Sie haben sie nicht draußen gesehen, zu Fuß auf der Straße, oder irgendwo im Gelände?«

»Nein.«

»Haben Sie jemand von den anderen Gästen erkannt?«

»Ich habe nicht so genau hingesehen. Ich war … in Gedanken.« Matlock zündete sich eine Zigarette an. Seine Hand, die das Streichholz hielt, zitterte.

»Wenn Sie meine Meinung hören wollen, dann denke ich, sie hat jemanden gesehen, den sie kannte, und den Betreffenden gebeten, sie nach Hause mitzunehmen. Ein Mädchen wie Ihre Freundin läßt sich nicht einfach irgendwohin verfrachten, ohne sich zu wehren.«

»Ich weiß. Das ist mir auch in den Sinn gekommen.«

»Haben Sie sich gestritten?«

»Man könnte sagen, der Streit war am Abflauen, aber noch nicht vorüber, wahrscheinlich hat der Telefonanruf sie noch einmal auf Touren gebracht. Alte Englischlehrer werden nur selten in Restaurants angerufen.«

»Tut mir leid.«

»Sie können nichts dafür. Ich hab' Ihnen doch gesagt, daß sie etwas verkrampft ist. Sie denkt die ganze Zeit an ihren Vater. Ich werde mal in ihrer Wohnung anrufen, wenn Sam endlich auflegt.«

»*Der* ist vielleicht komisch. Ich erzähle ihm von Herron – und er dreht durch. Er sagt, er müßte vertraulich mit Sealfont sprechen. Dann geht er ins Schlafzimmer und brüllt so laut, daß man ihn bis nach Poughkeepsie hören kann.«

Matlocks Gedanken kehrten schnell wieder zu Herron zurück. »Sein Tod – sein *Selbstmord* – wird der größte Schock sein, den dieser Campus in zwanzig Jahren erlebt hat. Männer wie Lucas sterben einfach nicht. Jedenfalls nicht so … Weiß Sam, daß ich ihn aufgesucht hatte?«

»Ja. Das konnte ich nicht vor ihm zurückhalten. Ich hab' ihm ziemlich genau das erzählt, was Sie mir gesagt haben – eine kürzere Version natürlich. Er weigert sich, es zu glauben. Den Zusammenhang, meine ich.«

»Das kann ich ihm nicht verübeln. Der ist auch nicht leicht zu glauben. Was tun wir jetzt?«

»Wir warten. Ich habe einen Bericht geschrieben. Zwei Laborleute von dem Büro in Hartford sind jetzt dort. Die hiesige Polizei ist hinzugerufen worden.«

Der Hinweis auf die Polizei erinnerte Matlock plötzlich an den Streifenbeamten in Zivil, den er im Korridor der Squashanlage gesehen hatte, und der eilig weggegangen war, als er ihn erkannt hatte. Er hatte es Greenberg erzählt, und Greenberg hatte sich nicht dazu geäußert – falls es dazu überhaupt etwas zu sagen gab. Er fragte noch einmal:

»Was ist mit dem Polizisten in der Sporthalle?«

»Das muß nichts zu bedeuten haben. Wenigstens bis jetzt nicht. Der Polizei von Carlyle steht die Anlage an drei Vormittagen in der Woche teilweise zur Verfügung. Reiner Zufall.«

»Und das glauben Sie?«

»Ich sagte ›bis jetzt‹. Wir sehen uns den Mann näher an. Bis jetzt haben wir nichts gefunden, nur eine ausgezeichnete Personalakte.«

»Ein Fanatiker ist er, ein Negerfresser, ein Ekel.«

»Das mag Sie überraschen, aber das ist kein Verbrechen. Die Bill of Rights garantiert das sogar.«

Sam Kressel kam jetzt schnell und erregt durch die Schlafzimmertüre. Matlock sah, daß der Mann Angst hatte, Angst, wie er sie nur selten in einem Menschen gesehen hatte. Die Ähnlichkeit zwischen Sams Gesicht und Lucas Herrons blutleerem Ausdruck fiel ihm auf, kurz bevor der Mann in den Wald gerannt war.

»Ich habe Sie hereinkommen hören«, sagte Kressel. »Was *machen* wir jetzt? Was, zum Teufel, *sollen wir tun*? … Adrian glaubt diese absurde Geschichte ebensowenig wie *ich*! *Lucas Herron!* Das ist doch Wahnsinn!«

»Mag sein. Aber es stimmt.«

»Weil *Sie* es sagen? Wie können Sie so sicher sein? Sie sind in diesen Dingen nicht ausgebildet. So wie ich es verstehe, hat Lucas zugegeben, daß er einem Studenten bei einem Drogenproblem behilflich war.«

»Er … es sind keine Studenten.«

»Ich verstehe.« Kressel blieb stehen und sah zuerst Matlock, dann Greenberg an. »Unter diesen Umständen verlange ich zu erfahren, um wen es sich handelt.«

»Das werden Sie auch«, sagte Greenberg leise. »Aber sprechen Sie weiter. Ich möchte hören, warum Matlock so unrecht hat, warum das, was ich Ihnen gesagt habe, so absurd ist.«

»Weil Lucas Herron nicht das einzige Mitglied der Fakultät ist ... war, das sich mit diesen Problemen befassen mußte. Dutzende von uns helfen, immer dann, wenn wir können.«

»Ich kann Ihnen nicht folgen.« Greenberg starrte Kressel an. »Sie helfen also. Aber Sie rennen doch nicht weg und bringen sich um, wenn ein Fakultätskollege es erfährt.«

Sam Kressel nahm die Brille ab und wirkte einen Augenblick lang nachdenklich, irgendwie traurig. »Da ist noch etwas, was keiner von Ihnen beiden weiß. Mir ist es seit einer Weile bekannt, aber nicht im gleichen Maße wie Sealfont ... Lucas Herron war ein sehr kranker Mann. Man hat ihm letzten Sommer eine Niere entfernt. Die andere war ebenso schon vom Krebs befallen, und er wußte es. Der Schmerz muß unerträglich für ihn gewesen sein. Er hatte nicht mehr lange zu leben.«

Greenberg sah Kressel zu, wie der die Brille wieder aufsetzte. Matlock beugte sich vor und drückte seine Zigarette in einem Aschenbecher aus. Schließlich sprach Greenberg: »Wollen Sie andeuten, daß es keine Verbindung zwischen Herrons Selbstmord und Matlocks Besuch heute nachmittag gibt?«

»Gar nichts will ich andeuten. Ich bin sicher, daß es eine solche Verbindung gibt ... Aber Sie haben Lucas nicht gekannt. Ein halbes Jahrhundert lang, wenn man von den Kriegsjahren absieht, war die Carlyle Universität sein ein und alles. Er liebte diese Universität mehr, als irgendein Mann eine Frau lieben kann, mehr als eine Mutter oder ein Vater sein Kind. Ich bin sicher, daß Jim Ihnen das gesagt hat. Wenn er auch nur einen Augenblick dachte, diese Welt hier könnte verdorben, in Stücke gerissen werden – dann wäre das für ihn ein größerer Schmerz gewesen als die physische Marter, die sein Körper ihm zufügte. Was für ein besserer Zeitpunkt also, sein eigenes Leben zu nehmen?«

»*Verdammt* sollen Sie sein!« brüllte Matlock. »Sie behaupten, *daß ich ihn getötet habe!*«

»Vielleicht tue ich das«, sagte Kressel leise. »Ich hatte das nicht so formuliert. Und Adrian sicher auch nicht.«

»Aber das *sagen* Sie doch! Sie sagen doch, ich hätte ihn überrumpelt und ihn ebensogut getötet, als wenn ich ihm selbst die Pulsadern aufgeschnitten hätte! ... Nun, Sie waren ja nicht dort. *Ich schon!*«

Kressel sprach mit ganz sanfter Stimme. »Ich habe nicht gesagt, daß Sie ihn überrumpelt haben, ich sagte nur, daß Sie ein Amateur sind. Ein Amateur mit sehr guten Absichten. Ich glaube, Greenberg weiß, was ich meine.«

Jason Greenberg sah Matlock an. »Es gibt ein altes slowakisches Sprichwort: ›Wenn die alten Männer sich selbst töten, sterben die Städte‹.«

Plötzlich schrillte die Telefonklingel; das Geräusch gab den drei Männern einen Ruck. Matlock nahm den Hörer ab und meldete sich und wandte sich dann zu Greenberg: »Für Sie.«

»Danke.« Er nahm den Hörer von Matlock entgegen. »Greenberg ... Okay. Ich verstehe. Wann werden Sie es wissen? ... Bis dahin bin ich wahrscheinlich schon unterwegs. Ich rufe zurück. Bis später.« Er legte den Hörer auf und stand mit dem Rücken zu Matlock und Kressel am Schreibtisch. Der Dekan konnte nicht an sich halten.

»Was war das? Was ist geschehen?«

Greenberg drehte sich herum und sah sie an. Matlock dachte, seine Augen blickten noch trauriger als gewöhnlich. Matlock hatte gelernt, daß das bei Greenberg ein Zeichen für Probleme war.

»Wir beantragen bei der Polizei – den Gerichten – eine Autopsie.«

»*Warum?!*« schrie Kressel und ging auf den Agenten zu. »Um Himmels willen, *warum*?! Der Mann hat sich selbst getötet! Er litt unter *Schmerzen*! ... Herrgott, Sie können das nicht tun! Wenn das bekannt wird ...«

»Wir werden das in aller Stille erledigen.«

»Das geht nicht, und das *wissen* Sie auch ganz genau! Es wird durchsickern, und dann ist hier die Hölle los! Ich werde das nicht *zulassen*!«

»Sie können es nicht verhindern. Selbst ich könnte es nicht verhindern. Es gibt genügend Beweise, die darauf hindeuten, daß Herron sich nicht selbst getötet hat. Daß man ihn ermordet hat.« Greenberg lächelte schief zu Matlock hinüber. »Und zwar nicht mit Worten.«

Kressel argumentierte, drohte, rief noch einmal bei Sealfont an und verließ schließlich Matlocks Apartment wütend, als ihm klar geworden war, daß alles nichts nützte.

Kaum hatte Kressel die Türe hinter sich zugeknallt, als das Telefon erneut klingelte. Greenberg sah, daß das Geräusch Matlock beunruhigte – ihn nicht nur ärgerte, sondern ihn beunruhigte; vielleicht machte es ihm sogar Angst.

»Es tut mir leid … Ich fürchte, Ihre Wohnung muß eine Weile als eine Art Streifenbasis dienen. Nicht lange … Vielleicht ist es das Mädchen.«

Matlock nahm den Hörer auf, lauschte, sagte aber nichts. Dann wandte er sich zu Greenberg und sagte nur ein Wort:

»Sie.«

Greenberg nahm das Telefon, sprach leise seinen Namen und verbrachte die nächste Minute damit, ins Leere zu starren. Matlock beobachtete Greenberg eine Weile und ging dann in seine Küche. Er wollte nicht daneben stehen, während der Agent die Instruktionen eines Vorgesetzten entgegennahm.

Die Stimme am anderen Ende der Leitung hatte sich zu Anfang dadurch identifiziert, daß sie sagte: »Hier spricht Washington.«

Auf der Theke in der Küche lag der leere Umschlag, in dem die so brutale, heuchlerische Erklärung vom Justizministerium gekommen war. Sie war ein weiteres Anzeichen dafür gewesen, daß seine schlimmsten Ahnungen langsam Realität wurden. Aus jenem winzigen Segment des Geistes, das sich mit dem Undenkbaren befaßt, hatte Matlock zu erkennen begonnen, daß das Land, in dem er aufgewachsen war, sich in etwas Häßliches, Destruktives zu wandeln im Begriff war. Das war viel mehr als eine politische Manifestation, das war eine langsam wirkende, alles umfassende

Strategie. Eine Korruption der Intensionen. An die Stelle starker Gefühle traten oberflächliche Wut, Überzeugung und Kompromiß. Das Land begann sich in etwas völlig anderes zu wandeln als das, was es einmal versprochen hatte. Aus dem, was einmal ein Gral gewesen war, waren leere Gefäße mit geschmacklosem Wein geworden, die nur deshalb noch eindrucksvoll waren, weil sie besessen waren.

»Ich habe zu Ende telefoniert. Wollen Sie versuchen, Miß Ballantyne zu erreichen?«

Matlock blickte zu Greenberg auf, der unter der Küchentüre stand. Greenberg, der wandelnde Widerspruch, der Sprichwörter zitierende Agent, der von tiefem Argwohn für das System erfüllt war, für das er arbeitete.

»Ja. Ja, das möchte ich.« Greenberg trat zur Seite, um ihn vorbeizulassen, und er ging ins Wohnzimmer. Matlock erreichte die Mitte des Raumes und blieb stehen. »Das ist ja ein verrücktes Zitat. Wie lautete es? ›Wenn die alten Männer sich selbst töten, sterben die Städte‹.« Er drehte sich um und sah den Agenten an. »Ich glaube, das ist das traurigste Sprichwort, das ich je gehört habe.«

»Die Hassidim – nicht, daß ich einer wäre – würden es nicht für traurig halten ... Jetzt, wo ich darüber nachdenke, würde das wohl kein wahrer Philosoph tun.«

»Warum nicht? Es *ist* traurig.«

»Aber wahr. Die Wahrheit ist weder freudig noch traurig, weder gut noch schlecht. Sie ist einfach die Wahrheit.«

»Darüber müssen wir uns einmal unterhalten, Jason.« Matlock nahm den Hörer ab, wählte Pats Nummer und ließ es ein dutzendmal läuten. Niemand meldete sich. Matlock dachte an einige Freunde Pats und überlegte, ob er sie anrufen solle. Wenn Pat verärgert oder verstimmt war, ging sie gewöhnlich entweder ein oder zwei Stunden ganz alleine spazieren oder suchte ein paar Freundinnen auf und fuhr nach Hatford, um sich einen Film anzusehen oder sich in eine Bar zu setzen. Inzwischen war eine reichliche Stunde verstrichen. Er würde ihr noch fünfzehn Minuten geben und dann anfangen herumzutelefonieren. Ihm war natürlich in

den Sinn gekommen, daß man sie gegen ihren Willen ent-
führt hatte – das war sogar sein erster Gedanke gewesen.
Aber es war nicht logisch. Das Cheshire Cat war voll von
Leuten gewesen, die Tische standen dicht beieinander.
Greenberg hatte recht. Wohin auch immer sie gegangen war,
sie war aus freien Stücken gegangen.

Greenberg stand neben der Küchentüre. Er hatte sich
nicht bewegt. Er hatte die ganze Zeit Matlock beobachtet.

»Ich versuche es in einer Viertelstunde. Wenn sie sich
dann immer noch nicht meldet, rufe ich ein paar ihrer Freundinnen an. Sie sagten ja schon, daß sie eine junge Dame mit
ausgeprägtem Willen ist.«

»Ich hoffe nur, daß Sie nicht aus demselben Holz ge-
schnitzt sind.«

»Was soll das bedeuten?«

Greenberg ging ein paar Schritte ins Wohnzimmer. Als er
dann sprach, blickte er Matlock gerade in die Augen.

»Sie sind weg. Erledigt. Vergessen Sie den Brief, vergessen Sie Loring, vergessen Sie mich … Es muß so sein. Uns ist
bekannt, daß Sie für den Samstag einen Flug nach St. Thomas mit Pan Am gebucht haben. Viel Spaß, dort werden Sie
nämlich hinfliegen. So ist es viel besser.«

Matlock erwiderte seinen Blick. »Wenn eine solche Entscheidung getroffen wird, werde ich sie treffen. Ich habe einen freundlichen alten Mann auf dem Gewissen, und Sie
haben dieses Stinkpapier in der Tasche. Ich habe es unterschrieben, haben Sie das vergessen?«

»Das Stinkpapier zählt nicht mehr. Washington möchte,
daß Sie aussteigen. Sie werden gehen.«

»Warum?«

»Wegen des freundlichen alten Mannes. Wenn man ihn
wirklich ermordet hat, könnte das Ihnen auch widerfahren.
Und wenn es dazu käme, dann könnte sein, daß gewisse Papiere beschlagnahmt werden, und daß gewisse Männer, die
nicht damit einverstanden waren, Sie zu rekrutieren, dies
der Presse sagen könnten. Man hat Sie manipuliert. Das
brauche ich Ihnen nicht zu sagen.«

»Und?«

»Die Ministerialdirektoren im Justizministerium haben keine besondere Lust, als Henker bezeichnet zu werden.«

»Ich verstehe.« Matlock wandte den Blick von Greenberg und schlenderte auf den Couchtisch zu. »Und wenn ich mich weigere?«

»Dann entferne ich Sie von der Szene.«

»Wie wollen Sie das machen?«

»Ich lasse Sie wegen Verdachts auf Mord ersten Grades verhaften.«

»*Was?*«

»Sie haben Lucas Herron als letzter am Leben gesehen. Nach Ihrem eigenen Geständnis sind Sie zu seinem Haus gefahren, um ihn zu bedrohen.«

»Um ihn zu *warnen*!«

»Das ist eine Frage der Auslegung, nicht wahr?«

Als das donnernde Krachen ertönte, war es so ohrenbetäubend, daß beide Männer sich zu Boden warfen. Es war gerade, als wäre die ganze Gebäudeflanke in Stücke gegangen. Überall flog Staub, Möbel kippten um, Glas zersprang, Splitter von Holz und Verputz flogen durch die Luft, und der schreckliche Gestank von brennendem Schwefel erfüllte den Raum. Matlock kannte den Geruch jener Art von Bomben, und seine Reflexe reagierten automatisch. Er klammerte sich an den Sockel seiner Couch und wartete auf eine zweite Explosion – einen Verzögerungszünder, der jeden töten würde, der sich in Panik erhob. Durch den Dunst sah er, wie Greenberg anfing aufzustehen, und sprang vor, packte den Agenten an den Knien.

»Runter! …«

Die zweite Explosion kam. Ein Teil der Decke wurde schwarz. Aber Matlock wußte, daß es sich um keine Bombe handelte, die töten sollte. Es war etwas anderes, und er kam im Augenblick nicht dahinter. Das war nur Tarnung – sollte nicht töten, sondern ihre Konzentration ablenken. Ein riesiger Knallfrosch.

Jetzt hallten Schreckensschreie aus allen Teilen des Gebäudes. Im Stockwerk über seiner Wohnung waren Schritte zu hören.

Dann ein Schreckensschrei, der durch die Türe herein hallte. Der Schrei hörte nicht auf. Er klang so schreckerfüllt, daß Matlock und Greenberg sich aufrappelten und zur Türe rannten. Matlock zog sie auf und blickte auf ein Bild, das kein Mensch mehr als einmal in seinem Leben sehen sollte, wenn sein Leben über jenen Augenblick fortdauern sollte.

Auf seiner Eingangsschwelle lag Patricia Ballantyne, eingehüllt in ein blutdurchtränktes Laken. Dort wo ihre nackten Brüste waren, waren Löcher in das Tuch geschnitten, und aus Schnittwunden unter ihren Brustwarzen floß Blut. Ihr Kopf war vorne glattrasiert, und aus einigen Schnittwunden, wo einmal ihr weiches, braunes Haar gewesen war, quoll Blut, ebenso aus dem halb offenen Mund. Ihre Lippen waren aufgeplatzt und verschwollen. Die Augen lagen eingebettet in schwarzem Fleisch – aber sie bewegten sich! Die Augen bewegten sich!

Speichel bildete sich in ihren Mundwinkeln. Die halbtote Leiche versuchte zu reden.

»Jamie ...«, war das einzige Wort, das sie hervorbrachte, dann glitt ihr der Kopf zur Seite.

Greenberg warf sich mit dem ganzen Gewicht gegen Matlock und schleuderte ihn in die sich sammelnde Menschenmenge. Er brüllte »Polizei!« und »Krankenwagen!«, bis er genug Leute laufen sah. Dann drückte er seinen Mund auf den des Mädchens, um Luft in die zusammenbrechenden Lungen zu zwingen, wußte aber gleichzeitig, daß es in Wirklichkeit nicht nötig war. Patricia Ballantyne war nicht tot; sie war von Experten gefoltert worden, und die Experten verstanden ihr Handwerk gut. Jeder Schnitt, jeder Schlag, jede Wunde bedeutete äußersten Schmerz, nicht aber den Tod.

Er schickte sich an, das Mädchen aufzuheben, aber Matlock hielt ihn auf. Die Augen des Englischprofessors waren von Tränen des Hasses angeschwollen. Er schob sachte Greenbergs Hände weg und hob Pat auf die eigenen Arme. Er trug sie hinein und legte sie auf das halb zerstörte Sofa. Greenberg ging ins Schlafzimmer und kam mit einer Decke zurück. Dann brachte er eine Schüssel mit warmem Wasser und ein paar Handtücher aus der Küche. Er hob die Decke und hielt ein Handtuch unter ihre blutenden Brüste. Matlock starrte erschreckt auf das brutal zerschlagene Gesicht und nahm dann die Ecke von einem Handtuch und begann ihr das Blut von dem abrasierten Schädel und dem Mund zu wischen.

»Sie kommt schon durch, Jim. Ich sehe das nicht zum erstenmal. Es wird alles wieder gut.«

Als Greenberg dann in der Nähe die Sirenen hörte, fragte er sich, ob dieses Mädchen wirklich wieder so wie früher werden würde.

Matlock wischte hilflos am Gesicht des Mädchens. Jetzt strömten ihm die Tränen über die Wangen, und seine Augen blickten starr und ohne zu blinzeln. Er hatte einige Mühe mit Reden.

»Sie wissen doch, was das bedeutet, oder? Jetzt holt mich da keiner mehr raus. Die sollen es nur versuchen, dann bringe ich sie um.«

»Ich werde nicht zulassen, daß sie es versuchen«, sagte Greenberg einfach.

Jetzt war draußen das Kreischen von Bremsen zu hören. Dann fiel der Lichtschein der kreisenden Scheinwerfer der Polizeiwagen und Ambulanzen durch die Fenster.

Matlocks Gesicht fiel neben dem bewußtlosen Mädchen ins Kissen. Er weinte.

14

Matlock erwachte in dem antiseptischen Weiß eines Krankenzimmers. Die Jalousie war nach oben gezogen. Die Sonne spiegelte sich grell in den drei Wänden, die er sehen konnte. Zu seinen Füßen schrieb eine Krankenschwester zügig und mit Nachdruck auf einen Block, der vermittels einer dünnen Kette an seinem Bettgestell befestigt war. Er streckte die Arme, zog dann schnell seinen linken Arm wieder zurück, als er den scharfen Schmerz am Unterarm verspürte.

»So etwas spürt man am Morgen danach, Mr. Matlock«,

dröhnte die Schwester, ohne von ihrem Block aufzublicken. »Starke intravenöse Beruhigungsmittel sind der reine Mord, das kann ich Ihnen sagen. Nicht, daß ich je eine bekommen hätte, aber ich habe weiß Gott genug gesehen.«

»Ist Pat ... Miß Ballantyne hier?«

»Nun, nicht im selben *Zimmer*! Du lieber Gott, Ihr Campus-Typen!«

»Sie ist hier?«

»Natürlich. Im nächsten Raum. Und der bleibt *abgesperrt*! Du lieber Gott, Ihr Leute vom Hügel! ... So! Das hätten wir.« Die Schwester ließ den Block mit der Schreibunterlage aus Metall herunterkrachen und an seiner Kette hin- und her baumeln. »So. *Sie* haben natürlich Sonderprivilegien. *Sie* dürfen frühstücken, obwohl die Frühstückszeit schon um ist – *schon lange*! Wahrscheinlich liegt das daran, weil die wollen, daß Sie Ihre Rechnung bezahlen ... Sie können jederzeit nach zwölf Uhr entlassen werden.«

»Wie spät ist es? Jemand hat mir meine Uhr weggenommen.«

»Acht Minuten vor neun«, sagte die Schwester nach einem Blick auf ihr Handgelenk. »Und niemand hat Ihre Uhr *weggenommen*. Sie liegt bei Ihren anderen Wertgegenständen, die Sie bei der Aufnahme bei sich hatten.«

»Wie *geht es* Miß Ballantyne?«

»Wir geben keine Auskunft über andere Patienten, Mr. Matlock.«

»Wo ist ihr Arzt?«

»Derselbe Arzt, den Sie auch haben, soweit ich hörte. Keiner von den *unseren*.« Die Schwester gab deutlich zu erkennen, daß diese Feststellung keineswegs als Kompliment gedacht war. »Nach Ihrer Karte wird er um halb zehn hier sein, sofern wir nicht vorher wegen eines Notfalls anrufen.«

»Rufen Sie ihn. Ich will ihn so schnell wie möglich hier haben.«

»Jetzt hören Sie aber. Es besteht doch keine Notwendigkeit ...«

»Verdammt noch mal, schaffen Sie ihn her!«

Als Matlock seine Stimme hob, öffnete sich die Tür. Jason

Greenberg kam schnell herein. »Ich konnte Sie schon draußen im Korridor hören. Das ist ein gutes Zeichen.«

»Wie geht es Pat?!«

»Einen Augenblick, Sir. Wir haben unsere Vorschriften …«

Greenberg holte seinen Ausweis heraus und zeigte ihn
der Schwester. »Dieser Mann steht unter meiner Obhut. Miß.
Erkundigen Sie sich bei der Aufnahme, wenn Sie wollen,
aber lassen Sie uns alleine.«

Die Schwester sah sich den Ausweis mit professionellem
Blick an und ging schnell zur Türe hinaus.

»Wie geht's Pat?«

»Ziemlich übel, aber sie kommt schon durch. Sie hat eine
schlimme Nacht hinter sich; falls sie sich einen Spiegel geben
läßt, wird sie einen noch schlimmeren Morgen haben.«

»Zum Teufel damit! Ist sie *in Ordnung*?«

»An siebenundzwanzig Stellen genäht – Körper, Kopf,
Mund und, bloß zur Abwechslung, einmal sogar am linken
Fuß. Aber das kommt alles wieder in Ordnung. Die Rönt-
genaufnahmen zeigen nur äußerliche Verletzungen. Keine
Brüche, keine Risse, keine inneren Blutungen. Diese Schwei-
ne haben richtig profimäßig gearbeitet.«

»Konnte sie sprechen?«

»Eigentlich nicht. Der Arzt hat ihr auch nicht dazu geraten. Sie braucht jetzt Schlaf, und zwar dringender als irgend
etwas anderes … Sie sollten auch ein wenig ausruhen. Deshalb haben wir Sie letzte Nacht hierhergebracht.«

»Ist jemand im Haus verletzt?«

»Nee. Eine verrückte Bombe war das. Wir glauben nicht,
daß jemand dabei getötet werden sollte. Die erste Bombe
war ein kurzer, zwei Zoll langer Stab, der unter dem Fen-
sterbrett angeklebt war, die zweite – von der ersten ausgelöst – war nicht viel mehr als eine Feuerwerksrakete. Sie haben mit der zweiten Explosion gerechnet, nicht wahr?«

»Ja. Ich glaube schon … Terrortaktik, nicht wahr?«

»Das glauben wir auch.«

»Kann ich Pat sehen?«

»Mir wär's lieber, wenn Sie warteten. Der Arzt glaubt,

daß sie bis in den Nachmittag hinein schlafen wird. Sie hat eine Schwester bei sich, mit Eisbeuteln und allen möglichen Medikamenten, falls sie plötzlich Schmerzen bekommt. Lassen Sie sie ausruhen.«

Matlock setzte sich vorsichtig auf. Er begann die Beine, die Arme, den Hals und die Hände zu bewegen, und stellte befriedigt fest, daß alles einigermaßen funktionierte. »Mir ist wie nach einem Kater zumute, bloß ohne Kopfschmerzen.«

»Der Arzt hat Ihnen eine kräftige Dosis verpaßt. Sie waren ... begreiflicherweise ... sehr erregt.«

»Ich erinnere mich an alles. Ich bin jetzt ruhiger, aber ich nehme kein Wort zurück ... Ich habe heute zwei Vorlesungen. Eine um zehn und die andere um zwei. Die will ich abhalten.«

»Das brauchen Sie nicht. Sealfont will Sie sprechen.«

»Ich spreche nach der zweiten Vorlesung mit ihm ... Anschließend will ich Pat sehen.« Matlock stand auf und ging langsam zu dem großen Krankenhausfenster. Es war ein heller, sonniger Morgen. Connecticut hatte eine ganze Reihe herrlicher Tage erlebt. Während er zum Fenster hinausstarrte, erinnerte sich Matlock, daß er vor fünf Tagen, als er Jason Greenberg zum ersten Mal begegnet war, zu einem anderen Fenster hinausgesehen hatte. Er hatte damals eine Entscheidung getroffen, ebenso wie er jetzt eine traf. »Letzte Nacht haben Sie gesagt, Sie würden nicht zulassen, daß die mich herausziehen. Ich hoffe, Sie haben es sich nicht anders überlegt. Ich werde diesen Pan-Am-Flug morgen *nicht* nehmen.«

»Sie werden nicht verhaftet werden. Das habe ich Ihnen versprochen.«

»Können Sie das verhindern? Sie sagten auch, Sie würden ausgetauscht werden.«

»Ich kann es verhindern ... Ich kann moralische Einwände vorbringen, ein rätselhafter Satz, der in den täglichen Sprachgebrauch übersetzt, bedeutet, daß ich Dinge tun und sagen kann, die anderen Leuten unangenehm wären. Aber ich möchte nicht, daß wir uns mißverstehen. Wenn Sie Probleme machen, könnte man Sie in Schutzhaft nehmen.«

»Das können die nur, wenn sie mich finden.«

»Das ist eine Bedingung, die mir gar nicht gefällt.«

»Dann vergessen Sie, daß Sie sie gehört haben. Wo sind meine Kleider?« Matlock trat an die Schranktür und öffnete sie. Hosen, Jacke und Hemd hingen auf Kleiderbügeln; seine leichten Sportschuhe standen auf dem Boden. Man hatte die Socken sorgsam hineingeschoben. In der niedrigen Kommode lag seine Unterhose sowie eine vom Krankenhaus beigestellte Zahnbürste. »Würden Sie hinuntergehen und mit der richtigen Person sprechen, damit man mich hier herausläßt? Außerdem brauche ich meine Brieftasche, mein Geld und meine Uhr. Würden Sie das bitte für mich tun?«

»Was wollen Sie damit sagen – wenn die Sie finden können? Was haben Sie vor?«

Greenberg machte keine Anstalten, das Zimmer zu verlassen.

»Nichts Weltbewegendes. Ich werde nur fortfahren, diese Nachforschungen anzustellen … Diese Nachforschungen geringfügigen Umfangs. So stand es doch in der Erklärung Ihrer Behörde, oder? Loring hat es auch gesagt. Irgendwo dort draußen ist die andere Hälfte dieses Papiers. Ich werde sie finden.«

»Zuerst hören Sie mir zu! Ich will gar nicht leugnen, daß Sie ein Recht haben …«

»Sie wollen gar nicht *leugnen*!« Matlock drehte sich zu dem anderen herum. Seine Stimme klang kontrolliert, aber böse. »Das reicht nicht. Das ist eine *negative* Billigung! Ich habe einige *große* Rechte! Dazu gehört auch ein jüngerer Bruder in einem Segelboot, ein schwarzer Schweinehund namens Dunois, oder wie Sie ihn auch nennen, ein Mann, der Lucas Herron hieß, und das Mädchen dort drinnen! Ich vermute, daß Sie und der Doktor wissen, was ihr letzte Nacht noch zugestoßen ist, und ich kann es *ahnen*! Kommen Sie mir nicht mit *Rechten*!«

»Im Prinzip sind wir einer Meinung. Ich möchte nur nicht, daß die Wahrung Ihrer ›Rechte‹ dazu führt, daß Sie neben Ihrem Bruder landen. Das hier ist ein Job für Profis. Nicht für Amateure! Wenn Sie überhaupt arbeiten, möchte ich, daß Sie mit meinem Nachfolger zusammenarbeiten. Das ist wichtig. Ich will Ihr Wort darauf.«

Matlock zog das Pyjamaoberteil aus und warf Greenberg ein kurzes, etwas verlegenes Lächeln zu. »Das können Sie haben. Ich sehe mich wirklich nicht als einen Ein-Mann-Stoßtrupp an. Wissen Sie, wer Ihr Nachfolger sein wird?«

»Noch nicht. Wahrscheinlich jemand aus Washington. Die gehen bestimmt nicht das Risiko ein, daß sie einen Mann aus Hartford oder New Haven einsetzen ... Die Wahrheit ist ... sie wissen nicht einmal, wer gekauft worden ist. Er wird schon Fühlung mit mir aufnehmen – dann muß ich ihn selbst einweisen. Niemand anderes kann das. Ich werde ihn anweisen, er soll sich bei Ihnen identifizieren, indem er ... wie hätten Sie es denn gern?«

»Sagen Sie ihm, er soll Ihr Sprichwort benutzen. ›Wenn die alten Männer sich selbst töten, sterben die Städte‹.«

»Das gefällt Ihnen wohl, wie?«

»Ich will nicht sagen, daß es mir gefällt, aber es mißfällt mir auch nicht. Es ist einfach die Wahrheit. So sollte es doch sein, oder?«

»Und es paßt sehr gut. Ich verstehe, was Sie meinen.«

»Sehr.«

»Jim, ehe ich heute nachmittag weggehe, schreibe ich Ihnen eine Telefonnummer auf. Das ist eine Nummer in der Bronx – meine Eltern. Sie werden nicht wissen, wo ich bin, aber ich erkundige mich jeden Tag bei ihnen. Benutzen Sie die Nummer, wenn Sie müssen.«

»Danke, das werde ich.«

»Ich möchte, daß Sie es mir versprechen.«

»Gerne.« Matlock lachte ein kurzes, dankbares Lachen.

»Natürlich ist es unter den vorliegenden Umständen auch möglich, daß gerade ich am anderen Ende der Leitung bin, wenn Sie anrufen.«

»Wieder zurück in Ihre Privatpraxis?«

»Die Wahrscheinlichkeit dafür ist wesentlich größer, als Sie denken.«

15

Zwischen den beiden Vorlesungen fuhr Matlock zu dem kleinen Maklerbüro in Carlyle und verließ es wieder mit einem Scheck über $ 7.312. Das stellte die Summe seiner Investitionen im Aktienmarkt dar und stammte vorwiegend aus Lizenzeinnahmen. Der Makler hatte versucht, es ihm auszureden; jetzt war nicht die Zeit, zu verkaufen, nicht bei den Preisen, die zur Zeit bezahlt wurden. Aber Matlock war fest entschlossen gewesen, und der Kassier hatte schließlich widerstrebend einen Scheck ausgestellt.

Anschließend fuhr Matlock zu seiner Bank und überwies seine gesamten Ersparnisse auf sein Scheckkonto. Auf die Einzahlungsquittung schrieb er noch die $ 7.312 und blickte dann auf die Gesamtsumme seines gegenwärtigen Barwertes.

Er belief sich auf $ 11.501,72.

Matlock starrte die Zahl einige Minuten lang an. Er tat das mit etwas gemischten Gefühlen. Einerseits bewies das seine Solvenz; andererseits war es etwas beängstigend, sich vorzustellen, daß er nach dreiunddreißig Lebensjahren seinen Nettowert so exakt bestimmen konnte. Da war kein Haus, kein Land, nirgends verborgene Investitionen. Nur ein Auto, einige Besitztümer von bescheidenem Wert und einige veröffentlichte Gedanken solch spezieller Natur, daß von ihnen kein nennenswerter finanzieller Betrag zu erwarten war.

Und doch war es nach der Ansicht vieler ein nennenswerter Betrag. Nur keineswegs *genug*. Das wußte er. Deshalb stand auch Scarsdale, New York, auf seinem Tagesplan.

Das Gespräch mit Sealfont war entnervend gewesen. Matlock wußte nicht, wieviel sein Nervenkostüm noch ertragen würde. Die kalte Wut des Präsidenten von Carlyle wurde nur noch vom Ausmaß seiner Angst übertroffen.

Die verwirrende Schattenwelt der Gewalt und der Korruption war eine Welt, mit der er sich nie würde abfinden können, weil sie einfach außerhalb seines Begriffsvermögens lag. Matlock hatte voll Erstaunen gehört, wie Sealfont, in seinem Sessel sitzend und auf den schönsten Rasen des ganzen

Campus hinausblickend, sagte, daß er vielleicht zurücktreten würde.

»Wenn diese ganze schmutzige, unglaubliche Geschichte wahr ist – und wer kann daran zweifeln –, habe ich nicht das Recht, in diesem Sessel zu sitzen.«

»Das stimmt nicht«, hatte Matlock geantwortet. »Wenn das wahr ist, wird diese Universität Sie mehr denn je zuvor brauchen.«

»Einen Blinden? Niemand braucht einen Blinden. Nicht in diesem Amt.«

»Nicht blind. Unberührt.«

Und dann war Sealfont in seinem Sessel herumgefahren und hatte die Faust krachend auf die Schreibtischplatte herunterfallen lassen und dabei ungeahnte Kraft gezeigt.

»Warum gerade *hier*?! *Warum gerade hier?!*«

Während er vor Sealfonts Schreibtisch saß, musterte Matlock das schmerzerfüllte Gesicht des Präsidenten von Carlyle. Dann dachte er einen Augenblick lang, der Mann könne zu weinen anfangen.

Die Fahrt über den Merritt Parkway verlief mit hoher Geschwindigkeit. Er mußte rasen; das war notwendig für ihn. Es half ihm, seine Gedanken von dem Bild von Pat Ballantyne abzulenken, wie er sie ein paar Minuten vor der Abfahrt gesehen hatte. Er war von Sealfont direkt zum Krankenhaus gefahren, hatte aber immer noch nicht mit ihr sprechen können. Niemand hatte sie bisher gesprochen.

Sie war um Mittag aufgewacht, hatte man ihm gesagt, und hatte dann gleich einen schweren hysterischen Anfall gehabt. Der Arzt aus Litchfield hatte ihr weitere Beruhigungsmittel verabreicht. Der Arzt war besorgt. Matlock wußte, daß er sich um Pats Verstand Sorgen machte. Der Alptraum des Schreckens, den ihr Körper erlebt hatte, mußte einfach ihr Bewußtsein berührt haben.

Die ersten paar Minuten mit seinen Eltern in dem riesigen Haus in Scarsdale waren etwas peinlich. Sein Vater, Jonathan Munro Matlock, hatte Jahrzehnte in den obersten Gefilden seines Marktes verbracht und wußte instinktiv, wenn jemand zu ihm kam, der ohne Kraft war.

Ohne Kraft, aber voll Not.

Matlock erklärte seinem Vater so einfach und emotionslos wie ihm das möglich war, daß er eine größere Summe Geldes ausleihen wollte; die Rückzahlung konnte er nicht garantieren. Sie würde dazu verwendet werden, um jungen Leuten, wie seinem verstorbenen Bruder zu helfen – zu guter Letzt zu helfen.

Dem toten Sohn.

»Wie?« fragte Jonathan Matlock leise.

»Das kann ich dir nicht sagen.« Er sah seinem Vater in die Augen, und dann akzeptierte der Vater die unwiderrufliche Wahrheit der Aussage des Sohnes.

»Also gut. Bist du für dieses Vorhaben qualifiziert?«

»Ja, das bin ich.«

»Haben andere auch damit zu tun?«

»Ja, notwendigerweise.«

»Vertraust du ihnen?«

»Ja.«

»Haben sie um dieses Geld gebeten?«

»Nein. Sie wissen nichts davon.«

»Wird es zu ihrer Verfügung stehen?«

»Nein. Nicht, daß ich das vorhersehen könnte ... Ich will noch weiter gehen. Es wäre falsch, wenn sie davon erführen.«

»Ich will dich nicht einschränken, ich frage nur.«

»Und ich antworte.«

»Du glaubst, daß das, was du tust, irgendwie jungen Leuten wie David helfen wird? Praktische Hilfe, nicht theoretische Hilfe, nicht irgendwelche Träume oder Wohltätigkeit?«

»Ja, das muß es.«

»Wieviel willst du?«

Matlock atmete lautlos und tief. »Fünfzehntausend Dollar.«

»Warte hier.«

Einige Minuten später kam der Vater wieder aus seinem Arbeitszimmer zurück und gab dem Sohn einen Umschlag.

Der Sohn wußte, daß er ihn jetzt nicht öffnen durfte.

Zehn Minuten nach dem Austausch – und Matlock wußte, daß es ein Austausch war – verließ er seine Eltern und spürte ihre Augen auf sich, als sie auf der riesigen Veranda standen und ihm nachblickten, wie er das Anwesen durch das Tor verließ.

Matlock bog in die Einfahrt seines Wohnhauses, schaltete Scheinwerfer und Motor ab und stieg müde aus dem Wagen. Als er sich dem alten Tudorhaus näherte, sah er, daß seine sämtlichen Lichter eingeschaltet waren. Jason Greenberg ging kein Risiko ein. Matlock vermutete, daß irgendein Teil von Greenbergs stummer, unsichtbarer Armee sein Haus aus unterschiedlichsten Distanzen beobachtete – aber keiner von ihnen zu weit entfernt.

Er schloß die Türe auf. Niemand da. Wenigstens nicht zu sehen. Nicht einmal seine Katze.

»Hallo? Jason? Ist niemand da? Ich bin's, Matlock.«

Keine Antwort, und Matlock war erleichtert. Er wollte nichts, als ins Bett kriechen und schlafen. Er hatte im Krankenhaus angehalten, um Pat zu sehen, aber man hatte ihm die Bitte abgeschlagen. Zumindest hatte er erfahren, daß ›… sie ruht und ihr Zustand als befriedigend betrachtet wird‹. Das war ein Fortschritt. Am Nachmittag war sie noch auf der Gefahrenliste gestanden. Er würde sie um neun Uhr am nächsten Morgen sehen können.

Jetzt war die Zeit für ihn, um zu schlafen – friedlich, wenn das möglich war. Um jeden Preis schlafen. Morgen gab es eine ganze Menge zu tun.

Er ging in sein Schlafzimmer und kam dabei an der immer noch nicht reparierten Wand vorbei. In der Ecke standen, sorgfältig aufgereiht, Tischler- und Maurerwerkzeuge. Er zog Jacke und Hemd aus und dachte dann plötzlich mit einer Art Selbstspott, daß er viel zu unvorsichtig war. Er ging schnell aus dem Schlafzimmer ins Bad. Als er die Tür geschlossen hatte, beugte er sich zu der Schachtel hinunter und hob das Zeitungspapier auf. Das korsische Papier war noch da, und die Silberschicht reflektierte das Licht.

Wieder im Schlafzimmer holte Matlock die Brieftasche mit Kleingeld und die Autoschlüssel heraus und legte sie auf seine Kommode. Dabei fiel ihm der Umschlag wieder ein.

Er hatte sich nicht getäuscht. Er kannte seinen Vater, besser vielleicht, als sein Vater das ahnte. Wahrscheinlich würde ein Zettel an dem Scheck hängen, auf dem deutlich stand, daß es sich um ein Geschenk, nicht ein Darlehen handelte und er es nicht zurückzuzahlen brauchte.

Der Zettel war da, aber auf ihm stand nicht das, was Matlock erwartete.

Ich glaube an Dich. Das habe ich immer getan.
Alles Liebe,

Dad

Und an dem Zettel hing der Scheck. Matlock drehte ihn um und las die Zahl.

Er lautete auf fünfzigtausend Dollar.

16

Der größte Teil der Schwellungen in ihrem Gesicht und um ihre Augen war zurückgegangen. Er nahm ihre Hand und hielt sie fest und schob sein Gesicht wieder ganz dicht an das ihre.

»Das wird alles wieder gut«, war alles, was er herausbrachte. Er mußte an sich halten, um nicht seine Wut und gleichzeitig auch sein Schuldgefühl hinauszubrüllen. Daß menschliche Wesen dies einem anderen menschlichen Wesen antun konnten, überstieg sein Begriffsvermögen. Und er trug die Verantwortung dafür.

Als sie sprach, war ihre Stimme kaum zu hören. Sie war wie die eines kleinen Kindes; unbewegliche Lippen formten die Worte nur teilweise.

»Jamie ... Jamie?«

»Sch ... Du darfst nicht reden, wenn es weh tut.«

»*Warum?*«

»Ich weiß nicht. Aber wir werden es herausfinden.«

»Nein! ... Nein, tu es nicht! Sie sind ... sie sind ...« Das

Mädchen mußte schlucken; es war ihr fast unmöglich. Sie deutete auf ein Glas Wasser, das auf ihrem Nachttisch stand. Matlock griff danach und hielt es ihr an die Lippen, stützte sie an den Schultern.

»Wie ist es geschehen? Kannst du mir das sagen?«

»Greenberg … gesagt … Mann und Frau … kamen an den Tisch. Sagten, du würdest … draußen … warten.«

»Laß nur, ich spreche mit Jason.«

»Ich … fühle mich besser. Ich habe Schmerzen, aber … ich fühle mich besser, wirklich … Werde ich wieder ganz gesund?«

»Natürlich wirst du das. Ich habe mit dem Arzt gesprochen. Du hast viele Hautabschürfungen, aber keine Brüche. Nichts Ernsthaftes. Er sagt, du bist in ein paar Tagen wieder aus dem Bett, das ist alles.«

Patricia Ballantynes Augen leuchteten auf. Matlock sah den schrecklichen Versuch eines Lächelns, zu dem sich ihre genähten Lippen mühten. »Ich habe mich gewehrt … gewehrt und gewehrt … bis ich … mich nicht mehr erinnern konnte.«

Matlock mußte seine ganze Kraft aufbieten, um nicht in Tränen auszubrechen. »Ich weiß, daß du das getan hast. Aber jetzt darfst du nicht mehr reden. Du mußt ausruhen, dich entspannen. Ich werde einfach nur hier sitzen, und wir reden mit den Augen. Erinnerst du dich? Du hast gesagt, wir könnten uns immer mit den Augen verständigen, wenn andere Leute dabei sind … Jetzt erzähle ich dir einen schmutzigen Witz.«

Als das Lächeln kam, *kam* es aus ihren Augen.

Er blieb so lange, bis eine Schwester ihn zum Gehen aufforderte. Dann küßte er sie zart auf die Lippen und verließ das Zimmer. Er war ein erleichterter Mann; aber auch ein Mann voll Wut.

»Mister Matlock?« Der junge Arzt mit dem frisch geschrubbten Gesicht des Internisten trat am Lift auf ihn zu.

»Ja?«

»Hier ist ein Telefongespräch für Sie. Sie können es am Empfang im ersten Stock entgegennehmen, wenn Sie mir bitte folgen wollen.«

Die Stimme des Anrufers war ihm unbekannt. »Mr. Matlock, mein Name ist Houston. Ich bin ein Freund von Jason Greenberg. Ich soll mit Ihnen Verbindung aufnehmen.«

»Oh? Wie geht es Jason?«

»Gut. Ich möchte mich sobald wie möglich mit Ihnen treffen.«

Matlock wollte schon einen Ort nennen, irgendeinen Ort, nach seiner ersten Vorlesung. Dann hielt er inne. »Hat Jason Ihnen irgendeine Nachricht übermittelt ... Wo er jetzt ist oder so etwas?«

»Nein, Sir. Nur, daß ich schleunigst Kontakt mit Ihnen aufnehmen soll.«

»Ich verstehe.« Warum sagte der Mann es nicht? Warum identifizierte sich Houston nicht? »Greenberg hat mir ganz eindeutig gesagt, er würde mir Bescheid sagen ... Eine Nachricht ... wo er sein würde. Ich bin ganz sicher, daß er das gesagt hat.«

»Das ist gegen unsere Vorschriften, Mr. Matlock. Er darf das nicht.«

»Oh? ... Dann hat er Ihnen überhaupt keine Nachricht hinterlassen?«

Die Stimme am anderen Ende der Leitung zögerte etwas, merkbar. »Vielleicht hat er es vergessen ... Genau gesagt, ich habe selbst gar nicht mit ihm gesprochen. Ich habe meine Anweisungen direkt aus Washington erhalten. Wo wollen wir uns also treffen?«

Matlock hörte die Angst in der Stimme des Mannes. Als er Washington erwähnt hatte, war seine Stimme unwillkürlich eine Spur greller geworden, ein Ausbruch nervöser Energie. »Ich rufe zurück. Geben Sie mir bitte Ihre Nummer.«

»Jetzt hören Sie mir zu, Matlock. Ich bin in einer Telefonzelle, und wir müssen uns treffen. Ich habe meine Anweisungen!«

»Ja, das kann ich mir vorstellen ...«

»Was?«

»Schon gut. Sind Sie in der Stadt? In Carlyle?«

Wieder zögerte der Mann. »Ich bin hier in der Gegend.«

»Sagen Sie, Mr. Houston ... Stirbt die Stadt?«

»Was? Wovon reden Sie?«

»Ich komme zu spät zu meiner Vorlesung. Versuchen Sie es noch einmal. Ich bin sicher, Sie wissen, wie Sie mich erreichen können.« Matlock legte auf. Seine linke Hand zitterte und auf seiner Stirn standen Schweißtropfen.

Mr. Houston war der Feind.

Der Feind rückte näher.

Seine erste Samstagsvorlesung war um elf. Das ließ ihm gerade eine Stunde Zeit, um die Vorkehrungen für das Geld zu treffen, die ihm logisch erschienen. Die Vorstellung, am Montag morgen körperlich in Carlyle sein zu müssen – in der Carlyle Bank – bereitete ihm Unbehagen. Er war nicht sicher, daß es möglich sein würde. Er war nicht sicher, wo er am Montag sein würde.

Da Carlyle an der Oberfläche eine typische Universitätsstadt in Neuengland war, herrschte dort auch ein ganz besonderer Lebensstil, wie er solchen Orten gemeinsam ist. Man war mit allen Leuten, deren Arbeit das Alltagsleben so bequem und mühelos machte, gut bekannt und sprach die meisten mit Vornamen an. Der Mechaniker in der Garage hieß »Joe« oder »Mac«, der Geschäftsführer bei J. Press war »Al«, der Zahnarzt »John« oder »Warren«, das Mädchen in der Schnellreinigung »Edith«. Im Falle Matlocks hieß der Bankangestellte »Alex«. Alex Anderson, ein vierzigjähriger Absolvent von Carlyle, ein ortsansässiger Junge, der es zu etwas gebracht hatte. Matlock rief ihn zu Hause an und erklärte sein Problem. Er trug einen größeren Scheck von seinem Vater in der Tasche herum. Er stellte einige private Familiennachforschungen auf eigenen Namen an, und diese Nachforschungen waren vertraulicher Natur. Seit dem Einbruch in seiner Wohnung fühlte er sich mit dem Geld nicht mehr sicher und wollte es so schnell wie möglich los werden. Ob Alex wohl irgendeinen Vorschlag hätte? Sollte er den Scheck zur Post bringen? Wie war es am besten zu bewerkstelligen, ihn auf sein Konto zu deponieren, er war nämlich nicht sicher, ob er am Montag nach Carlyle kommen könnte, und es war für ihn wichtig, daß der Scheck eingezahlt wurde und ihm das Geld zur Verfügung stand. Alex Anderson schlug erwartungsgemäß vor, daß Matlock den Scheck girieren, ihn in einen Umschlag stecken, diesen an Anderson adressieren und ihn in den Nachtbriefkasten der Bank legen sollte. Das übrige würde Alex gleich Montag früh erledigen.

Dann fragte Alex Anderson nach dem Betrag des Schecks, und Matlock sagte ihn ihm.

Als das Kontoproblem somit gelöst war, konzentrierte Matlock sich auf seinen Absprung. Ihm fiel kein anderer Begriff dafür ein, und er brauchte einen Begriff – er brauchte die Disziplin einer Definition. Er mußte exakt richtig beginnen, in dem Wissen, daß das, was vielleicht nachher geschehen würde, möglicherweise völlig undiszipliniert sein würde – völlig ohne Sinn und Plan. Denn er hatte seine Entscheidung getroffen.

Er würde in die Welt von Minrod eindringen. Des Erbauers von Babylon und Ninive, des Jägers wilder Tiere, des Mörders von Kindern und alten Männern, Quäler von Frauen.

Er würde Nimrod finden.

Ebenso wie die meisten Erwachsenen, die sich nicht voll und ganz dem Credo verschrieben hatten, daß alles, was Vergnügen bereitete, zugleich auch unmoralisch war, wußte Matlock, daß der Staat Connecticut ebenso wie seine Schwesterstaaten im Norden, Süden und Westen von einem Netz von Menschen bewohnt war, die nur zu gerne jene Vergnügungen und Ablenkungen lieferten, über die man auf der Kanzel und bei Gericht die Stirn runzelte. Welcher Versicherungsangestellte in den oberen Rängen hatte in Hartford noch nie von der Kette von ›Antiquitätenläden‹ an der New Britain Avenue gehört, wo man für den entsprechenden Betrag die Gesellschaft eines willigen jungen Mädchens kaufen konnte? Welcher Vorortbewohner von Old Greenwich wußte nicht, daß die großen Anwesen nördlich der Green Farms Spieltische boten, die Las Vegas in den Schatten stellten? Wie viele Frauen müder Geschäftsleute aus New Haven oder Westport wußten wirklich nichts von den verschiedenen ›Modell‹-Agenturen, die in Hamden und Fairfield ihren Geschäften nachgingen. Und trüben im ›alten Land‹, in den Norfolks? Wo die weitläufigen Villen verblassende Symbole von *echtem* Geld waren, jenen ersten Familien, die ein Stück nach dem Westen gewandert waren, um den Neureichen aus dem Wege zu gehen. Das Gerücht ging, daß im ›alten Land‹ die geheimnisvollsten Vergnügungen zu haben waren. In Schatten gehüllte Häuser, von Kerzen erleuchtet, wo man sich seine Anregung durch das Zuschauen holen konnte. Voyeure der verkommensten Szenen. Frauen, Männer, Tiere – alle Typen, alle Kombinationen.

Matlock wußte, daß er Nimrod in jener Welt finden würde. So mußte es sein. Denn wenn Narkotika auch nur ein Aspekt der Dienste waren, die dieses Netz anbot, waren sie doch immerhin erhältlich – so wie alles andere.

Und von all diesen Vergnügungen hatte keine das Feuer und das Eis, keine die magnetische Anziehungskraft der Spielsalons. Für jene Tausende, die nicht Zeit für die Trips nach San Juan, London oder zum Paradise Island hatten, gab es jene kurzen Ausflüge in das Vergessen – nur einen Steinwurf weit von zu Hause entfernt. Man konnte sich schnell an den grün bespannten Tischen einen Ruf erwerben – wenn die Würfel rollten oder die Karten flogen. Hier würde Matlock seinen Absprungspunkt finden. An diesen Orten waren junge Männer von dreiunddreißig Jahren bereit, Tausende zu verlieren – bis jemand fragte, wer er sei.

Um halb eins ging Matlock über den Vorplatz seines Hauses. Die Zeit war gekommen, den ersten Schritt zu tun. Langsam zeichneten sich vor ihm die unbestimmten Umrisse eines Planes ab.

Er hätte die Schritte hören sollen, tat es aber nicht. Er hörte nur das Husten, einen Raucherhusten, das Husten eines Mannes, der gerannt war.

»Mr. Matlock?«

Matlock drehte sich um und sah einen Mann Mitte Dreißig, ebenso wie er selbst, vielleicht ein wenig älter, und tatsächlich außer Atem.

»Ja?«

»Tut mir leid, ich verpasse Sie die ganze Zeit. Ich kam ans Krankenhaus, gerade als Sie weggefahren waren, und wartete dann nach Ihrer Vorlesung im falschen Gebäude. Es gibt einen Biologiedozenten, einen ganz konfusen Menschen, mit einem Namen ähnlich wie dem Ihren. Er sieht Ihnen sogar ein wenig ähnlich. Gleich groß, gleicher Körperbau, dasselbe Haar …«

»Das ist Murdock. Elliot Murdock. Was ist denn?«

»Er konnte einfach nicht verstehen, warum ich immer wieder darauf beharrte, daß wenn ›die alten Männer sich töten, die Städte sterben‹!«

»Sie kommen von Greenberg!«

»Genau. Ein morbides Erkennungssignal, falls es Ihnen nichts ausmacht, wenn ich das sage. Gehen Sie ruhig weiter. Wir trennen uns am Ende des Weges. Dann treffen wir uns in zwanzig Minuten wieder in Bill's Bard & Grill am Güterbahnhof. Das ist sechs Blocks südlich vom Bahnhof. Okay?«

»Nie gehört.«

»Ich wollte Ihnen schon vorschlagen, daß Sie die Krawatte abnehmen. Ich werde eine Lederjacke tragen.«

»Sie suchen sich ja elegante Lokale aus.«

»Alte Gewohnheit. Das spart Spesen.«

»Greenberg hat gesagt, ich sollte mit Ihnen zusammenarbeiten.«

»Und ob Sie das sollen. Der steckt bis zu seinem koscheren Arsch in siedendem Öl. Ich schätze, die versetzen ihn nach Kairo … Ein klasse Bursche ist das. Wir Außendienstler mögen ihn alle. Legen Sie ihn bloß nicht ›rein‹.«

»Ich wollte Sie doch bloß nach Ihrem Namen fragen. Mit einer Predigt habe ich nicht gerechnet.«

»Houston. Fred Houston. In zwanzig Minuten dann. Weg mit der Krawatte.«

17

Bill's Bar & Grill war ein Teil von Carlyle, den Matlock an diesem Abend zum ersten Mal erlebte. Unter den Gästen überwogen Eisenbahnarbeiter und die Art von Männern, wie sie sich überall auf Ladehöfen herumtrieben. Er sah sich in der heruntergekommenen Gaststube um; Houston saß in einer Nische ganz hinten.

»Jetzt ist Cocktailstunde, Matlock. Nach den Gepflogenheiten des Campus etwas früh, aber die Wirkung ist nicht viel anders. Nicht einmal die Kleidung ist das heutzutage.«

»Das ist vielleicht eine Kneipe.«

»Aber gut geeignet. Gehen Sie zur Bar und holen Sie sich einen Drink. Die Bunnies kommen erst nach Sonnenuntergang.«

Matlock tat, wie Houston ihm aufgetragen hatte, und holte sich den besten Bourbon, den er finden konnte. Es handelte sich um eine Marke, die er aufgegeben hatte, als er sein erstes eigenes Geld verdiente.

»Ich glaube, ich sollte Ihnen das gleich zu Alleranfang sagen. Jemand hat Ihren Namen benutzt und mich im Krankenhaus angerufen.«

Es war, als hätte Houston einen Tiefschlag bekommen. »Mein Gott«, sagte er leise. »Was hat er gesagt? Wie haben Sie reagiert?«

»Ich habe gewartet, bis er sich identifizierte ... mit Greenbergs Sprichwort. Ich hatte ihm ein paarmal die Gelegenheit dazu gegeben, aber er hat nicht ... also sagte ich, er solle mich später noch einmal anrufen und habe dann aufgelegt.«

»*Meinen* Namen hat er benutzt?! *Houston.* Da sind Sie ganz sicher?«

»Völlig.«

»Ich verstehe das nicht. Das *konnte* er nicht!«

»Glauben Sie mir. Er hat.«

»Niemand wußte, daß ich der Ersatzmann war ... *Ich selbst* habe es erst heute morgen um drei Uhr erfahren.«

»Jemand hat es herausgefunden.«

Houston trank ein paarmal aus seinem Bierglas. »Wenn

das, was Sie sagen stimmt, bin ich hier in ein paar Stunden wieder weg. Übrigens, Sie haben da gut reagiert ... Aber lassen Sie sich einen Tip von mir geben. Akzeptieren Sie nie einen telefonisch hergestellten Kontakt.«

»Warum nicht?«

»Wenn das ich *gewesen* wäre, der anrief – woher sollte *ich* denn wissen, daß ich mit *Ihnen* spreche?«

»Ich verstehe, was Sie meinen ...«

»Das sagt einem der gesunde Menschenverstand. Das meiste, was wir tun, basiert auf dem gesunden Menschenverstand ... Wir behalten denselben Code. Den mit den ›alten Männern‹ und den ›Städten‹. Ihr nächster Kontakt erfolgt noch heute nacht.«

»Und Sie sind sicher, daß Sie weggehen?«

»Man hat mich *entdeckt*. Ich werde nicht hierbleiben. Vielleicht haben Sie Ralph Loring vergessen ...«

»Schon gut. Haben Sie mit Jason gesprochen? Hat er Sie informiert?«

»Zwei Stunden lang. Heute morgen von vier bis sechs. Meine Frau hat gesagt, er hätte dreizehn Tassen Kaffee getrunken.«

»Was können Sie mir über Pat sagen? Patricia Ballantyne. Was ist geschehen?«

»Die medizinischen Fakten kennen Sie ...«

»Nicht alle.«

»Ich kenne sie auch nicht *alle*.«

»Sie lügen.«

Houston sah Matlock offen an. Er war nicht beleidigt. Als er antwortete, klang seine Stimme mitfühlend. »Also gut. Es gibt Hinweise darauf, daß man sie vergewaltigt hat. Das ist es doch, was Sie wissen wollen, oder?«

Matlock packte sein Glas fester. »Ja«, sagte er leise.

»Aber dies sollten Sie auch wissen. Das Mädchen weiß es nicht. Nicht in diesem Stadium ihrer Genesung. Ich habe gehört, daß das menschliche Bewußtsein zu allen möglichen Tricks fähig ist. Es blockt Dinge ab, bis es der Ansicht ist – oder ihm irgend etwas sagt –, daß es mit der Erinnerung fertig werden kann.«

»Danke für die Psychologielektion ... Diese Tiere. Diese schmutzigen Tiere ...« Matlock schob sein Glas weg. Der Whisky war für ihn jetzt unerträglich geworden. Der Gedanke, seine Sinne, wenn auch nur in bescheidenem Maße, abzustumpfen, war abstoßend für ihn.

»Man erwartet von mir, daß ich das aus dem Stegreif spiele, wenn ich also irgend etwas falsch erfasse, kann ich mich nur entschuldigen ... Sie sollten dabei sein, wenn man ihr das Puzzlespiel zusammensetzt. Sie wird Sie brauchen.«

Matlock blickte vom Tisch auf. Bis jetzt hatte er nur seine verkrampften Hände angestarrt. »War es so schlimm?« fragte er so leise, daß seine Stimme kaum zu hören war.

»Vorläufige Labortests – Fingernägel, Haare und so weiter – deuten darauf hin, daß mehr als eine Person beteiligt war.«

Matlocks Haß konnte nur einen Ausdruck finden. Er schloß die Augen und schlug nach dem Glas, fegte es über den Boden, bis es an der Bar zerschellte. Der Barkeeper ließ seinen schmutzigen Lappen fallen und trat hinter der Bar hervor und blickte zu dem Mann hinüber, der das Glas geworfen hatte. Dann blieb er stehen. Houston hob schnell eine Banknote und bedeutete dem Mann mit einer Handbewegung, hinter der Bar zu bleiben.

»Reißen Sie sich zusammen!« sagte Houston. »So nützen Sie niemandem. Sie lenken nur Aufmerksamkeit auf uns ... Jetzt hören Sie mir zu. Sie sind für weitere Nachforschungen freigegeben, aber es gibt zwei Bedingungen. Die erste lautet, daß Sie unseren Mann – das hätte ich sein sollen – fragen, ehe Sie mit irgend jemand Verbindung aufnehmen. Die zweite – halten Sie sich an Studenten, und zwar nur an Studenten. Keine Fakultätsmitglieder, keine Universitätsangestellten, keine Fremden – bloß Studenten ... Erstatten Sie jede Nacht zwischen zehn und elf Bericht. Ihre Kontaktperson wird täglich mit Ihnen Verbindung aufnehmen und die Kontaktpunkte bestimmen. Ist das klar?«

Matlock starrte den Agenten ungläubig an. Er begriff, was der Mann sagte – sogar warum er es sagte –, aber er konnte nicht glauben, daß jemand, der von Jason Greenberg informiert worden war, annehmen würde, daß er solche Instruktionen übermitteln konnte. »Ist das Ihr Ernst?«

»Die Anweisungen sind da sehr eindeutig. Keine Abweichungen. Das ist wie die Heilige Schrift.«

Da lag es wieder vor Matlock. Wieder ein Zeichen, wieder ein Kompromiß. Ein weiterer Befehl aus Plastik von den unsichtbaren Führern aus Plastik.

»Ich bin da, aber ich bin es gleichzeitig auch nicht, soll es auf das hinauslaufen? Ich bin auf die Randzonen beschränkt, und das erfüllt den ganzen Handel?«

»Sie sind verrückt!« sagte der Agent. »Es tut mir keinen Augenblick lang leid, hier aussteigen zu können … Hören Sie, es ist ja nur zu Ihrem Besten, das können Sie mir glauben. Und eines noch. Ich soll das Papier mitnehmen, das Loring Ihnen gegeben hat. *Unbedingt.*«

»Wirklich?« Matlock rutschte auf dem schmutzigen Plastiksitzkissen nach vorne und schickte sich an aufzustehen. »Ich sehe das nicht so. Sie kehren nach Washington zurück und sagen denen, daß ich das nicht als *unbedingt nötig* ansehe. Machen Sie's gut, Träger der Heiligen Schrift.«

»Sie spielen da mit Schutzhaft!«

»Wir werden ja sehen, wer spielt«, sagte Matlock, als er sich vom Tisch abstieß und ihn so zur Seite schob, daß der Agent nicht aufstehen konnte. Dann ging er selbst zur Tür. Er konnte die Tischbeine scharren hören, als Houston ihn sich aus dem Weg schob. Er hörte Houston seinen Namen rufen, leise, eindringlich, als wäre er verwirrt, als wollte er, daß Matlock zu ihm zurückkehrte, und als hätte er doch Angst, ihn zu identifizieren. Matlock erreichte die Tür, bog draußen nach rechts ab, und fing zu laufen an, so schnell er konnte. Er fand eine schmale Seitengasse und erkannte, daß sie zumindest in die richtige Richtung führte. Am anderen Ende der Gasse angekommen, einer Durchfahrt zum Ladehof, sah er Houston schnell an den phlegmatischen Arbeitern vorbeigehen, die gerade ihre Mittagspause machten. Houston wirkte verstört; Matlock wußte, daß er nicht zu seiner Wohnung zurückkehren konnte.

Eigentlich war es seltsam, daß er so etwas tat, überlegte er, während er in der Nische von Bill's Bar & Grill saß. Er war an den Ort zurückgekehrt, den er erst vor zwanzig Minuten nicht schnell genug hatte verlassen können. Aber ihm schien es auf unbestimmte Art vernünftig – soweit in diesem Augenblick überhaupt etwas vernünftig schien. Er mußte für sich allein sein und nachdenken. Er durfte nicht riskieren, durch die Straßen zu schlendern, wo irgendein Mitglied der unsichtbaren Greenberg-Houston-Armee ihn vielleicht entdecken könnte. Es war eine Ironie des Schicksals, daß die Bar ihm am sichersten erschien.

Er hatte sich bei dem argwöhnischen Barkeeper entschuldigt und angeboten, für das zerbrochene Glas zu bezahlen. Er deutete an, daß der Mann, mit dem er sich vorhin gestritten hatte, ein Schmarotzer wäre – ihm eine Menge Geld schulde und nicht zahlen könne. Diese Erklärung seitens des jetzt völlig entspannten Kunden wurde nicht nur von dem Barkeeper akzeptiert, sondern hob ihn sogar in einen Rang, den man nur selten in Bill's Bar & Grill erlebte.

Er mußte Ordnung in seine Gedanken bringen. Es gab einige Kontrollpunkte, die er sich in Gedanken zurechtlegte und die er passieren mußte, ehe er seine Reise zu Nimrod begann. Jetzt gab es einen weiteren solchen Kontrollpunkt. Houston hatte ihn geliefert, obwohl ihm das sicher nicht bewußt war. Pat mußte in völliger Sicherheit sein. Er durfte nicht mit dieser Sorge belastet sein. Alle anderen Punkte auf seiner Liste hatten geringere Priorität. Die Kleidung, das Bargeld, das andere Auto, alles mußte warten. Er würde jetzt vielleicht seine Strategie ändern müssen, dachte Matlock. Nimrods Verbindungsleute würden bewacht werden, seine Wohnung würde bewacht werden, jeder Name und jeder Ort auf der Liste des Justizministeriums würde unter Überwachung stehen.

Aber zu allererst Pat. Er würde sie Tag und Nacht, rund um die Uhr, jede Minute bewachen lassen. Ganz offen bewachen lassen, ohne den Versuch von Tarnung. In solcher Weise bewachen, daß die beiden unsichtbaren Armeen das Signal verstanden, die Warnung, daß sie aus dem Spiel heraus bleiben mußte. Geld war jetzt kein Problem, überhaupt keines. Und es gab Männer in Hartford, deren Berufe seinen Bedürfnissen entgegenkamen. Das wußte er. Die großen Versicherungsgesellschaften gebrauchten sie andauernd. Er erinnerte sich an ein ehemaliges Mitglied der Fakultät aus dem Mathematikdepartment, der Carlyle wegen der lukrativeren Gehälter der freien Wirtschaft den Rücken gekehrt hatte. Er arbeitete für Aetna. Er sah sich in der heruntergekommenen Bar nach einem Telefon um.

Elf Minuten später kehrte Matlock in seine Nische zurück. Das Geschäft war mit Blackstone Security, Incorporated, Bond Street, Hartford, abgeschlossen. Das bedeutete drei Männer täglich in Acht-Stunden-Schichten, dreihundert Dollar für jede Vierundzwanzig-Stunden-Periode in der das Subjekt von Blackstone, Inc., beschützt wurde. Natürlich würden irgendwelche Spesen separat abgerechnet werden und dazu kam noch eine Sondergebühr für den Einsatz eines »Tel-electronic«, falls das erforderlich war. Das Tel-electronic war ein kleines Gerät, das seinem Träger mit kurzen Pfeiftönen ankündigte, wenn eine bestimmte Telefonnummer angerufen wurde. Blackstone schlug natürlich eine andere Telefonnummer von einem Privattelefon vor – das sie binnen zwölf Stunden in Betrieb nehmen würden, und für das selbstverständlich ein zusätzlicher Betrag fällig wurde.

Matlock stimmte allem zu, war für alles dankbar und sagte, er würde am späteren Nachmittag nach Hartford kommen, um die entsprechenden Papiere zu unterzeichnen. Er wollte Mr. Blackstone kennenlernen – jetzt aus einem anderen Grund. Blackstone freilich stellte richtig, daß die Formalitäten keine Eile hatten, schließlich hatte der Leiter der Mathematischen Abteilung von Aetna Mr. Matlock persönlich bei ihm eingeführt. Er würde sein Team binnen einer Stunde zum Carlyle Hospital schicken. Ob Mr. Matlock zufällig mit Jonathan Munro Matlock verwandt wäre …? Der Leiter der Mathematischen Abteilung von Aetna hatte erwähnt …

Matlock war erleichtert. Blackstone *könnte* nützlich sein. Sein ehemaliger, jetzt bei Aetna tätiger Kollege hatte ihm versichert, daß es kein besseres Institut als Blackstone gäbe. Teuer, aber auch die besten. Beim Personal von Blackstone handelte es sich vorwiegend um ehemalige Offiziere von Spezialeinheiten und Teams der Marine-Abwehr. Das war nicht nur ein geschäftlicher Trick. Sie waren intelligent, findig und zäh. Außerdem waren sie lizenziert und wurden von der Polizei – der staatlichen ebenso wie der lokalen – respektiert.

Der nächste Punkt auf seiner Liste waren Kleider. Er hatte beabsichtigt, zu seinem Apartment zu gehen und sich einen Anzug, einige Hosen und ein oder zwei Jacketts zu holen. Das kam jetzt nicht mehr in Frage. Wenigstens für den Augenblick nicht. Er würde Kleider – eben was er brauchte – kaufen, sobald sich Gelegenheit dazu bot. Das Bargeld würde mutmaßlich etwas schwieriger sein, besonders wenn man den Betrag bedachte, den er brauchte. Es war Samstag – er würde keinen Samstagabend vergeuden. Die Banken waren geschlossen, die großen Geldquellen unzugänglich.

Alex Anderson würde das Problem lösen müssen. Er würde Alex Anderson anlügen, ihm sagen, Jonathan Munro Matlock würde es als Freundschaftsdienst von Anderson betrachten, wenn der Bankier ihm an einem Samstagnachmittag eine größere Summe in bar zur Verfügung stellte. Selbstverständlich würde das beiderseits streng vertraulich behandelt werden. Und er brauchte die Gefälligkeit auch nicht umsonst zu erweisen. Man würde sich dankbar zeigen. Aber insgesamt würde natürlich nichts geschehen, was auch nur im Entferntesten als undelikat ausgelegt werden konnte. Und natürlich alles erneut streng vertraulich.

Matlock erhob sich von dem zerfetzten, schmutzigen Plastiksitz und ging ans Telefon zurück.

Anderson hatte nur ganz kurz Zweifel, Jonathan Munro Matlocks Sohn gefällig zu sein. Diese Zweifel bezogen sich nicht auf die Tatsache an sich, sondern die Vertraulichkeit, die erforderlich war. Sobald diese Sorge beschwichtigt war, trat die Tatsache, daß er nach den besten Traditionen des Bankwesens Hilfe leistete, deutlich in den Vordergrund. Es war für jede Bank wichtig, den besseren Klienten entgegenzukommen. Wenn ein spezieller Klient seine Dankbarkeit zeigen wollte … nun, das lag bei dem Klienten.

Alex Anderson würde James Matlock an einem Samstagnachmittag fünftausend Dollar zur Verfügung stellen. Er würde ihm den Betrag um drei Uhr nachmittags vor dem Plaza Kino übergeben, das eine Wiederaufführung von *Ein Messer im Wasser* – mit Untertiteln zeigte.

Ein Wagen würde das geringste seiner Probleme sein. Es gab zwei Mietwagenbüros in der Stadt, eines wurde von Budget-National, das andere von Luxor-Elite betrieben. Ersteres war für Studenten gedacht, letzteres für wohlhabende Eltern. Er würde einen Luxor Cadillac oder Lincoln mieten und nach Hartford zu einer anderen Luxor-Station fahren und dort die Wagen tauschen. Von Hartford würde er zu einem Luxor-Büro in New Haven fahren und dort dasselbe tun. Wenn er entsprechend bezahlte, würde man ihm nur sehr wenige Fragen stellen; bei anständigen Trinkgeldern würde man ihm vielleicht sogar helfen.

Er war seinem Absprungpunkt nähergekommen.

»Hey, Mister. Ist Ihr Name Matlock?« Der haarige Barkeeper lehnte sich über den Tisch und hielt den schmutzigen Lappen in der rechten Hand.

»Ja«, antwortete Matlock verblüfft und atmete kurz und heftig ein.

»Da war g'rad so'n Typ. Hat gesagt, ich soll Ihnen sagen, Sie ham draußen 'was vergessen. Am Bürgersteig, hat er gesagt. Sie sollen sich beeilen, hat er gesagt.«

Matlock starrte den Mann an. Der Schmerz in seiner Magengegend war wieder die Angst, die Panik. Er griff in die Jackentasche und holte ein paar Scheine heraus. Er entnahm dem Bündel einen Fünfer und hielt ihn dem Barkeeper hin. »Kommen Sie mit mir an die Türe. Nur ans Fenster. Sagen Sie mir, ob er draußen steht.«

»Na klar … ans Fenster.« Der haarige Barkeeper nahm den schmutzigen Lappen in die linke Hand und nahm den Geldschein entgegen. Matlock schob sich aus der Nische heraus und ging neben dem Mann zu dem halb mit einem Vorhang bedeckten, schmutzigen Glasfenster, das den Blick zur Straße hinaus bot. »Nein, er ist nicht da. Niemand ist da … Nur eine tote …«

»Ich sehe«, sagte Matlock und schnitt dem Mann damit das Wort ab. Er brauchte nicht hinauszugehen, es war nicht nötig.

Am Rand des Bürgersteigs, halb in den Abfluß hängend, lag Matlocks Katze.

Man hatte ihr den Kopf abgeschnitten, er hing nur noch an einem kleinen Hautlappen am restlichen Körper. Das Blut quoll heraus und besudelte den Bürgersteig.

18

Der Tiermord beschäftigte Matlock immer noch, als er sich der Stadtgrenze von West Hartford näherte. War das eine weitere Warnung, oder hatten sie das Papier gefunden? Wenn Sie das Papier tatsächlich gefunden hatten, entkräftete das die Warnung keineswegs, es verstärkte sie eher. Ob es wohl zweckmäßig war, ein Mitglied des Blackstone Teams in seiner Wohnung nachsehen zu lassen, in der Katzenbox? Weshalb zögerte er eigentlich? Warum schickte er nicht einen der Blackstone-Leute hin? Zuviel verlangt war das bei dreihundert Dollar pro Tag plus Spesen ganz bestimmt nicht. Er würde noch viel mehr von Blackstone, Incorporated, verlangen, aber das wußten sie noch nicht. Und doch zögerte er. Wenn das Papier noch *sicher* war, könnte es sein, daß er sein Versteck verriet, wenn er einen Mann zum Nachsehen schickte.

Er hatte sich fast entschlossen, das Risiko einzugehen, als er den beigefarbenen Wagen im Rückspiegel bemerkte. Da war er wieder. Er war immer wieder aufgetaucht und verschwunden, seit er vor einer halben Stunde auf den Highway 72 gefahren war. Während andere Wagen abbogen, ihn überholten oder zurückfielen, blieb dieser beigefarbene Buick immer in Sichtweite. Er schwamm im Verkehrsstrom mit und brachte es irgendwie fertig, die ganze Zeit drei oder vier Wagen hinter ihm zu bleiben. Es gab eine Möglichkeit, um festzustellen, ob das reiner Zufall war. Hinter der nächsten Ausfahrt nach West Hartford gab es eine schmale Straße, die in Wirklichkeit gar keine Straße war, sondern nur ein kopfsteingepflasterter Stichweg, der fast ausschließlich für Lieferungen benutzt wurde. Er und Pat hatten an einem verkehrsreichen Nachmittag einmal geglaubt, es handle sich um eine Abkürzung und waren fast fünf Minuten steckengeblieben.

Er verließ den Highway und fuhr die Hauptstraße hinunter auf den Weg zu. Er bog scharf nach links und fuhr in die schmale, kopfsteingepflasterte Straße. Da Samstagnachmittag war, gab es keine Lieferfahrzeuge. Die Straße war frei. Er raste durch, kam an einem überfüllten Parkplatz heraus, der wiederum zu einer parallelen Hauptstraße führte. Matlock fuhr zu einem freien Parkplatz, schaltete den Motor ab und rutschte auf dem Sitz tiefer. Dann schob er den Außenspiegel so zurecht, daß er die Einfahrt der kleinen Gasse überblicken konnte. In nicht einmal dreißig Sekunden tauchte der beigefarbene Buick auf.

Der Fahrer war offenbar verwirrt. Er fuhr langsamer, sah die Dutzende von Wagen an. Plötzlich begann hinter dem beigefarbenen Buick ein anderer Wagen zu hupen. Der Fahrer war ungeduldig; der beigefarbene Buick versperrte ihm den Weg. Zögernd beschleunigte der Fahrer des beigefarbenen Buick wieder, aber ehe er das tat, drehte er sein Gesicht herum, blickte über die rechte Schulter, so daß Matlock, der den Wagen jetzt direkt im Gesichtsfeld hatte, ihn erkennen konnte. Es war der Streifenpolizist. Der Beamte, der nach der Beeson-Episode in seiner demolierten Wohnung gewesen war, der Mann, der vor zwei Tagen sein Gesicht hinter einem Handtuch verborgen hatte und den Korridor in der Squashanlage hinuntergerannt war.

Greenbergs ›Zufall‹.

Matlock war verwirrt. Und erschreckt.

Der Streifenpolizist in Zivil fuhr den beigefarbenen Buick zögernd auf die Ausfahrt eines Parkplatzes zu, suchte offensichtlich immer noch. Matlock sah den Wagen in den Verkehrsstrom einbiegen und wegfahren.

Die Büros von Blackstone Security, Incorporated, Bond Street, Hartford, wirkten eher wie die einer wohlhabenden, behäbigen Versicherungsgesellschaft als einer Detektivagentur. Die Möbel waren im schweren Kolonialstil gehalten, die Tapeten zeigten einen dezenten, maskulinen Streifen. Schwere Jagddrucke über anheimelnden Messingtischlampen. Die Wirkung, die davon ausging, deutete auf Kraft, Männlichkeit und finanzielle Solidität. Warum auch nicht, dachte Matlock, während er in dem schweren handgeschnitzten Sessel im Vorzimmer wartete. Bei einem Tagessatz von dreihundert Dollar wetteiferte Blackstone Security, Incorporated, vermutlich hinsichtlich der Erträge auf das investierte Kapital mit der Prudential Versicherung.

Als man ihn schließlich in das Büro komplimentierte, erhob sich Michael Blackstone aus seinem Sessel und kam ihm um den Kirschholzschreibtisch herum entgegen. Blackstone war ein kleiner, kompakt gebauter, sorgfältig gekleideter Mann. Er war Anfang Fünfzig, offensichtlich ein sehr aktiver, sportlicher Mann, vermutlich das, was man einen harten Brocken nannte.

»Guten Tag«, sagte er. »Ich hoffe, Sie sind nicht nur wegen der Papiere den ganzen Weg gefahren. Das hätte Zeit gehabt. Bloß weil *wir* sieben Tage die Woche arbeiten, heißt das noch lange nicht, daß wir das auch vom Rest der Welt erwarten.«

»Ich hatte ohnehin in Hartford zu tun. Kein Problem.«

»Setzen Sie sich doch, bitte, setzen Sie sich. Kann ich Ihnen irgend etwas anbieten? Einen Drink? Kaffee?«

»Nein, danke.« Matlock setzte sich in einen mächtigen schwarzen Ledersessel, von der Art, wie man sie gewöhnlich in den ältesten Männerclubs fand. Blackstone ging hinter seinen Schreibtisch zurück. »Tatsächlich habe ich es ziemlich eilig. Ich möchte unseren Vertrag unterschreiben, zahlen und wieder gehen.«

»Aber selbstverständlich. Die Akte liegt hier.« Blackstone nahm einen Aktendeckel, der auf seinem Tisch lag, und lächelte. »Wie ich schon am Telefon erwähnte, gibt es da natürlich einige Fragen, die wir gerne stellen möchten. Über das hinaus, wozu Sie uns instruiert haben. Das würde uns bei der Ausführung Ihrer Anweisungen helfen. Es dauert nur ein paar Minuten.«

Damit hatte Matlock gerechnet. Das war Teil seines Planes, der Grund, weshalb er Blackstone aufgesucht hatte. Er ging davon aus – seit er Blackstone eingeschaltet hatte –, daß die Agentur ihm den Weg abkürzen könne. Vielleicht nicht freiwillig, aber wenn es eine Frage von ›zusätzlichen Gebühren‹ war … Aus diesem Grunde mußte er Blackstone persönlich kennenlernen. Wenn Blackstone zu kaufen war, ließ sich vielleicht eine Menge Zeit einsparen.

»Ich werde Ihnen so gut ich kann antworten. Wie Sie ja sicher überprüft haben, ist das Mädchen brutal geschlagen worden.«

»Das wissen wir. Uns wundert nur, daß niemand etwas über die Gründe sagen will. Hinter solchen Brutalitäten steckt gewöhnlich irgend etwas … Sie verfügen offensichtlich über Informationen, die die Polizei nicht hat.«

»Das stimmt.«

»Darf ich dann fragen, weshalb Sie diese Informationen nicht an die Polizei weitergegeben haben? Warum Sie uns beauftragt haben? … Die Polizei ist gewöhnlich bereit, den Schutz gefährdeter Personen zu übernehmen, wenn man ihr hinreichende Gründe nennt. Das kostet wesentlich weniger.«

»Das klingt ja gerade, als wollten Sie auf ein Geschäft verzichten.«

»Das tun wir oft.« Blackstone lächelte. »Aber nie gerne, das kann ich Ihnen sagen.«

»Warum haben Sie dann …«

»Sie sind ein in hohem Maße empfohlener Klient«, unterbrach Blackstone, »der Sohn eines sehr prominenten Mannes. Wir möchten nur, daß Sie die Alternativen kennen, die Ihnen zur Verfügung stehen. Das ist wenigstens unsere Überlegung. Und was ist die Ihre?«

»Sie sprechen sehr deutlich. Ich bin Ihnen dafür dankbar. Ich vermute, Sie wollen sagen, daß Sie keinen Makel auf Ihrem Ruf haben möchten.«

»So könnte man es formulieren.«

»Gut. Das ist auch meine Überlegung. Nur, daß es nicht um *meinen* Ruf geht. Es geht um den des Mädchens. Miß Ballantynes Ruf ... Am einfachsten läßt es sich vielleicht so erklären, daß sie in der Wahl ihrer Freunde etwas unvorsichtig war. Sie ist ein hochintelligentes Mädchen mit einer großen Zukunft, aber unglücklicherweise reichte diese Intelligenz nicht in andere Bereiche.«

Matlock hielt absichtlich inne und holte ein Päckchen Zigaretten aus der Tasche. Langsam entnahm er ihm eine Zigarette und zündete sie sich an. Die Pause blieb nicht ohne Wirkung. Blackstone sprach.

»Hatte sie von dieser Beziehung finanzielle Vorteile?«

»Ganz und gar nicht. So wie ich das sehe, hat man sie ausgenutzt. Aber ich kann verstehen, weshalb Sie die Frage stellen. Man kann heutzutage auf einem Universitätscampus eine Menge Geld verdienen, nicht wahr?«

»Das weiß ich nicht. Wir befassen uns nicht mit Universitäten.« Wieder lächelte Blackstone, und Matlock wußte, daß er log. Wie ein Profi natürlich.

»Das kann ich mir denken.«

»Also gut, Mr. Matlock. Warum ist sie geschlagen worden? Und was beabsichtigen Sie in dieser Sache zu unternehmen?«

»Nach meiner Ansicht hat man sie geschlagen, um ihr Angst einzujagen, um sie daran zu hindern, Informationen preiszugeben, *die sie nicht besitzt.* Ich beabsichtige, die betreffenden Gruppen zu finden und ihnen das zu sagen. Ich will ihnen klar machen, daß sie sie in Frieden lassen sollen.«

»Und wenn Sie zur Polizei gehen, dann werden diese Beziehungen – ich nehme an, Beziehungen aus ihrer Vergangenheit – aktenkundig und gefährden diese brillante Zukunft, von der Sie sprechen.«

»Genau.«

»Das ist eine knifflige Geschichte ... Um welche Leute handelt es sich denn?«

»Ich kenne die Namen nicht ... aber ich weiß, welcher Tätigkeit sie nachgehen. In erster Linie scheint es sich um Glücksspiel zu handeln. Ich dachte, Sie könnten mir da vielleicht helfen. Mir ist natürlich bewußt, daß das zusätzlichen finanziellen Aufwand erfordert.«

»Ich verstehe.« Blackstone stand auf und ging um seinen Sessel herum. Ohne ersichtlichen Grund drehte er an den Einstellknöpfen seiner im Augenblick nicht eingeschalteten Klimaanlage. »Ich glaube, Ihre Vermutungen gehen da zu weit.«

»Ich rechne nicht mit Namen. Ich hätte die natürlich gerne und würde gut dafür bezahlen … Aber eine Ortsangabe würde mir schon genügen. Ich kann sie selbst finden, und ich weiß, daß Sie das können. Aber Zeit würden Sie mir ersparen.«

»Ich vermute, Sie interessieren sich für … Privatclubs. Private gesellschaftliche Organisationen, wo sich Mitglieder treffen können, um Aktivitäten ihrer Wahl nachzugehen.«

»Fern dem Auge des Gesetzes. Wo private Bürger ihrer völlig natürlichen Neigung nachgehen können, Wetten abzuschließen. Dort würde ich gerne beginnen.«

»Könnte ich Ihnen das ausreden? Ist es möglich, daß ich Sie überzeugen könnte, statt dessen zur Polizei zu gehen?«

»Nein.«

Blackstone ging an einen Aktenschrank an der linken Wand, holte einen Schlüssel heraus und öffnete den Schrank. »Wie schon gesagt, eine sehr knifflige Geschichte. Sehr plausibel. Und ich glaube kein Wort davon … Aber Sie scheinen fest entschlossen; das macht mich besorgt.« Er holte eine dünne Metallkassette aus dem Aktenschrank und trug sie zu seinem Schreibtisch. Dann wählte er einen anderen Schlüssel an seiner Kette, schloß die Kassette auf und entnahm ihr ein Blatt Papier. »Dort drüben ist eine Xerox-Maschine«, sagte er und wies auf ein großes graues Kopiergerät in der Ecke. »Um sie zu betätigen, legt man das Blatt mit der Schrift nach unten unter die Metallklappe und stellt die gewünschte Zahl von Kopien ein. Die Kopienzahl wird automatisch registriert. Man benötigt selten mehr als eine … Wenn Sie mich etwa zwei Minuten entschuldigen würden, Mr. Matlock, ich muß in einem anderen Büro jemanden anrufen.«

Blackstone hielt das Blatt Papier immer noch in der Hand

und legte es jetzt mit der Schrift nach unten auf Matlocks Aktendeckel. Er stand ganz gerade da und zog mit den Fingern beider Hände unten an seinem Jackett, so wie Männer das tun, die gerne ihre teuren Anzüge zur Schau stellen. Er lächelte und ging um seinen Schreibtisch herum zur Türe. Er öffnete sie und drehte sich um.

»Vielleicht ist das das, was Sie suchen, vielleicht auch nicht. Ich weiß das nicht. Ich habe einfach eine vertrauliche Notiz auf meinem Schreibtisch liegen lassen. Die Gebühr dafür wird auf Ihrer Rechnung erscheinen als ... zusätzliche Überwachung.«

Er ging zur Türe hinaus und schloß sie fest hinter sich. Matlock erhob sich aus dem schwarzen Ledersessel und trat hinter den Schreibtisch. Er drehte das Blatt um und las die maschinengeschriebene Überschrift.

ZUR ÜBERWACHUNG: HARTFORD – NEW HAVEN ACHSE
PRIVATCLUBS: ADRESSEN UND KONTAKTPERSONEN (GESCHÄFTSFÜHRER)
STAND VOM 15. 3. DARF NICHT AUS DEM BÜRO ENTFERNT WERDEN.

Unter der kurzen Überschrift in Großbuchstaben standen runde zwanzig Adressen und Namen.

Nimrod war jetzt nähergerückt.

19

Die Luxor-Elite-Autovermietung an der Asylum Street in Hartford war sehr hilfsbereit gewesen. Matlock fuhr jetzt ein Cadillac Kabriolett. Der Geschäftsführer hatte sich mit seiner Erklärung abgefunden, daß ihn der Lincoln zu sehr an einen Leichenwagen erinnerte, und da die Papiere in Ordnung waren, machte der Austausch keine Schwierigkeiten.

Vielleicht halfen auch die zwanzig Dollar Trinkgeld.

Matlock hatte Blackstones Liste sorgfältig analysiert. Er beschloß, sich auf die Clubs im Nordwesten von Hartford zu konzentrieren, einfach weil sie näher bei Carlyle lagen. Aber die nächsten waren es nicht. Zwei Adressen lagen fünf beziehungsweise sieben Meilen von Carlyle entfernt – in entgegengesetzter Richtung –, aber Matlock beschloß, sie noch ein oder zwei Tage aufzuschieben. Er wollte, daß die jeweiligen Geschäftsführer wußten, bis er sie erreichte – falls er je hin kam –, daß er um große Beträge spielte. Kein Gimpel, bloß ein starker Spieler. Das würde sich schnell herumsprechen – wenn er sich richtig verhielt.

Er hakte die erste Adresse ab. Ein privater Schwimmclub westlich von Avon. Die Kontaktperson war ein Mann namens Jacopo Bartolozzi.

Um halb zehn fuhr Matlock die kurvige Auffahrt zu einem Baldachin, der über das Eingangsportal des Avon Swim Club hinausreichte. Ein uniformierter Pförtner winkte einem Parkhelfer, der irgendwo aus dem Nichts auftauchte und in dem Augenblick hinter das Steuer des Cadillacs rutschte, als Matlock das Pflaster betrat. Offensichtlich würde er keinen Parkzettel bekommen.

Als er auf den Eingang zuging, sah er sich den Club von außen an. Das Hauptgebäude war ein weitläufiger, ebenerdiger weißer Siegelbaum mit einem hohen Palisadenzaun, der nach beiden Seiten in die Finsternis verlief. Zur Rechten, ein gutes Stück hinter dem Zaun, war ein irisierendes, grünlichblaues Licht zu sehen. Man hörte das Klatschen von Wellen. Zur Linken spannte sich ein riesiger, zeltähnlicher Baldachin, unter dem man das flackernde Licht von einem Dutzend Gartenfackeln erkennen konnte. Bei ersterem handelte es sich offensichtlich um einen riesigen Swimmingpool, bei letzterem um eine Art Gartenlokal. Gedämpfte Musik war zu hören. Der Avon Swim Club schien ein sehr luxuriöses Etablissement zu sein.

Als er das Gebäude betrat, hatte er keinen Anlaß, seine Meinung zu revidieren. Das Foyer war mit dickem Teppichboden ausgelegt. Die verschiedenen Sessel und Tische, die

die damastbespannten Wände säumten, schienen echte Antiquitäten zu sein. Links war eine ausgedehnte Garderobe und weiter hinten, zur Rechten konnte man eine weiße Marmortheke sehen, die an die eines Hotels erinnerte. Am Ende der schmalen Lobby war das einzige Gebilde, das nicht ganz hineinpaßte. Ein schwarzes, kunstvoll geschmiedetes Eisentor, das geschlossen und offensichtlich auch versperrt war. Hinter dem Gitterwerk konnte man einen gedämpft beleuchteten Korridor sehen, dessen Decke von einer Reihe dünner ionischer Säulen getragen wurde. Ein breitschultriger Mann im Smoking stand hinter dem Eisentor.

Matlock ging auf ihn zu.

»Ihre Mitgliedskarte, bitte, Sir?«

»Ich habe leider keine.«

»Tut mir leid, Sir, das ist ein Privatclub. Nur für Mitglieder.«

»Man hat mir gesagt, ich soll nach Mister Bartolozzi fragen.«

Der Mann hinter dem Gitter starrte Matlock an und tastete ihn von Kopf bis Fuß mit den Augen ab.

»Da erkundigen Sie sich am besten an der Rezeption. Dort drüben bitte.«

Matlock ging zu der Theke zurück und wurde dort von einem etwas dicklichen Mann in mittleren Jahren begrüßt, der noch nicht dagewesen war, als er den Raum betreten hatte.

»Kann ich Ihnen behilflich sein?«

»Das können Sie. Ich bin ziemlich neu hier und würde gerne Mitglied werden.«

»Das tut uns leid. Im Augenblick sind alle Plätze besetzt. Aber wenn Sie einen Antrag ausfüllen möchten, treten wir gerne mit Ihnen in Verbindung, wenn wieder ein Platz frei ist ... Wollen Sie eine Familienmitgliedschaft oder für Sie alleine, Sir?« Der Angestellte griff unter die Theke und brachte zwei Formulare zum Vorschein.

»Für mich alleine. Ich bin nicht verheiratet ... Man hat mir geraten, nach Mr. Bartolozzi zu fragen. Man hat mir ausdrücklich geraten, nach ihm zu fragen. Jacopo Bartolozzi.«

Der Angestellte ließ kaum erkennen, daß der Name ihm etwas sagte. »Hier, füllen Sie den Antrag aus, dann lege ich ihn auf Mr. Bartolozzis Schreibtisch. Er wird ihn morgen sehen. Vielleicht ruft er sie an, aber ich weiß nicht, was er tun kann. Wir sind wirklich voll, und die Warteliste ist ziemlich lang.«

»Ist er jetzt nicht hier? Wo doch so viel Betrieb ist?« Matlock stellte die Frage in ungläubigem Ton.

»Das bezweifle ich, Sir.«

»Warum sehen Sie nicht nach? Sagen Sie ihm, wir hätten gemeinsame Freunde in San Juan.« Matlock holte seinen Geldclip heraus und entnahm ihm eine Fünfzig-Dollar-Note. Er legte sie vor den Angestellten, der ihn scharf ansah und langsam an sich nahm.

»San Juan?«

»San Juan.«

Matlock lehnte sich gegen die weiße Marmortheke und sah, daß der Mann hinter dem schmiedeeisernen Tor ihn beobachtete. Wenn die San-Juan-Geschichte funktionierte und er das Tor passieren durfte, würde er sich von einer weiteren Banknote trennen müssen.

Die San-Juan-Geschichte *sollte* funktionieren, dachte Matlock. Sie war einfach so logisch, daß sie schon beinahe unschuldig wirkte. Er hatte vor zwei Jahren einen Winterurlaub in Puerto Rico verbracht und war, obwohl er kein Spieler war, mit einer Gruppe – und einem Mädchen – dort von einem Casino zum anderen gezogen. Er hatte dort eine ganze Anzahl Leute aus der näheren Umgebung von Hartford kennengelernt, wenn er sich auch an keinen einzigen Namen erinnern konnte, selbst wenn sein Leben davon abgehangen hätte.

Zwei Paare kamen durch den vergitterten Eingang, die Mädchen kichernd, die Männer resigniert lachend. Wahrscheinlich hatten die Frauen zwanzig oder dreißig Dollar gewonnen, dachte Matlock, während die Männer vermutlich ein paar hundert verloren hatten. Das Tor schloß sich hinter ihnen; Matlock konnte das elektrische Klicken des Riegels hören. Es war ein sehr wohlversperrtes Eisentor.

»Entschuldigen Sie, Sir?« Das war der korpulente Angestellte, und Matlock drehte sich um.

»Ja?«

»Wenn Sie bitte eintreten wollen, Mr. Bartolozzi würde
Sie gerne sprechen.«

»Wo? Wie?« Außer dem schmiedeeisernen Tor war keine
Türe zu sehen, und der Angestellte hatte eine Geste mit der
linken Hand gemacht, weg von dem Tor.

»Hier drüben, Sir.«

Plötzlich öffnete sich ein Stück der Wandverkleidung
rechts von der Theke. In geschlossenem Zustand war das Pa-
neel kaum von der damastbespannten Wand zu unterscheiden; Matlock trat ein und wurde von dem Angestellten zum
Büro von Jacopo Bartolozzi geführt.

»Wir haben gemeinsame Freunde?« Der fette Italiener
sprach mit heiserer Stimme, in seinen Schreibtischsessel zu-
rückgelehnt. Er machte keine Anstalten, sich zu erheben, keine Geste der Begrüßung. Jacopo Bartolozzi war eine kleine,
fette Karikatur seiner selbst. Matlock war nicht sicher, hatte
aber das bestimmte Gefühl, daß Bartolozzis Füße den Boden
unter seinem Sessel nicht erreichten.

»Es läuft auf dasselbe hinaus, Mr. Bartolozzi.«

»Was läuft wo hinaus? Wer in San Juan?«

»Einige Leute. Einer ist Zahnarzt in West Hartford. Ein anderer hat eine Steuerberaterfirma auf der Constitution Plaza.«

»Yeah ... Yeah?« Bartolozzi versuchte, Menschen mit den
Berufen und Interessen in Verbindung zu bringen, die Matlock genannt hatte. »Die Namen? Sind sie hier Mitglied?«

»Ich denke doch. Die haben mir *Ihren* Namen gegeben.«

»Das hier ist ein Schwimmclub. Nur für Mitglieder ...
Wer sind die Leute?«

»Hören Sie, Mr. Bartolozzi. Das war eine ziemlich wilde
Nacht im Condado Casino. Wir haben alle eine Menge getrunken und ...«

»In den Casinos von Puerto Rico wird nicht getrunken.
Das ist Gesetz!« Der Italiener sprach mit scharfer Stimme
und war sichtlich stolz auf sein Wissen. Er deutete mit dem
Finger auf Matlock.

»Das dadurch geachtet wird, daß man es bricht, glauben Sie mir.«

»Was?«

»Wir haben getrunken. Ich gebe Ihnen mein Wort darauf. Ich sage Ihnen bloß, daß ich mich nicht an die Namen erinnere ... Hören Sie, ich kann am Montag in die Stadt fahren und mich den ganzen Tag auf die Plaza stellen, dann finde ich den Buchprüfer wieder. Ich könnte auch nach West Hartford fahren und bei jedem Zahnarzt klingeln. Welchen Unterschied macht es schon? Ich spiele gern und habe das Geld dazu.«

Bartolozzi lächelte. »Das hier ist ein Schwimmclub. Ich weiß nicht, wovon zum Teufel Sie reden.«

»Okay«, sagte Matlock mit leicht enttäuschter Stimme. »Ihr Club liegt bequem für mich, aber wenn ich hier eine Niete ziehe, dann gibt es auch andere. Meine Freunde in San Juan haben mir auch von Jimmy Lacatas Club in Middletown erzählt und von Sammy Sharp in Windsor Shoals ... Behalten Sie Ihre Chips, Schwachkopf.« Er wandte sich zur Türe.

»Warten Sie! Einen Augenblick!«

Matlock sah zu, wie der dicke Italiener aus dem Stuhl rutschte und aufstand. Er hatte recht gehabt. Bartolozzis Füße hatten bestimmt nicht bis zum Boden gereicht.

»Wozu denn? Vielleicht ist mir Ihr Limit hier zu niedrig.«

»Sie kennen Lacata? Sharp?«

»Ich weiß, daß es sie gibt, das sagte ich doch ... Hören Sie, vergessen Sie das Ganze. Sie müssen vorsichtig sein. Ich such' mir am Montag meinen Buchprüfer und dann kommen wir beide ein andermal zurück ... Ich hatte einfach heute abend Lust auf ein Spielchen.«

»Okay, okay. Sie haben ja selbst gesagt, wir müssen vorsichtig sein.« Bartolozzi zog seine oberste Schublade auf und entnahm ihr einige Papiere. »Kommen Sie schon. Unterschreiben Sie da. Wenn Sie's juckt, kann ich Ihnen ja Ihr Geld abnehmen – und wer weiß, vielleicht nehmen Sie mir das meine ab.«

Matlock trat auf den Schreibtisch zu. »Was unterschreibe ich denn da?«

»Bloß Formulare. Die Aufnahmegebühr ist fünfhundert. Bar. Haben Sie das? Keine Schecks, keine Kreditkarten.«

»Die habe ich. Was sind das für Formulare?«

»Das erste ist eine Erklärung, daß Sie zur Kenntnis genommen haben, daß dies eine nicht auf Gewinnerzielung ausgerichtete Gesellschaft ist und daß alle Glücksspiele wohltätigen Zwecken dienen ... Was lachen Sie? Ich habe die Kirche der Heiligen Jungfrau in Hamden gebaut.«

»Und das andere hier? Das ist lang.«

»Das ist für unsere Akten. Eine Partnerschaftserklärung. Für die fünfhundert bekommen Sie einen klasse Titel. Sie sind Partner. Alle sind wir Partner ... Nur für alle Fälle.«

»Für alle Fälle?«

»Falls uns etwas Gutes widerfährt, widerfährt das auch Ihnen. Besonders in den Zeitungen.«

Der Avon Swim Club war ohne Zweifel ein Ort zum Schwimmen. Der riesige Pool dehnte sich fast zweihundert Fuß lang. Am anderen Ende standen Dutzende kleiner eleganter Badehütten. Liegestühle und Tischchen säumten den mit Platten belegten Poolrand. Die Unterwasserscheinwerfer flimmerten einladend. Die ganze Anlage dehnte sich rechts von dem Korridor. Zur linken konnte Matlock jetzt deutlich erkennen, was sich außen nur andeutungsweise dargeboten hatte. Ein riesiges, grün und weiß gestreiftes Zelt spannte sich über Dutzende von Tischen. Auf jedem Tisch standen Kerzenleuchter. Die ganze Anlage war von Gartenfackeln beleuchtet. Am anderen Ende war ein langer Tisch als Büffet mit Braten und Salaten aufgebaut. Neben dem langen Tisch stand eine Bar, und Dutzende von Paaren drängten sich darum.

Der Avon Swim Club eignete sich hervorragend für einen netten Abend mit der Familie.

Der Korridor führte in dem Gebäude nach hinten, wo ein weiteres ausgedehntes, aus weißen Ziegeln erbautes Gebäude zu erkennen war, das dem Hauptgebäude glich. Über den mächtigen, schwarz emaillierten Doppeltüren hing eine hölzerne Tafel mit der Aufschrift in gotischen Lettern:

Casino

Dieser Teil des Avon Swim Club eignete sich weniger für die Familie.

Matlock glaubte sich in ein Casino in San Juan zurückversetzt – die einzige Erfahrung, die er mit Spielsälen hatte. Der Teppichboden, mit dem der ganze Saal ausgelegt war, war dick genug, um fast jedes Geräusch zu dämpfen. Nur das Klicken der Chips und das leise Murmeln der Spieler und der Croupiers war zu hören. Die Würfeltische säumten die Wände, in der Mitte standen die Blackjack-Theken. Dazwischen, schräg aufgereiht, damit man sich bewegen konnte, drehten sich die Roulettes. In der Mitte des großen Saales, auf einer Plattform, stand die Kasse. Sämtliche Angestellten des Avon Spa trugen Smoking, adrett und dienstbereit. Die Spieler wirkten weniger formell.

Der Torhüter, der sichtlich mit Matlocks Fünfzig-Dollar-Note zufrieden war, führte ihn zu der halbkreisförmigen Theke vor der Kasse. Er sprach einen Mann an, der ein Bündel Zettel zählte.

»Das ist Mr. Matlock. Sei nett zu ihm, er ist ein persönlicher Freund.«

»Ich bin immer nett«, sagte der Mann und lächelte.

»Es tut mir leid, Mr. Matlock«, murmelte der Torhüter leise. »Beim erstenmal kriegen Sie keine Tips.«

»Natürlich ... Hören Sie, ich seh' mich ein wenig um ...«

»Na klar. Zum Eingewöhnen ... Ich kann Ihnen sagen, Vegas ist es nicht. Nur zu Ihnen gesagt, meistens ist es ein Mickey-Maus-Spielchen. Ich meine, für jemandem wie Sie, verstehen Sie?«

Matlock verstand genau, was der Torhüter meinte. Eine Fünfzig-Dollar-Note war in Avon, Connecticut kein gewöhnliches Trinkgeld.

Er brauchte drei Stunden und zwölf Minuten, um $ 4.175 zu verlieren. Nur einmal geriet er in Panik, als er eine Glückssträhne am Würfeltisch hatte und seine Reserve auf beinahe $ 5.000 aufgebaut hatte. Er hatte den Abend angemessen begonnen – für seine Zwecke. Er ging oft genug zum Kassier, um zu erkennen, daß üblicherweise Chips für zwischen $ 200 und 300 gekauft wurden. Nach seinen Begriffen also keineswegs ›Mickey-Maus-Spielchen‹. Also kaufte er beim ersten Mal $ 1.500. Beim zweiten Mal $ 1.000, beim dritten Mal $ 2.000.

Um ein Uhr früh lachte er mit Jacopo Bartolozzi an der Bar unter dem grün-weiß gestreiften Zelt.

»Sie sind in Ordnung. Die meisten von den Knilchen würden jetzt durchdrehen, wenn sie so viel verspielt hätten. Im Augenblick wäre ich wahrscheinlich dabei, denen ein paar Formulare in meinem Büro zu zeigen.«

»Keine Angst, das hol' ich mir zurück. Das tu' ich immer … Sie haben das ja selbst gesagt. Heute hat's mich wohl zu sehr gejuckt. Vielleicht komme ich morgen zurück.«

»Besser Montag. Morgen wird nur geschwommen.«

»Wie das?«

»Sonntag. Der Tag der Herrn.«

»Scheiße! Morgen kommt ein Freund aus London. Montag ist er nicht mehr hier. Ein begeisterter Spieler.«

»Ich will Ihnen was sagen. Ich rufe Sharp drüben in Windsor Shoals an. Der ist Jude. Der Tag des Herrn ist ihm scheißegal.«

»Da wäre ich Ihnen dankbar.«

»Vielleicht komme ich selbst hinüber. Meine Frau geht morgen zu einer Versammlung der Mütter der Madonna.«

Matlock sah auf die Uhr. Der Abend – sein Absprung – war gut gelaufen. Er überlegte, ob er weitermachen sollte. »Das einzige Problem, wenn man in eine neue Gegend kommt, ist, daß es immer so lange dauert, bis man die richtigen Quellen findet.«

»Was haben Sie denn für ein Problem?«

»Ich hab' ein Mädchen drüben im Hotel. Sie schläft, wir sind fast den ganzen Tag unterwegs gewesen. Das Gras ist ihr ausgegangen – keine harten Sachen – nur Gras. Ich hab' ihr gesagt, ich würde ihr welches besorgen.«

»Da kann ich Ihnen nicht helfen, Matlock. Ich hab' keines hier, das geht nicht bei den vielen Jugendlichen, die untertags kommen. Das ist nicht gut fürs Image, verstehen Sie? Ein paar Pillen hab' ich. Die Nadelkacke aber nicht. Wollen Sie ein paar Pillen?«

»Nein, bloß Gras. Mehr erlaube ich nicht.«

»Sehr schlau von Ihnen ... Wohin fahren Sie denn?«

»Zurück nach Hartford.«

Bartolozzi schnippte mit den Fingern. Im nächsten Augenblick stand ein breitschultriger Barkeeper hinter ihnen. Matlock fand es geradezu grotesk, welchen Respekt der dicke kleine Italiener genoß. Bartolozzi verlangte Papier und Bleistift von dem Mann.

»Hier. Da ist eine Adresse. Ich werde telefonieren. Ein Lokal, etwas abseits von der Hauptstraße, das auch noch spätnachts geöffnet hat. Liegt hinter G. Fox. Erster Stock. Fragen Sie nach Rocco. Der hat alles, was Sie brauchen.«

»Sie sind wirklich nett.« Als Matlock das, Papier in Empfang nahm, war ihm das völlig ernst.

»Für vier Riesen am ersten Abend bekommen Sie auch Privilegien ... Hey, wissen Sie was? Sie haben nicht einmal ein Antragsformular ausgefüllt. Klasse, wie?«

»Sie brauchen ja keine Bürgen. Schließlich spiele ich mit Bargeld.«

»Wo zum Teufel haben Sie es denn liegen?«

»In siebenunddreißig Banken zwischen hier und Los Angeles.« Matlock stellte sein Glas ab und hielt Bartolozzi die Hand hin. »War nett. Sehen wir uns morgen?«

»Sicher, ganz bestimmt. Ich bring' Sie zur Tür. Aber nicht vergessen – lassen Sie nicht Ihr ganzes Geld bei Sammy. Kommen Sie wieder hierher.«

»Darauf können Sie sich verlassen.«

Die beiden Männer gingen zu dem Korridor zurück. Der kleine Italiener legte Matlock seine fette Hand auf den Rükken, die Geste eines neugewonnenen Freundes. Was keiner von beiden bemerkte, als sie in den schmalen Gang hinaustraten, war, daß ein gutgekleideter Herr an einem Tisch in der Nähe, der die ganze Zeit ein Feuerzeug betätigte, dem das Gas ausgegangen war, sie beobachtete. Als die beiden Männer an seinem Tisch vorbeigingen, schob er das Feuerzeug in die Tasche zurück, während die Frau, die ihm gegenüber saß, sich ihre Zigarette mit einem Streichholz anzündete. Dann fragte die Frau leise und lächelte dabei:

»Hast du sie erwischt?«

Der Mann lachte. »Karsh hätte es auch nicht besser machen können. Sogar Nahaufnahmen.«

20

Wenn der Avon Swim Club ein günstiger Startpunkt war, so war der Hartford Hunt Club – unter der geschickten Leitung von Rocco Aiello – eine beneidenswerte erste Runde. Matlock betrachtete nämlich seine Reise zu Nimrod jetzt als ein Rennen, ein Rennen, das binnen zwei Wochen und einem Tag enden mußte. Es würde damit enden, daß die Kräfte von Nimrod und die Mafiosi irgendwo in der Umgebung von Carlyle zusammentrafen. Und für ihn würde es zu Ende sein, wenn jemand irgendwo ein weiteres, silbernes korsisches Papier zum Vorschein brachte.

Bartolozzis Anruf hatte seine Wirkung gezeitigt. Matlock betrat das alte rote Ziegelgebäude – zuerst glaubte er, man hätte ihm die falsche Adresse gegeben, denn durch die Fenster schien kein Licht und nichts deutete darauf, daß hinter den Mauern irgend etwas geschah – und fand am Ende des Korridors einen Lastenaufzug mit einem einsamen Neger, der auf einem Stuhl vor der Türe saß. Kaum hatte der Schwarze ihn gesehen, als er aufstand und Matlock den Lift zeigte.

In einem Korridor im Obergeschoß begrüßte ihn ein Mann. »Freut mich sehr, Ihre Bekanntschaft zu machen. Mein Name ist Rocco. Rocco Aiello.« Der Mann streckte ihm die Hand hin und Matlock ergriff sie.

»Danke ... Jetzt war ich etwas verwirrt. Ich habe nichts gehört. Ich dachte, ich wäre vielleicht am falschen Ort.«

»Wenn Sie etwas gehört hätten, denn hätten die Boys vom Bau mich reingelegt. Die Mauern sind achtzehn Zoll dick und nach beiden Seiten schalldicht; die Fenster sind Attrappen. Sehr sicher.«

»Feine Sache.«

Rocco griff in die Tasche und holte ein kleines hölzernes Zigarettenetui heraus. »Ich hab' da eine Schachtel Joints für Sie. Die kosten nichts. Ich hätte Sie gerne ein wenig herumgeführt, aber Jock-O hat gesagt, Sie hätten es wahrscheinlich eilig.«

»Jock-O hat unrecht. Ich würde gerne einen Schluck trinken.«

»Gut! Kommen Sie rein ... Nur eines, Mr. Matlock. Ich habe einen sehr netten Kundenkreis, verstehen Sie, wie ich das meine? Sehr reich und sehr steif. Einige von denen wissen über Jock-Os Club Bescheid, aber die meisten nicht. Verstehen Sie, was ich meine?«

»Ich verstehe. Ich hab' ohnehin nie viel vom Schwimmen gehalten.«

»Gut, gut ... Willkommen im feinsten Club von Hartford.« Er öffnete die dicke Stahltüre. »Ich höre, Sie haben heute schon ziemlich Federn gelassen.«

Matlock lachte, als er in den Saal mit seinen halbhohen Wänden, den Tischen und den Kunden trat. »Nennt man das hier so?«

»In Connecticut nennt man es so ... Sehen Sie? Ich hab' zwei Stockwerke und jedes Stockwerk hat fünf große Räume und in jedem ist eine Bar. Sehr privat und abgeschlossen, kein schlechtes Benehmen. Da kann man ohne weiteres seine Frau mitnehmen oder sonst jemanden, verstehen Sie?«

»Ich denke schon. Alle Achtung.«

»Die Kellner sind meistens Boys vom College. Ich helf' denen gerne, sich ein paar Dollars dazuzuverdienen. Ich hab' Nigger, Itaker, Juden – bei mir gibt es keine Unterschiede. Bloß die Sache mit den Haaren – ich mag lange Haare nicht, verstehen Sie?«

»Jungs vom College! Ist das nicht gefährlich? Die quatschen doch.«

»Hey, was glauben Sie denn?! Ursprünglich war das hier eine Collegekneipe. Wie eine Verbindung oder so. Jeder ist ordentliches Mitglied einer privaten Organisation und zahlt seinen Beitrag. Dafür kann einem doch keiner etwas anhaben.«

»Ach so. Und was ist mit der anderen Sache?«

»Was für eine andere Sache?«

»Weswegen ich gekommen bin.«

»Was? Ein wenig Gras? Gehen Sie doch zum Zeitungskiosk an der Ecke.«

Matlock lachte. Er wollte es nicht übertreiben. »Zwei Punkte für Sie, Rocco … Trotzdem, wenn ich Sie besser kennen würde, dann würde ich Ihnen vielleicht etwas abkaufen wollen. Bartolozzi hat gesagt, Sie hätten alles, was ich brauche … Aber lassen wir das. Ich bin müde. Ich trink' einen Schluck und dann hau' ich ab. Die Kleine wird sich schon fragen, wo ich gesteckt habe.«

»Manchmal redet Bartolozzi zuviel.«

»Da haben Sie wahrscheinlich recht. Übrigens, wir treffen uns morgen abend bei Sharpes drüben in Windsor Shoals. Ein Freund kommt von London herüber. Wollen Sie mitmachen?«

Aiello war sichtlich beeindruckt. Die Spieler aus London fingen an, den Boys aus Vegas und der Karibik den Rang abzulaufen.

»Vielleicht mache ich das … Hören Sie, wenn Sie etwas brauchen, verlangen Sie es ruhig, klar?«

»Mach' ich. Nur, ehrlich gesagt, die jungen Leute hier machen mich nervös.«

Aiello griff mit der linken Hand nach Matlocks Ellbogen und bugsierte ihn auf die Bar zu. »Sie sehen das falsch. Diese jungen Leute – das sind gar keine jungen Leute, verstehen Sie?«

»Nein, versteh' ich nicht. Junge Leute sind junge Leute. Ich hab's gern etwas dezenter. Lassen Sie nur, ich bin nicht neugierig.« Matlock blickte zu dem Barkeeper auf und holte den Rest seines Banknotenbündels aus der Tasche. Er entnahm ihm einen Zwanzig-Dollar-Schein und legte ihn auf die Bar. »Old Fitz und Wasser, bitte.«

»Stecken Sie Ihr Geld weg«, sagte Rocco.

»Mr. Aiello?« Ein junger Mann in Kellneruniform näherte sich ihnen. Er war vielleicht zweiundzwanzig oder dreiundzwanzig, dachte Matlock.

»Yeah?«

»Würden Sie die Quittung bitte abzeichnen. Tisch Elf. Die Johnsons. Aus Canton. Sie sind in Ordnung.«

Aiello nahm den Block und kritzelte seine Unterschrift hin. Der junge Mann ging zu den Tischen zurück.

»Sehen Sie den Jungen? Das hab' ich gemeint. Er kommt aus Yale. Ist vor sechs Monaten aus Nam zurückgekommen.«

»Und?«

»Er war Leutnant. Offizier. Jetzt studiert er Betriebswirtschaft ... Er arbeitet hier zweimal die Woche. Hauptsächlich um sich Kontakte zu verschaffen. Bis er hier wieder rauskommt, hat er sich hübsch was zusammengespart. Dann kann er sein eigenes Geschäft anfangen.«

»Was?«

»Er ist Lieferant ... Diese jungen Leute, das hab' ich gemeint. Sie sollten sich Ihre Geschichten anhören. Saigon, Da Nang, sogar Hongkong. Richtig große Geschäfte. Hey, diese jungen Leute heutzutage, die sind klasse! Die wissen, wo's langgeht. Und schlau sind sie auch. Glauben Sie mir, da brauchen Sie sich nichts zu denken.«

»Ich glaube Ihnen.« Matlock nahm sein Glas und schluckte schnell. Nicht, daß er Durst hatte, er versuchte nur den Schock zu verbergen, den Aiellos Worte ihm bereitet hatten. Die jungen Leute, die ihre Examina in Indochina gemacht hatten, waren nicht die rosawangigen ernsten jung-alten Veteranen von Armentières, Anzio oder selbst Panmunjom. Sie waren etwas ganz anderes, viel schneller, trauriger und unendlich wissender. Ein Held in Indochina war ein Soldat, der Kontakte in den Docks und den Lagerhäusern hatte. Ein solcher Mann in Indochina war ein Riese unter seinesgleichen. Und solche jung-alten Männer waren jetzt fast alle zurückgekommen.

Matlock trank, was von seinem Bourbon übriggeblieben war, und ließ sich von Rocco die anderen Räume im zweiten

Stock zeigen. Er zeigte gemessene Bewunderung, wie Aiello das erwartete, und versprach wiederzukommen. Über Sammy Sharp's in Windsor Shoals sagte er nichts mehr. Er wußte, daß das nicht notwendig war. Aiellos Appetit war geweckt.

Als er wegfuhr, beschäftigten ihn zwei Gedanken. Er mußte zwei Ziele erreichen, ehe der Sonntag nachmittag vorüber war. Das erste bestand darin, daß er jetzt auch einen Engländer liefern mußte; das zweite war, daß er eine weitere größere Summe Geldes brauchte. Es war unbedingt notwendig, beides zu haben. Er mußte am nächsten Abend bei Shape's in Windsor Shoals sein.

Der Engländer, den er im Sinn hatte, wohnte in Webster, ein außerordentlicher Professor für Mathematik auf einem kleinen Gemeindecampus der Madison Universität. Er hielt sich seit weniger als zwei Jahren im Lande auf; Matlock hatte ihn – ganz privat – bei einer Bootsausstellung in Saybrook kennengelernt. Der Brite hatte den größten Teil seines Lebens an der Küste von Cornwall verlebt und war ein großer Segler vor dem Herrn. Matlock und Pat hatten ihn sofort sympathisch gefunden. Jetzt hoffte Matlock, daß John Holden etwas vom Glücksspiel verstand.

Das Geld war ein schwierigeres Problem. Er würde noch einmal Alex Anderson anzapfen müssen. Es war durchaus möglich, daß der irgendwelche Gründe finden würde, um ihn abzuweisen. Anderson war ein vorsichtiger Mann, der es leicht mit der Angst zu tun bekam. Andererseits hatte er eine Nase für Dinge, die ihm zum Vorteil gereichen konnten. Auf diesen Instinkt mußte er bauen.

Holden schien von Matlocks Anruf verblüfft, aber keineswegs verärgert. Wenn er zu einer anderen Regung als Freundlichkeit überhaupt fähig war, dann war das Neugierde. Er wiederholte die Wegbeschreibung zu seiner Wohnung zweimal, und Matlock dankte ihm und sagte, er würde sich ganz bestimmt zurechtfinden.

»Ich will ganz offen sein, Jim«, sagte Holden, als er Matlock in seine ordentliche Dreizimmerwohnung ließ. »Ich platze förmlich vor Neugierde. Ist etwas? Geht es Patricia gut?«

»Darauf muß ich ja und nein antworten. Ich will Ihnen alles sagen, was ich kann, und das ist nicht besonders viel … Aber zuerst möchte ich Sie um einen Gefallen bitten. Zwei Gefälligkeiten sogar, um es genau zu sagen. Die erste – kann ich heute nacht hierbleiben?«

»Natürlich – da brauchen Sie doch nicht zu fragen. Sie sehen müde aus. Kommen Sie, setzen Sie sich. Kann ich Ihnen etwas zu trinken geben?«

»Nein, nein danke.« Matlock setzte sich auf Holdens Sofa. Er erinnerte sich, daß es sich um eine kombinierte Schlafliege handelte und daß sie sehr bequem war. Er und Pat hatten vor einigen Monaten in einer glücklichen alkoholischen Nacht darauf geschlafen. Das schien Jahrzehnte zurückzuliegen.

»Und was ist der zweite Gefallen? Den ersten haben Sie schon. Wenn es um Geld geht – ich habe knapp über Tausend. Die können Sie haben.«

»Nein, nicht Geld, aber vielen Dank … Ich möchte, daß Sie sich für mich als Engländer ausgeben.«

Holden lachte. Er war ein eher zart wirkender Mann um die Vierzig, lachte aber so wie ältere, dickere Männer lachten.

»Das sollte nicht besonders schwierig sein, oder? Ich vermute, daß ich immer noch einen leichten Cornwall-Akzent an mir habe. Kaum zu merken natürlich.«

»Kaum. Mit ein wenig Übung verlieren Sie sogar noch den Yankee-Tonfall … Aber da ist noch etwas, und das könnte schwieriger sein. Haben Sie je gespielt?«

»Gespielt? Sie meinen Pferdewetten, Fußballtoto und so?«

»Karten, Würfel, Roulette?«

»Eigentlich nicht sehr, nein. Ich habe natürlich als einigermaßen fantasiebegabter Mathematiker eine Phase durchgemacht, in der ich dachte, man könne durch die Anwendung arithmetischer Prinzipien – logarithmischen Durchschnittsrechnungen – die Spielchancen für sich ausnützen.«

»Hat es funktioniert?«

»Ich sagte, ich hätte eine Phase durchgemacht, ich bin nicht dabeigeblieben. Wenn es ein mathematisches System gibt, so habe ich es nicht erkannt.«

»Aber Sie haben gespielt? Sie kennen die Spiele.«

»Ziemlich gut sogar, wenn man es genau nimmt. Laboruntersuchungen könnte man sagen. Warum fragen Sie?«

Matlock wiederholte die Geschichte, die er Blackstone erzählt hatte. Pats Verletzungen freilich spielte er herunter und stellte auch die Motive der Leute, die sie geschlagen hatten, etwas anders dar. Als er fertig war, klopfte der Engländer, der sich eine Pfeife angezündet hatte, die Asche in einen großen gläsernen Aschenbecher.

»Das klingt ja wie im Kino, nicht wahr? … Sie sagen, Patricia sei nicht ernsthaft verletzt. Erschreckt, aber nicht viel mehr.«

»Richtig. Wenn ich zur Polizei ginge, könnte das ihr Stipendium gefährden.«

»Verstehe … Nun, eigentlich verstehe ich nicht, aber wollen wir es dabei bewenden lassen. Und Sie würden gerne sehen, daß ich morgen abend verliere.«

»Das hat nichts zu bedeuten. Nur hoch spielen sollen Sie.«

»Aber Sie sind auf schwere Verluste *vorbereitet.*«

»Ja, das bin ich.«

Holden stand auf. »Ich bin gerne bereit, mitzumachen. Sollte nicht schwierig sein. Aber es gibt da eine ganze Menge, die Sie mir vorenthalten, und ich wollte, Sie würden mir mehr sagen. Aber ich will nicht darauf bestehen. Ich will Ihnen nur sagen, daß die Geschichte, die Sie mir gerade erzählt haben, eine mathematische Schwäche hat.«

»Und die wäre?«

»So, wie ich es verstehe, übersteigt der Betrag, den Sie morgen abend zu verlieren bereit sind, bei weitem jeden Betrag, den Patricia je als Stipendium erwarten kann. Die logische Annahme ist daher, daß Sie nicht zur Polizei gehen wollen. Oder vielleicht nicht können.«

Matlock blickte zu dem Engländer auf und staunte über seine eigene Dummheit. Es war ihm furchtbar peinlich, und er kam sich sehr ungeschickt vor. »Es tut mir leid ... Ich habe Sie nicht bewußt angelogen. Sie brauchen nicht mitzumachen; vielleicht hätte ich Sie nicht darum bitten dürfen.«

»Ich habe nie angedeutet, daß Sie gelogen hätten – nicht, daß es wichtig wäre. Nur, daß Sie mir nicht besonders viel gesagt haben. Natürlich mache ich mit. Ich möchte Ihnen nur sagen, daß ich gerne alles hören würde, falls und wenn Sie zu dem Schluß kommen, daß Sie mir alles, was geschehen ist, sagen wollen ... So, es ist spät und Sie sind müde. Warum nehmen Sie nicht mein Zimmer.«

»Nein danke. Ich leg' mich hier hin. Ich verbinde angenehme Erinnerungen mit dem Bett. Ich brauche nur eine Decke. Und dann müßte ich noch telefonieren.«

»Wie Sie wollen. Eine Decke kriegen Sie, und wo das Telefon ist, wissen Sie ja.«

Als Holden sein Zimmer verließ, ging Matlock ans Telefon. Das Tel-elektronische Gerät, das er mieten wollte, würde erst Montag früh zur Verfügung stehen.

»Blackstone.«

»Hier ist James Matlock. Ich sollte anrufen und mich erkundigen, ob es irgendwelche Nachrichten für mich gibt.«

»Ja, Mr. Matlock. Jemand hat für Sie angerufen, warten Sie bitte einen Augenblick ... Hier. Von dem Team in Carlyle. Alles ist in Ordnung. Das Subjekt reagiert befriedigend auf die medizinische Behandlung. Das Subjekt hatte drei Besucher. Einen Mr. Samuel Kressel, einen Mr. Adrian Sealfont und eine Miß Lois Meyers. Das Subjekt hat zwei Telefonanrufe erhalten, die beide von dem Arzt abgewiesen wurden. Sie kamen von derselben Person, einem Mr. Jason Greenberg. Die Anrufe kamen aus Wheeling West Virginia. Das Subjekt ist während der ganzen Zeit nicht von dem Carlyle-Team getrennt worden ... Sie können ganz beruhigt sein.«

»Danke, das bin ich. Sie sind sehr gründlich. Gute Nacht.« Matlock atmete tief. Er war ebenso erleichtert wie erschöpft. Lois Meyers lebte auf der anderen Seite des Korridors in Pats Apartmenthaus. Die Tatsache, daß Greenberg angerufen hatte, war beruhigend. Greenberg fehlte ihm.

Er griff nach oben und schaltete die Tischlampe am Sofa aus. Der helle Aprilmond schien durchs Fenster. Der Mann von Blackstones Team hatte recht – er konnte ganz ruhig sein.

Was er nicht beruhigen konnte, waren seine Gedanken, die sich mit dem morgigen Tag befaßten – und dem Tag danach. Alles mußte auf hohen Touren weiterlaufen; ein produktiver Tag mußte zum nächsten führen. Es durfte keine Verzögerung geben, auch nicht einen Augenblick lang ein Gefühl der Befriedigung, die seinen Schwung bremsen könnte.

Übermorgen. Nach Sammy Sharpe's in Windsor Shoals. Wenn alles nach seinen Berechnungen ablief, würde dann die Zeit gekommen sein, nach Carlyle selbst zu gehen. Matlock schloß die Augen und sah Blackstones Aufstellung vor sich.

CARMOUNT COUNTRY CLUB – KONTAKT:
HOWARD STOCKTON
WEST CARLYLE SAIL AND SKI RESORT – KONTAKT:
ALAN CANTOR

Carmount lag östlich von Carlyle in der Nähe der Bezirksgrenze von Mount Holly. Und das Sail und Ski lag westlich am Lake Derron – ein Erholungsgebiet ebenso für den Winter wie für den Sommer.

Er würde irgendeinen Anlaß finden, um Bartolozzi oder Aiello oder vielleicht auch Sammy Sharpe dazu zu bewegen, ihn dort einzuführen. Sobald er einmal in Carlyle war, würde er Andeutungen fallenlassen. Vielleicht auch mehr als Andeutungen – Befehle, Wünsche. Er mußte entschlossen auftreten, dies war der Weg, der zu Nimrod führte.

Seine Augen blieben geschlossen, seine Muskeln entspannten sich und die Schwärze erschöpften Schlafes umfing ihn. Aber ehe er einschlief, erinnerte er sich an das Papier. Das korsische Papier. Er mußte das Papier jetzt holen. Er würde es brauchen. Er würde die Einladung zu Nimrod brauchen. Seine Einladung. Sein Papier.

Das Matlock-Papier.

21

Wenn die Kirchenältesten der Unabhängigen Kirche von Windsor Shoals je geahnt hätten, daß Rechtsanwalt Samuel Sharp, der blitzgescheite jüdische Anwalt, der die Finanzen der Kirche verwaltete, von gewissen Leuten in North Hartford und South Springfield, Massachusetts, als Sammy der Spieler bezeichnet wurde, hätten sie bestimmt für mindestens einen Monat die Vespergebete abgesagt. Glücklicherweise war ihnen nie eine derartige Offenbarung zuteil geworden, und so stand er bei der Unabhängigen Kirche in hohem Ansehen. Er hatte bemerkenswerte Leistungen für das Portefeuille der Kirche vollbracht und pflegte selbst bei Wohltätigkeitsveranstaltungen großzügige Spenden zu leisten. Die Unabhängige Kirche von Windsor Shoals war, wie übrigens das ganze Städtchen, Samuel Sharpe sehr freundlich gesonnen.

Matlock erfuhr alles dies in Sharpes Büro in der Windsor Valley Inn. Die gerahmten Zertifikate an den Wänden lieferten die Hälfte der Geschichte. Jacopo Bartolozzi lieferte munter den Rest. Jacopo war darauf bedacht, daß Matlock und seinem Freund aus England bewußt gemacht wurde, daß Sharpes Aktivitäten ebenso wie Sharpe selbst weit abseits von den ehrwürdigen Traditionen des Avon Swim Club standen.

Holden übertraf Matlocks kühnste Erwartungen. Einige Male hätte er beinahe laut aufgelacht, wenn er Holden dabei zusah, wie er Hundert-Dollar-Noten – die ein nervöser Alex Anderson hastig nach Webster gebracht hatte – nahm und sie nonchalant einem Croupier zuwarf, ohne sich je die Mühe zu machen, die Jetons zu zählen, aber gleichzeitig doch jedermann an allen beliebigen Tischen wissen ließ, daß er – und zwar auf den Dollar genau – den Betrag kannte, den man ihm gab. Holden spielte intelligent und vorsichtig, und stand einmal um über neuntausend Dollar im Plus. Als der Abend sich dem Ende zuneigte, waren seine Gewinne auf ein paar Hundert zurückgegangen. Das Management des Windsor Valley atmete dankbar und erleichtert auf.

James Matlock verfluchte seine zweite glücklose Nacht und nahm seine zwölfhundert Dollar Verluste hin.

Um vier Uhr morgens saßen Matlock und Holden, flankiert von Aiello, Bartolozzi, Sharpe und zwei ihrer Spießgesellen an einem großen Eichentisch, in dem im Kolonialstil eingerichteten Speisesaal. Sie waren alleine. Ein Kellner und zwei Gehilfen waren mit Aufräumen beschäftigt; die Spielsalons im zweiten Stock der Gaststätte hatten geschlossen.

Der robust gebaute Aiello und der kleine dicke Bartolozzi redeten ohne Unterlaß über ihre jeweilige Klientel und versuchten, einander in bezug auf den Status ihrer Kunden in Verlegenheit zu bringen, wobei einer dem anderen zubilligte, daß es ›nett sein könnte‹, wenn er mit einem Mr. und Mrs. Johnson aus Canton ›bekannt‹ würde oder einem gewissen Dr. Wadsworth. Sharpe andererseits schien sich mehr für Holden und das Geschehen in England zu interessieren. Er erzählte einige komische Geschichten über seine Besuche in Londoner Clubs, bei denen er keineswegs eine besonders gute Figur machte, und ließ sich dann über seine unüberwindlichen Schwierigkeiten mit der britischen Währung in der Hitze des Spiels aus.

Matlock dachte, während er Sammy Sharpe beobachtete, daß der andere ein sehr charmanter Mann wäre. Die Vorstellung, daß man Sharpe als Stütze von Windsor Shoals, Connecticut, betrachtete, bereitete eigentlich keine Schwierigkeiten. Er mußte unwillkürlich Sharpe mit Jason Greenberg vergleichen. Dabei ergab sich freilich ein wesentlicher Unterschied. Der lag in den Augen. Die Greenbergs waren weich und voll Mitgefühl, selbst in der Wut. Sharpes Augen hingegen blickten kalt und hart und huschten unablässig in die Runde – bildeten einen seltsamen Kontrast zu seinem sonst so entspannten Gesicht.

Er hörte, wie Bartolozzi Holden fragte, was sein nächstes Reiseziel wäre. Holdens beiläufige Antwort gab ihm die Gelegenheit, die er suchte. Er wartete auf den richtigen Augenblick.

»Ich fürchte, ich kann mich dazu nicht äußern.«

»Er will es dir nicht sagen«, warf Rocco Aiello ein.

Bartolozzi schleuderte Aiello einen vernichtenden Blick zu. »Ich hatte nur gedacht, Sie würden vielleicht gerne mal im Avon vorbeischauen. Ich hab' ein wirklich nettes Lokal, das wird Ihnen bestimmt gefallen.«

»Ganz bestimmt. Vielleicht ein andermal.«

»Johnny ruft mich nächste Woche an«, sagte Matlock. »Wir kommen schon zusammen.« Er griff nach einem Aschenbecher und drückte seine Zigarette aus. »Ich muß nach … Carlyle, so heißt das, glaube ich.«

In dem Gespräch trat eine winzige Pause ein. Sharpe, Aiello und einer der beiden anderen Männer wechselten Blicke. Bartolozzi hingegen schien nicht zu bemerken, daß hier etwas von Bedeutung vorging.

»Das College?« fragte der kleine Italiener.

»Richtig«, antwortete Matlock. »Ich werde wahrscheinlich im Carmount oder im Sail and Ski wohnen. Ich nehme an, Sie wissen, wo das ist.«

»Ich denke schon.« Aiello lachte leise.

»Was führt Sie nach Carlyle?« Der unbekannte Mann – zumindest hatte sich niemand die Mühe gemacht, ihn namentlich vorzustellen – machte einen langen Zug an seiner Zigarre und sah Matlock erwartungsvoll an.

»*Meine* Angelegenheiten«, sagte Matlock freundlich.

»Ich frage ja nur. Seien Sie mir nicht böse.«

»Ich bin Ihnen nicht böse … Hey, es ist ja fast halb fünf! Sie sind zu gastfreundlich zu mir.« Matlock schob seinen Sessel zurück und schickte sich an aufzustehen.

Aber der Mann mit der Zigarre wollte noch eine Frage stellen.

»Kommt Ihr Freund mit Ihnen nach Carlyle?«

Holden hob lässig die Hand. »Tut mir leid, keine Einzelheiten bitte. Ich bin einfach ein Besucher in Ihren gastlichen Gefilden und habe viele touristische Pläne … Wir müssen jetzt wirklich gehen.«

Beide Männer erhoben sich vom Tisch. Auch Sharpe stand auf. Ehe die anderen etwas sagen konnten, meinte Sharpe: »Ich werde die Herren zu ihrem Wagen bringen und ihnen den Weg zeigen. Wartet hier – wir müssen noch abrechnen. Ich schulde dir Geld, Rocco. Und Frank schuldet mir. Vielleicht gleicht es sich aus.«

Der Mann mit der Zigarre, dessen Name offensichtlich Frank war, lachte. Aiello schien einen Augenblick lang verwirrt, begriff aber gleich, was Sharpe meinte. Die Männer am Tisch sollten bleiben.

Matlock war nicht sicher, daß er zweckmäßig gehandelt hatte.

Er hatte das Gespräch über Carlyle noch ein wenig fortsetzen wollen, bis jemand sich erbot, im Carmount oder im Sail and Ski anzurufen. Holdens Weigerung, mehr über seine Reisepläne zu sagen, hatte das unmöglich gemacht. Matlock befürchtete auch, daß dies den Eindruck erweckte, er und Holden wären so wichtig, daß weitere Vorstellungen überflüssig waren. Außerdem erkannte Matlock, daß er sich, je weiter seine Reise fortschritt, mehr und mehr auf die Garantie des toten Loring verließ, daß keiner der zu der Konferenz in Carlyle Eingeladenen über die anderen Delegierten sprechen würde. Das Gewicht der ›Omerta‹ lastete sehr schwer, daß keiner das Schweigen zu brechen wagte. Und doch hatte Sharpe gerade die anderen am Tisch zum Bleiben aufgefordert.

Er hatte das Gefühl, daß er vielleicht in seiner Unerfahrenheit zu weit gegangen war. Vielleicht war jetzt die Zeit, mit Greenberg Verbindung aufzunehmen – obwohl er eigentlich hatte warten wollen, bis er Konkreteres wußte, ehe er das tat. Wenn er jetzt Verbindung mit Greenberg aufnahm, könnte der Agent ihn zwingen – wie lautete dieser idiotische Satz? – ›aus der Strategie auszusteigen‹. Und auf dieses Problem war er noch nicht vorbereitet.

Sharpe begleitete ihn zu dem fast verlassenen Parkplatz. Das Windsor Valley Inn war nicht gerade mit Übernachtungsgästen überfüllt.

»Wir legen keinen großen Wert auf Dauergäste«, erklärte Sharpe. »Man kennt uns in erster Linie als gutes Restaurant.«

»Das kann ich verstehen«, sagte Matlock.

»Gentlemen«, begann Sharpe stockend. »Darf ich Sie um etwas bitten, was vielleicht als unhöflich gelten könnte?«

»Aber bitte.«

»Darf ich Sie kurz sprechen, Mr. Matlock? Unter vier Augen.«

»Oh, denken Sie sich nichts dabei«, sagte Holden und entfernte sich ein paar Schritte. »Ich verstehe völlig. Ich werde ein paar Schritte gehen.«

»Ihr englischer Freund ist sehr nett«, sagte Sharpe.

»Einer der nettesten, die es gibt. Was ist denn, Sammy?«

»Einige informatorische Punkte, wie wir bei Gericht sagen.«

»Und die wären?«

»Ich bin ein vorsichtiger Mann, aber ich bin auch sehr neugierig. Ich betreibe hier eine gute Organisation, wie Sie sehen können.«

»Das kann ich sehen.«

»Ich wachse dabei – vorsichtig, aber recht befriedigend.«

»Das akzeptiere ich.«

»Ich mache keine Fehler. Ich habe einen juristisch ausgebildeten Verstand und ich bin stolz darauf, daß ich keine Fehler mache.«

»Worauf wollen Sie hinaus?«

»Es ist mir in den Sinn gekommen – und ich will ehrlich sein, es ist auch meinem Partner Frank und Rocco Aiello in den Sinn gekommen –, daß man Sie vielleicht in das Gebiet geschickt hat, um gewisse Beobachtungen anzustellen.«

»Warum glauben Sie das?«

»Warum? … Ein Spieler wie Sie taucht einfach aus dem Nichts auf. Sie haben mächtige Freunde in San Juan. Sie kennen unsere Lokale wie Ihre Hosentasche. Und dann haben Sie einen sehr reichen, sehr netten Kollegen von der Londoner Szene. Das paßt alles zusammen … Aber das wichtigste – und ich glaube, das wissen Sie – Sie erwähnen diese Geschäfte in Carlyle. Wollen wir ehrlich zueinander sein. Das spricht doch Bände, oder?«

»Tut es das?«

»Ich bin nicht vorschnell. Ich habe Ihnen gesagt, daß ich ein vorsichtiger Mann bin. Ich verstehe die Regeln und stelle keine Fragen, die man nicht von mir erwartet, und spreche nicht von Dingen, über die ich nichts wissen darf ... Trotzdem möchte ich, daß die Generale erkennen, daß sie ein paar intelligente, ja ehrgeizige Leutnants in der Organisation haben. Das kann Ihnen jeder sagen. Ich bin ganz offen zu Ihnen, ich halte nichts zurück.«

»Bitten Sie mich damit, Ihnen ein gutes Zeugnis auszustellen?«

»So könnte man es etwa formulieren. Ich habe Wert. Ich bin ein Anwalt, den man respektiert. Mein Partner ist ein sehr erfolgreicher Versicherungsmakler. Wir sind erste Wahl.«

»Was ist mit Aiello? Mir scheint, Sie sind mit ihm befreundet.«

»Rocco ist ein guter Junge. Vielleicht nicht der schnellste, aber solid. Und ein sympathischer Mensch ist er auch. Aber in unsere Klasse gehört er wohl nicht.«

»Und Bartolozzi?«

»Über Bartolozzi habe ich nichts zu sagen. Über ihn müssen Sie sich selber eine Meinung bilden.«

»In dem Sie nichts sagen, sagen Sie eine ganze Menge, nicht wahr?«

»Nach meiner Meinung redet er zuviel. Aber das könnte an seiner Persönlichkeit liegen. Er geht mir irgendwie gegen den Strich. Rocco aber nicht.«

Matlock beobachtete den methodischen Sharpe im frühen Dämmerlicht des Parkplatzes und begann zu begreifen, was vorgefallen war.

Es war ganz logisch; er selbst hatte es geplant, aber jetzt, da es sich ereignete, kam er sich seltsam objektiv vor. Er beobachtete sich selbst, beobachtete Marionetten, die reagierten.

Er war als ein Fremder in Nimrods Welt eingetreten, beargwöhnt vielleicht, jedenfalls abwegig.

Und plötzlich sollte dieser Argwohn, diese Abwegigkeit nicht verschmäht, sondern *geehrt* werden.

Der Verdächtige, den man wegen seiner Abwegigkeit ehrte – weil sie von einer höheren Stelle kommen *mußte*. Er war jetzt ein Abgesandter der oberen Ränge. Man fürchtete ihn.

Wie hatte Greenberg das genannt? Die Schattenwelt. Unsichtbare Armeen, die ihre Truppen in der Finsternis in Position brachten, stets auf der Hut vor irgendwelchen verirrten Patrouillen, feindlichen Spähern.

Der schmale Pfad, den er gehen mußte, war gefährlich. Aber er war jetzt der seine.

»Sie sind ein guter Mann, Sharpe. Und verdammt clever sind Sie auch … Was wissen Sie über Carlyle?«

»Nichts! Absolut nichts.«

»Jetzt lügen Sie, und das ist *nicht* clever.«

»Das ist die Wahrheit. Ich weiß *nichts*. Gerüchte habe ich gehört. Aber Dinge, die man weiß, und Dinge von denen man nur gehört hat, sind zwei Paar Stiefel, das weiß ich als Anwalt.« Sharpe hob die rechte Hand und spreizte Zeigefinger und Mittelfinger auseinander, wie zum Eid.

»Was für Gerüchte? Drücken Sie sich ganz klar aus, im eigensten Interesse.«

»Nur Gerüchte. Eine Versammlung des Clans vielleicht. Ein Zusammentreffen hochrangiger Individuen. Eine Übereinkunft, die zwischen gewissen Leuten getroffen werden muß.«

»Nimrod?«

Sammy Sharpe schloß die Augen genau drei Sekunden lang. Und während er das tat, sprach er.

»Jetzt sprechen Sie eine Sprache, die ich nicht hören möchte.«

»Dann haben Sie auch nichts gehört, oder?«

»Es ist aus dem Protokoll gestrichen, das versichere ich Ihnen.«

»Okay. Gar nicht schlecht. Wenn Sie wieder hineingehen, glaube ich, daß es keine gute Idee wäre, über die Gerüchte zu reden, die Sie gehört haben. Dann würden Sie doch wie ein dummer Leutnant handeln, nicht wahr?«

»Nicht nur dumm – verrückt.«

»Warum haben Sie dann den anderen gesagt, daß sie bleiben sollen? Es ist spät.«

»Weil ich wissen wollte, was alle von Ihnen und Ihrem englischen Freund denken. Aber jetzt sage ich Ihnen – da Sie einen bestimmten Namen erwähnt haben –, es wird kein solches Gespräch stattfinden. Wie ich schon sagte, ich verstehe die Regeln.«

»Gut. Ich glaube Ihnen. Sie haben Möglichkeiten. Sie sollten jetzt wieder hineingehen … Oh, eines noch. Ich möchte, daß Sie … wir möchten, daß Sie Stockton im Carmount und Cantor im Sail and Ski anrufen. Sagen Sie nur, ich sei ein persönlicher Freund und würde dort erscheinen. Sonst nichts. Wir wollen nicht, daß wir irgendwie beobachtet werden. Das ist wichtig, Sammy. Sonst nichts.«

»Aber gerne. Und Sie vergessen auch nicht, den anderen meine Grüße zu bestellen?«

»Das werde ich nicht vergessen. Sie sind ein guter Mann.«

»Ich werde mein Bestes tun. Das ist alles, was man tun kann …«

In diesem Augenblick wurde die morgendliche Stille von fünf lauten, dicht hintereinanderfolgenden Explosionen zerrissen. Glas zerklirrte. Aus dem Inneren des Restaurants hörte man Leute laufen und schreien, Möbel stürzten um. Matlock warf sich zu Boden.

»John! John!«

»Hier drüben! Beim Wagen! Alles klar bei Ihnen?«

»Ja. Bleiben Sie, wo Sie sind.«

Sharpe war in die Dunkelheit gerannt und drückte sich jetzt gegen die Mauer. Matlock konnte seine Umrisse nur undeutlich sehen, sah aber genug, um zu erkennen, daß Sharpe einen Revolver aus der Jacke gezogen hatte.

Wieder war hinter dem Gebäude eine Salve von Schüssen zu hören, der erneut Schreckensschreie folgten. Ein Hilfskellner rannte durch die Nebentür und kroch auf Händen und Knien auf den Rand des Parkplatzes zu. Er schrie hysterisch in einer Sprache, die Matlock nicht verstand.

Ein paar Sekunden später rannte ein weiterer Restaurantangestellter in einer weißen Jacke durch die Tür und zog einen zweiten Mann hinter sich. Der Zweite war offensichtlich verletzt, Blut strömte ihm von der Schulter, sein rechter Arm hing reglos herunter.

Ein weiterer Schuß hallte aus dem Nichts. Der Kellner, der soeben noch geschrien hatte, fiel vornüber. Der verwundete Mann hinter ihm taumelte nach vorne, krachte mit dem Gesicht in den Kies. Im Inneren des Gebäudes schrien Männer.

»Gehen wir doch! Hinaus! Zum *Wagen*!«

Er erwartete, weitere Männer aus der Türe rennen zu sehen, aber es kam keiner. Statt dessen hörte er von einer anderen Stelle des Anwesens, wie ein Motor aufheulte. Kurz darauf kreischten Reifen und ein Automobil bog scharf um die Ecke. Dann raste plötzlich, vielleicht fünfzig Meter von ihm entfernt, zu seiner Linken ein schwarzer Buick aus der nördlichen Einfahrt zur Hauptstraße. Der Wagen mußte unter einer Straßenlaterne durch. Matlock sah ihn ganz deutlich. Es war derselbe Wagen, der wenige Augenblicke nach Ralph Lorings Ermordung aus der Finsternis geschossen war.

Dann war wieder alles still. Das graue Licht der Morgendämmerung begann heller zu werden.

»Jim! Jim, kommen Sie her! Ich glaube, jetzt sind sie weg!«

Es war Holden. Er hatte die Deckung verlassen, die der Wagen ihm bot, und stand jetzt über den Mann in der weißen Jacke gebeugt da.

»Komme schon!« sagte Matlock und stand auf.

»Der Mann ist tot. Man hat ihm zwischen die Schulterblätter geschossen ... Der da atmet noch. Wir sollten einen Krankenwagen kommen lassen.« Holden war zu dem bewußtlosen Hilfskellner mit dem blutigen, unbeweglichen rechten Arm gegangen.

»Ich höre nichts. Wo ist Sharpe?«

»Er ist gerade hineingegangen. Durch diese Türe dort. Er hatte eine Waffe.«

Die beiden Männer gingen vorsichtig auf den Seiteneingang der Gaststätte zu. Matlock öffnete langsam die Tür und trat vor Holden ins Foyer. Möbel waren umgestürzt, Tische und Stühle lagen auf dem Boden. Überall glänzte frisches Blut.

»Sharpe? Wo sind Sie?« Matlock hob vorsichtig die Stimme. Es dauerte ein paar Sekunden, bis eine Antwort kam. Und als sie kam, war Sharpe kaum zu hören.

»Hier drinnen. Im Speisesaal.«

Matlock und Holden gingen durch den mit Eichenholz verkleideten Bogen. Keiner von beiden war durch irgend etwas auf das vorbereitet, was er sah.

Das Schreckliche war der Anblick der buchstäblich mit Blut bedeckten Körper. Was von Rocco Aiello übrig war, lag über dem rot durchtränkten Tischtuch, der größte Teil seines Gesichts war einfach weggerissen. Sharpes Partner, der Mann namens Frank, den keiner vorgestellt hatte, lag auf den Knien, und sein Oberkörper war über einen Stuhlsitz gebogen. Blut floß ihm aus dem Hals, seine Augen standen im Tod weit offen. Jacopo Bartolozzi lag auf dem Boden. Sein fetter Körper war um ein Tischbein gekrümmt. Die Vorderseite seines Hemds war bis zum Kragen aufgerissen und zeigte seinen vortretenden Bauch, der von einem Dutzend Kugellöcher zerfetzt war. Immer noch rann Blut über sein kurzes, schwarzes Körperhaar. Bartolozzi hatte versucht, sich das Hemd aufzureißen. Er hielt noch ein Stück Tuch in der toten Hand. Der vierte Mann lag hinter Bartolozzi. Sein Kopf ruhte auf Bartolozzis rechtem Fuß. Er hatte Arme und Beine ausgestreckt wie ein Insekt, das man auf Kork festgespießt hat. Sein ganzer Rücken war mit einer dicken Blutschicht bedeckt. Teile seiner Eingeweide waren ihm durch die Haut getrieben.

»O mein Gott!« murmelte Matlock, der immer noch nicht ganz glauben konnte, was er sah. John Holden sah aus, als würde ihm jeden Augenblick übel werden. Sharpe sprach leise und schnell. »Sie sollten gehen. Sie und Ihr englischer Freund sollten schnell hier verschwinden.«

»Sie müssen die Polizei rufen«, sagte Matlock verwirrt.

»Draußen ist ein Mann, ein Junge. Er lebt noch.« Holden stotterte beim Sprechen.

Sharpe blickte zu den beiden Männern hinüber. Er hielt immer noch den Revolver in der Hand. Seine Augen verrieten nur eine schwache Andeutung von Argwohn. »Die Leitungen sind ohne Zweifel durchschnitten worden. Die nächsten Häuser sind Farmen; sie sind mindestens eine halbe Meile entfernt ... Ich erledige alles. Sie verschwinden hier besser.«

»Glauben Sie, daß wir das sollten?« fragte Holden und sah Matlock an.

Sharpe erwiderte: »Hören Sie, Engländer, mir persönlich ist es völlig egal, was Sie beide tun. Ich habe jetzt genug zu bedenken, genug zu überlegen ... Aber um Ihrer selbst willen, verschwinden Sie hier. Dann gibt es weniger Komplikationen, weniger Risiko. Stimmt das nicht?«

»Ja, Sie haben recht«, sagte Matlock.

»Falls man Sie festnimmt, Sie sind hier vor einer halben Stunde weggefahren. Sie waren Freunde von Bartolozzi, das ist alles, was ich weiß.«

»Geht in Ordnung!«

Sharpe mußte sich von den ermordeten Männern abwenden. Matlock dachte einen Augenblick lang, daß der Anwalt gleich weinen würde. Statt dessen atmete er tief und sprach weiter.

»Ein juristisch ausgebildeter Verstand, Mr. Matlock. Ich bin wertvoll. Sagen Sie ihnen das.«

»Das werde ich.«

»Sagen Sie ihnen außerdem, daß ich Schutz brauche, Schutz *verdiene.* Sagen Sie ihnen das auch.«

»Natürlich.«

»Und jetzt verschwinden Sie.« Plötzlich warf Sharpe angewidert seinen Revolver zu Boden. Dann schrie er und die Tränen traten ihm in die Augen: »Um Himmels willen, verschwinden Sie! *Verschwinden sollen Sie!*«

22

Matlock und Holden kamen überein, sich sofort zu trennen. Der Professor setzte den Mathematiker bei seiner Wohnung ab und fuhr dann nach Süden, in Richtung Fairfield. Er wollte in einem Motel übernachten, das weit genug von Windsor Shoals entfernt war, um seine Panik loszuwerden, und doch nahe genug bei Hartford, um es sich zu ermöglichen, um zwei Uhr nachmittag zu Blackstone zu kommen.

Er war zu erschöpft, zu verängstigt, um denken zu können. Er fand ein drittrangiges Motel ein Stück westlich von Stratford und versetzte den Nachtportier dadurch in Erstaunen, daß er alleine war.

Während er sich in das Motelregister eintrug, murmelte er unfreundliche Bemerkungen über eine argwöhnische Frau in Westport und überredete den Angestellten vermittels einer Zehn-Dollar-Note dazu, sein Eintreffen um zwei Uhr morgens zu registrieren. Er fiel um sieben ins Bett und bestellte sich einen Weckruf für halb eins. Wenn er fünf Stunden schlief, dachte er, mußten die Dinge ja etwas klarer werden.

Matlock schlief fünf Stunden und zwanzig Minuten, und dennoch hatte sich nicht viel verändert. Sehr wenig war ihm klarer geworden. Wenn überhaupt, schien ihm das Massaker in Windsor Shoals jetzt noch ungewöhnlicher als zuvor. War es möglich, daß er als Opfer ausersehen gewesen war? Oder hatten die Mörder draußen gewartet, stumm darauf gewartet, daß er ging, ehe sie ihre Hinrichtungen vollzogen?

Fehler oder Warnungen?

Um Viertel nach eins fuhr er auf den Merrit Parkway. Um halb zwei bog er in die Berlin Turnpike und fuhr auf Nebenstraßen nach Hartford. Um fünf Minuten nach zwei betrat er Blackstones Büro.

»Hören Sie«, sagte Michael Blackstone und lehnte sich über seinen Schreibtisch und starrte Matlock an, »wir stellen zwar nur wenige Fragen, aber daraus sollten Sie ja nicht schließen, daß wir unseren Klienten Blankoschecks geben!«

»Mir scheint, Sie wollen das genau umgekehrt haben.«

»Dann nehmen Sie Ihr Geld und gehen Sie woanders hin. Wir werden es überleben!«

»Augenblick mal! Sie wurden dafür bezahlt, ein Mädchen zu beschützen, das ist alles! Dafür bezahle ich dreihundert Dollar den Tag! Alles andere sind Randerscheinungen, und dafür bezahle ich wahrscheinlich auch.«

»Sie werden keine zusätzliche Belastung bekommen. Ich weiß nicht, wovon Sie reden.« Plötzlich beugte sich Blackstone nach vorne und flüsterte mit heiserer Stimme: »Herrgott, Matlock? Zwei *Männer*! Zwei Männer auf dieser gottverdammten Liste sind letzte Nacht ermordet worden! Wenn Sie ein mit Drogen vollgepumpter Verrückter sind, will ich nichts mit Ihnen zu tun haben! Das kommt hier nicht in Frage! Mir ist egal, *wer* Ihr alter Herr ist oder *wieviel* Geld Sie haben!«

»Jetzt weiß ich nicht, wovon *Sie* reden. Nur das, was ich in den Zeitungen gelesen habe. Ich war letzte Nacht in einem Motel in Fairfield. Ich bin um zwei Uhr morgens dort eingetroffen. Nach dem, was in den Zeitungen steht, haben diese Morde gegen fünf Uhr stattgefunden.«

Blackstone stieß sich von dem Tisch ab und stand auf. Er sah Matlock argwöhnisch an. »Können Sie das bestätigen?«

»Wollen Sie den Namen und die Telefonnummer des Motels? Geben Sie mir ein Telefonbuch, dann suche ich es heraus.«

»Nein! … Nein. Ich will gar nichts wissen. Sie waren in Fairfield?«

»Holen Sie das Telefonbuch.«

»Schon gut. Schon gut, vergessen Sie es. Ich glaube, daß Sie lügen, aber Sie haben sich abgesichert. Wie Sie schon sagten, wir werden nur dafür bezahlt, das Mädchen zu schützen.«

»Hat sich seit Sonntag nachmittag etwas geändert? Ist alles in Ordnung?«

»Ja … Ja.« Blackstone schien plötzlich tief in Gedanken. »Ich habe Ihr Tel-electronic. Es funktioniert. Das macht zusätzliche zwanzig Dollar pro Tag.«

»Verstehe. Großhandelspreis.«

»Wir haben nie behauptet, wir wären billig.«

»Könnten Sie auch nicht.«

»Richtig.«

Blackstone blieb stehen und drückte einen Knopf auf seiner Sprechanlage und sprach in das Mikrofon: »Bringen Sie Mr. Matlocks Tel-electronic herein, bitte.«

Sekunden darauf trat ein attraktives Mädchen in das Büro. Sie trug ein Kästchen aus Metall, das nicht größer als ein Päckchen Zigaretten war. Sie stellte es auf Blackstones Schreibtisch und legte eine Karteikarte daneben. Dann verließ sie das Büro ebenso schnell wieder, wie sie es betreten hatte.

»Hier bitte«, sagte Blackstone. »Ihr Code ist Charger Drei-Null. Das bedeutet, Carlyle Territorium, Drei-Mann-Team. Die Telefonnummer, die Sie anrufen, ist fünf, fünf, fünf, sechs, acht, sechs, acht. Wir halten immer eine Liste von Nummern bereit, die leicht auswendig zu merken sind. Das Tel-electronic gibt sein Signal mit kurzen Pfeiftönen. Sie können es abschalten, indem Sie diesen Knopf hier drücken. Wenn das Signal gesendet wird, rufen Sie die Nummer an. Ein Tonbandgerät, das an das Telefon angeschlossen ist, übermittelt Ihnen die Nachricht des Teams. Häufig wird die Nachricht in der Anweisung bestehen, eine andere Telefonnummer anzurufen, um direkten Kontakt herzustellen. Verstehen Sie das alles? Es ist wirklich sehr einfach.«

»Ich verstehe«, sagte Matlock und nahm die kleine Metallbox an sich. »Mich verwirrt nur etwas, daß sie die Männer nicht einfach in diesem Büro anrufen lassen und dann mit mir Verbindung aufnehmen. Abgesehen von Ihren Profiten wäre das doch ganz bestimmt einfacher, oder?«

»Nein. Die Fehlermöglichkeiten wären da zu groß. Wir haben eine große Zahl von Klienten. Wir möchten, daß unsere Klienten in direktem Kontakt mit den Männern stehen, für die sie bezahlen.«

»Ich verstehe.«

»Außerdem respektieren wir den Persönlichkeitsschutz unserer Klienten. Wir halten es für keine besonders gute Idee, daß Informationen durch Dritte oder Vierte übermittelt werden. Übrigens, Sie können das Team auf demselben Weg erreichen. Jeder hat ein solches Gerät. Sie brauchen nur die Nummer anzurufen und die Nachricht für sie auf Band sprechen.«

»Höchst lobenswert.«

»Nein, nur professionell.« Dann setzte sich Blackstone

zum ersten Mal, seit Matlock das Büro betreten hatte, in seinen Sessel und lehnte sich zurück. »Jetzt will ich Ihnen etwas sagen, und wenn Sie darin eine Bedrohung sehen wollen, wäre das durchaus gerechtfertigt. Wenn Sie Ihren Auftrag wegen dem, was ich sage, zurücknehmen wollen, wäre das ebenfalls okay ... Wir wissen, daß Sie aktiv von Agenten des Justizministeriums gesucht werden. Aber man hat keine Anklage gegen Sie erhoben, es gibt keine Haftbefehle. Sie besitzen gewisse Rechte, die die Bundesbehörden in ihrem Übereifer häufig übersehen – das ist einer der Gründe, weshalb wir im Geschäft sind. Aber, *noch einmal*, wir möchten, daß Sie wissen, daß unsere Dienste sofort eingestellt werden, wenn Ihr Status sich ändern sollte, wenn Anklage erhoben werden sollte oder jemand einen Haftbefehl gegen Sie erwirken würde. In diesem Fall würden wir nicht zögern, die Behörden zu unterstützen und ihnen Ihren Aufenthaltsort bekanntgeben. Alle Informationen, die wir besitzen, werden nur Ihren Anwälten ausgehändigt – es handelt sich dabei im juristischen Sinn um privilegiertes Wissen –, nicht aber Ihr Aufenthaltsort. *Capiche*?«

»Ja. Das ist fair.«

»Wir sind mehr als fair. Deshalb werde ich eine Vorauszahlung für zehn Tage von Ihnen verlangen – alles, was nicht aufgebraucht wird, erhalten Sie später zurück ... In dem Fall, daß die Situation sich ändert, und die Bundesagenten einen Haftbefehl gegen Sie erwirken, werden Sie – nur *einmal* – die folgende Botschaft über das Tonbandgerät erhalten. *Nur diese Worte.*«

Blackstone hielt inne, wie um dem, was er sagte, mehr Gewicht zu verleihen.

»Und die lauten?«

»*›Charger Drei-Null ist storniert.*‹«

Als er wieder auf der Bond Street stand, empfand Matlock ein Gefühl, von dem er wußte, daß es ihn nicht mehr verlassen würde, bis seine Reise, bis sein Rennen vorüber war. Er hatte das Empfinden, daß die Leute ihn anstarrten. Er begann zu glauben, daß Fremde ihn beobachteten. Er ertappte sich dabei, wie er sich unwillkürlich umdrehte und versuchte, die unsichtbaren, ihn beobachtenden Augen zu sehen. Aber da gab es keine.

Keine, die er ausmachen konnte.

Das korsische Papier mußte jetzt aus seiner Wohnung geholt werden. Angesichts dessen, was Blackstone gesagt hatte, hatte es wenig Sinn, wenn er selbst versuchte, es zu holen. Seine Wohnung würde überwacht werden – beide Lager würden sie überwachen, die Sucher und die Gesuchten.

Er würde das Blackstone-Team benutzen, einen von ihnen, würde die Garantie, die Blackstone ihm gegeben hatte, auf die Probe stellen. Er würde sie – ihn – erreichen, vorher mußte er nur noch ein Telefongespräch führen. Ein Gespräch, in dem sich für ihn klar herausstellen würde, ob die silberne korsische Einladung wirklich notwendig war oder nicht. Ein Anruf bei Samuel Sharpe, Rechtsanwalt, Windsor Shoals, Connecticut.

Matlock beschloß, Sharpe eine kurzzeitige mitfühlendere Seite seiner künstlichen Persönlichkeit zu zeigen. Sharpe selbst hatte einen Augenblick lang die Kontrolle über sich verloren. Matlock dachte, daß dies der Augenblick war, um anzudeuten, daß selbst Männer wie er – Männer, die einflußreiche Freunde in San Juan und London hatten – über Gefühle verfügten, die über das persönliche Überleben hinausreichten.

Er betrat die Lobby des Americana-Hotels und rief ihn an. Sharpes Sekretärin meldete sich.

»Sind Sie in einem Büro, wo Mr. Sharpe sofort zurückrufen kann?«

»Nein, ich bin in einer Telefonzelle. Außerdem habe ich es eilig.«

Eine Weile blieb es still, aber er hatte bemerkt, daß vorher ein Knopf gedrückt worden war. Er brauchte nur zehn Sekunden zu warten.

»Darf ich die Nummer haben, von der aus Sie anrufen, Mr. Matlock? Mr. Sharpe ruft Sie innerhalb von fünf Minuten zurück.«

Matlock gab dem Mädchen die Nummer und legte auf.

Während er auf der Plastikbank saß, wanderte seine Erinnerung zu einer anderen Telefonzelle und einer anderen plastiküberzogenen Bank zurück. Und zu einem schwarzen Buick, der an dem toten Mann vorbeiraste, der in jener Zelle kauerte, mit einem Einschuß in der Stirne.

Die Glocke schlug an. Matlock nahm den Hörer ab.

»Matlock?«

»Sharpe?«

»Sie sollten mich nicht im Büro anrufen. Das sollten Sie eigentlich wissen. Ich mußte in die Lobby hinuntergehen, zu einem Automaten.«

»Ich hatte nicht damit gerechnet, daß das Telefon eines angesehenen Anwalts riskant sein könnte. Tut mir leid.«

Am anderen Ende der Leitung herrschte ein paar Augenblicke lang Schweigen. Offensichtlich rechnete Sharpe nie mit einer Entschuldigung. »Ich bin ein vorsichtiger Mann, das habe ich Ihnen gesagt. Was gibt es?«

»Ich wollte nur wissen, wie es Ihnen geht. Wie alles gelaufen ist. Das war eine schreckliche Sache letzte Nacht.«

»Ich hatte keine Zeit für eine Reaktion. Es gibt zu viel zu tun. Polizei, Begräbnisformalitäten, Reporter.«

»Was sagen Sie? Wie betreiben Sie diese Geschichte?«

»Es wird keine größeren Fehler geben. Um es in kurzen Worten zu sagen – wenn es darauf hinausläuft – ich bin ein unschuldiges Opfer. Frank ist auch ein Opfer, nur, daß er tot ist … Frank wird mir fehlen. Er war wirklich ein netter Kerl. Oben mache ich natürlich dicht. Die Polizei ist schon bezahlt worden. Von Ihren Leuten, nehme ich an. Es wird genau das sein, was in den Zeitungen stehen wird. Ein paar italienische Gangster, die in einem netten kleinen Landrestaurant niedergeschossen worden sind.«

»Sie sind ein kalter Brocken.«

»Ich hab' es Ihnen ja gesagt«, erwiderte Sharpe traurig. »Ich bin ein vorsichtiger Mann. Ich bin auf Notfälle vorbereitet.«

»Wer hat es getan?«

Sharpe beantwortete die Frage nicht. Er sagte überhaupt nichts.

»Ich habe Sie gefragt, wen Sie für die Täter halten?«

»Ich nehme an, Sie und Ihre Leute werden das vor mir herausfinden ... Bartolozzi hatte Feinde; er war ein unangenehmer Typ. Rocco wohl auch, denke ich ... Aber warum Frank? Das müssen Sie mir sagen.«

»Ich weiß nicht. Ich habe noch mit niemandem gesprochen.«

»Sehen Sie zu, ob Sie es erfahren können. Bitte. Das war nicht richtig.«

»Ich will es versuchen. Das verspreche ich ... Und Sammy, rufen Sie in Stockton und Cantor an, nicht vergessen.«

»Ich vergesse es schon nicht. Ich habe mir das für heute nachmittag auf den Kalender geschrieben. Ich sagte Ihnen doch, daß ich methodisch zu arbeiten pflege.«

»Danke. Mein herzliches Beileid wegen Frank. Er schien mir wirklich ein netter Bursche.«

»Ganz große Klasse war der Junge.«

»Sicher war er das ... Ich melde mich wieder, Sammy. Ich habe das nicht vergessen, was ich Ihnen versprochen habe. Sie haben mich wirklich beeindruckt. Ich werde ...«

Das Geräusch von Münzen, die im Inneren des Telefons in Windsor Shoals in einen Schacht fielen, unterbrach Matlock. Das Zeitlimit war verbraucht, und es hatte wenig Sinn, das Gespräch auszudehnen. Er hatte das erfahren, was er wissen mußte. Jetzt brauchte er das Papier aus Korsika. Das schreckliche Massaker in der Morgendämmerung hatte den methodischen Sharpe nicht dazu veranlaßt, die Telefonanrufe zu vergessen, die zu tätigen er versprochen hatte. Warum das so war, war für Matlock ein Wunder, aber so war es einfach. Der vorsichtige Mann war nicht in Panik geraten. Er war wie Eis.

In der Telefonzelle war es stickig, eng, unbequem, und die Luft war von Rauch erfüllt. Er öffnete die Tür und ging schnell quer durch die Hotellobby zum Haupteingang.

Er bog um die Ecke der Asylum Street und sah sich nach einem passenden Restaurant um. Eines, in dem er zu Mittag essen konnte, während er den Rückruf von Charger Drei-Null erwartete. Blackstone hatte gesagt, daß er eine Nummer hinterlassen solle; was gab es schon für eine bessere als die eines Restaurants.

Er sah die Tafel: The Lobster House. Es handelte sich um ein Lokal, wie es von Geschäftsleuten besucht wird.

Er erhielt eine Nische für sich, keinen Tisch. Es war schon fast drei; die Mittagsgäste waren weniger geworden. Er setzte sich und bestellte sich einen Bourbon on the Rocks und erkundigte sich bei der Kellnerin nach dem nächsten Telefon. Er wollte gerade die Nische verlassen, um 555-6868 anzurufen, als er das scharfe Piepen des Tel-electronic aus seiner Tasche hörte. Zuerst lähmte ihn das fast. Es war gerade, als wäre ein Teil seiner Person – ein hysterisches Organ vielleicht – verrückt geworden und versuchte, seine Not in die Welt hinauszurufen. Seine Hand zitterte, als er in die Manteltasche fuhr und ihr das kleine Gerät entnahm. Er fand den Abschaltknopf und drückte ihn ein, so fest er konnte. Dann sah er sich um und fragte sich, ob das Geräusch wohl irgend jemand aufgefallen war.

Das war es nicht. Niemand erwiderte seinen Blick. Niemand hatte auch nur das geringste gehört.

Er verließ seinen Sitz und ging schnell auf das Telefon zu. Sein einziger Gedanke war Pat – etwas war geschehen, etwas, das Charger Drei-Null wichtig genug schien, um die schreckliche, heimtückische Maschine in Gang zu setzen, die ihn erschreckt hatte.

Matlock zog die Türe hinter sich zu und wählte 555-6868.

»Charger Drei-Null, erstatte Meldung.« Die Stimme hatte den typisch fernen Klang einer Tonbandaufnahme. »Bitte rufen Sie Nummer fünf, fünf, fünf; eins, neun, fünf, eins an. Kein Grund zur Besorgnis, Sir. Es gibt keine Probleme. Wir werden die nächste Stunde über diese Nummer zu erreichen sein. Noch einmal die Nummer: fünf, fünf, fünf; eins, neun, fünf, eins.«

Matlock begriff, daß Charger Drei-Null sich große Mühe gab, seine Ängste sofort zu beschwichtigen, vielleicht weil das seine erste Erfahrung mit dem Tel-electronic war. Er hatte das Gefühl, daß Charger Drei-Null – selbst wenn die Stadt Carlyle von einer Atombombe getroffen werden sollte – immer noch mit der gleichen beruhigenden Stimme sprechen würde. Außerdem überlegte er, daß ein Mann vermutlich klarer dachte, wenn er keine Angst hatte. Was auch immer es sein mochte, Matlock wußte, daß die Methode funktionierte. Er war jetzt ruhiger. Er griff in die Tasche und entnahm ihr etwas Kleingeld und nahm sich gleichzeitig vor, sich einige Dollarnoten in Kleingeld wechseln zu lassen. Der Telefonautomat war ein wichtiger Bestandteil seines Lebens geworden.

»Ist das fünf, fünf, fünf; neunzehneinundfünfzig?«

»Ja«, sagte dieselbe Stimme, die er auf dem Tonband gehört hatte. »Mr. Matlock?«

»Ja. Geht es Miß Ballantyne gut?«

»Sehr gut, Sir. Da haben Sie wirklich einen guten Arzt. Sie hat sich heute morgen schon aufgesetzt. Der größte Teil der Schwellung ist zurückgegangen. Der Arzt ist recht zufrieden … Sie hat sich einige Male nach Ihnen erkundigt.«

»Und was sagen Sie ihr?«

»Die Wahrheit. Daß Sie uns eingestellt hätten, damit wir sicherstellen, daß sie nicht belästigt wird.«

»Ich meine in bezug auf den Ort, an dem ich mich befinde.«

»Wir sagten ihr einfach nur, Sie müßten auf ein paar Tage verreisen. Wäre vielleicht eine gute Idee, wenn Sie sie anrufen. Seit heute nachmittag darf sie Telefongespräche führen. Wir filtern sie natürlich aus.«

»Natürlich. Haben Sie deshalb mit mir Verbindung aufgenommen?«

»Teilweise. Der andere Grund ist Greenberg. Jason Greenberg. Er ruft die ganze Zeit Ihretwegen an. Er besteht darauf, daß Sie mit ihm Verbindung aufnehmen.«

»Was hat er gesagt? Wer hat mit ihm gesprochen?«

»Ich. Übrigens, mein Name ist Cliff.«

»Okay, Cliff, was hat er gesagt?«

»Daß Sie ihn sofort anrufen sollen. Es sei sehr wichtig. Ich habe auch eine Nummer für Sie. Der Apparat steht in Wheeling, West Virgina.«

»Geben Sie her.« Matlock holte seinen Kugelschreiber

heraus und schrieb die Nummer auf das hölzerne Regalbrett unter dem Telefon.

»Mr. Matlock?«

»Ja, was ist?«

»Greenberg hat auch noch gesagt, daß wir Ihnen sagen sollen, … ›daß die Städte nicht mehr sterben, sie seien bereits tot‹. Das waren seine Worte. ›Die Städte sind tot.‹«

23

Cliff erklärte sich kommentarlos bereit, das korsische Papier aus Matlocks Wohnung zu holen. Später wollten sie telefonisch ein Treffen vereinbaren. Falls das Papier fehlen sollte, würde Charger Drei-Null ihn unverzüglich informieren.

Matlock beschränkte sich auf einen Drink. Er stocherte in seinem Mittagessen herum und verließ das Lobster House um halb vier. Es war Zeit, seine Streitkräfte neu zu formieren, frische Munition zu fassen. Er hatte den Cadillac einige Häuserblocks südlich von Blackstones Büro auf einem Parkplatz an der Bond Street abgestellt. Es handelte sich um eine städtische Parkfläche, auf der jeder einzelne Abstellplatz seine eigene Parkuhr hatte. Als Matlock zu seinem Wagen ging, kam ihm in den Sinn, daß er seit dem Besuch bei Blackstone nicht mehr zurückgekehrt war, um zusätzliche Münzen einzuwerfen. Die Parkuhren reichten nur eine Stunde; er war fast zwei Stunden dort gewesen. Was die Mietwagenfirmen wohl mit den vielen Verkehrsübertretungen anfingen, die sich ohne Zweifel bei ihren Kunden ergaben? Er betrat den Parkplatz und überlegte einen Augenblick lang, ob er die richtige Parkgasse ausgewählt hatte. Dann wurde ihm klar, daß das nicht der Fall war. Der Cadillac stand zwei Reihen weiter, in der vierten Gasse. Er fing an, sich an den dicht beieinanderstehenden Fahrzeugen vorbeizuwinden und blieb dann stehen.

Zwischen den Wagen sah er die blau-weißen Streifen eines Patrouillenwagens von Hartford. Er parkte unmittelbar hinter seinem Cadillac. Ein Polizeibeamter versuchte gerade, die Tür des Cadillac zu öffnen, während ein zweiter Streifenbeamter an dem Polizeifahrzeug lehnte und telefonierte.

Sie hatten den Wagen gefunden. Es machte ihm Angst, aber irgendwie überraschte es ihn nicht.

Er zog sich vorsichtig zurück, bereit, davonzurennen, falls man ihn entdeckte. Sein Verstand arbeitete fieberhaft, beschäftigte sich mit den Problemen, die diese neue Komplikation schuf. Zuallererst mußte er sich wieder einen Wagen beschaffen. An zweiter Stelle kam die Tatsache, daß sie jetzt wußten, daß er sich in der Umgebung von Hartford aufhielt. Somit schieden auch andere Verkehrsmittel aus. Die Eisenbahnstationen, die Busterminals, selbst die Taxibüros waren ohne Zweifel alarmiert. Es lief darauf hinaus, daß er sich einen anderen Wagen besorgen mußte.

Und doch wunderte er sich. Blackstone hatte ihm eindeutig erklärt, daß keine Anklage gegen ihn bestand, kein Haftbefehl. Wenn es so etwas gegeben hätte, hätte er die Nachricht von fünf, fünf, fünf; sechs, acht, sechs, acht erhalten. Er hätte die Worte ›Charger Drei-Null ist storniert‹ gehört.

Das hatte er nicht. Einen Augenblick lang überlegte er, ob er zu dem Streifenwagen gehen und ein Ticket wegen Überschreiten der Parkzeit annehmen sollte.

Dann verwarf er den Gedanken. Diese Polizisten waren keine gewöhnlichen Politessen. Hinter dem A&P war auch ein Parkplatz gewesen und ebenfalls ein Polizist – in Zivilkleidung –, der ihm gefolgt war. Hinter dem Ganzen stand ein Plan, auch wenn er ihn noch nicht ergründen konnte.

Matlock ging schnell die Bond Street hinauf und entfernte sich von dem öffentlichen Parkplatz. Er bog in die erste Seitenstraße und bemerkte plötzlich, daß er angefangen hatte zu laufen. Sofort verlangsamte er seine Schritte wieder. Es gibt nichts, was auf einer überfüllten Straße mehr auffällt als ein laufender Mann – höchstens eine Frau. Er verfiel in eine Gangart, wie sie die anderen nachmittäglichen Passanten hatten und gab sich große Mühe, in dem Strom menschlichen Verkehrs unterzutauchen, mit ihm eins zu werden. Hin und wieder blieb er stehen, um mit glasigen Augen Schaufenster zu betrachten, ohne wirklich die dort ausgestellte Ware anzusehen. Dann begann er über das nachzudenken, was ihm geschah. Die primitiven Instinkte des Gejagten waren in Funktion gesetzt worden. Die schützenden Antennen des in die Enge getriebenen Tieres bewegten sich, nahmen Eindrücke aus der Umgebung auf, und gleichzeitig gab sich sein Körper nach Art eines Chamäleons große Mühe, sich der Umgebung anzupassen.

Und doch war er gar nicht der Gejagte. Er war der Jäger! Verdammt, er war der Jäger!

»Hallo, Jim! Wie geht's Ihnen denn? Was machen Sie denn in der Großstadt?«

Der Schock der Begrüßung führte dazu, daß Matlock sein Gleichgewicht verlor. Daß er tatsächlich sein *Gleichgewicht verlor* und stürzte. Er fiel zu Boden, und der Mann, der ihn angesprochen hatte, beugte sich über ihn und war ihm beim Aufstehen behilflich.

»O! Hallo Jeff! Herrgott, haben Sie mich erschreckt. Danke.« Matlock stand auf und wischte sich den Staub ab. Er sah sich um und überlegte, wer außer Jeff Kramer ihn jetzt wohl noch beobachtete.

»Zu ausgiebig zu Mittag gegessen, wie?« lachte Kramer. Er war ein ehemaliger Student von Carlyle, hatte seine Abschlußarbeit in Psychologie gemacht und dabei ein so gutes Examen geschrieben, daß eine teure Public-Relations-Firma ihn sofort aufgenommen hatte.

»Du lieber Gott, nein! Ich war nur in Gedanken. Der richtige zerstreute Professor.« Und dann sah Matlock Jeff Kramer an. Jeff Kramer war nicht nur leitender Mitarbeiter einer teuren Firma, sondern hatte auch noch eine teure Frau und zwei sehr teure Kinder auf ungemein teuren Internaten. Matlock fand, daß er das, was er gesagt hatte, noch unterstreichen sollte. »Genau gesagt, habe ich nur einen Bourbon gehabt und den nicht zu Ende getrunken.«

»Da läßt sich Abhilfe schaffen«, sagte Kramer und deutete auf die Hogshead Tavern auf der anderen Straßenseite. »Ich habe Sie ja seit Monaten nicht mehr gesehen. Im *Courant* stand, daß man bei Ihnen eingebrochen hat.«

»Verdammt, *und ob* man das hat! Was die mitgenommen haben, wäre ja noch zu ertragen gewesen, aber wie die die Wohnung zugerichtet haben! Und den *Wagen*!« Matlock schlenderte mit Jeff Kramer auf die Hogshead Tavern zu. »Deshalb bin ich ja in der Stadt. Ich habe meinen Triumph hier in einer Werkstätte. Das ist ja mein Problem.«

Der Gejagte hatte nicht nur Antennen, die ihn vor seinen Feinden warnten, sondern auch die unheimliche – wenn auch nur zeitweise funktionierende – Fähigkeit, aus Nachteilen Vorteile zu machen, Nutzen aus jeder Chance zu ziehen.

Matlock nippte an seinem Bourbon und Wasser, während Kramer mit einigen Schlucken seinen Scotch zur Hälfte leerte. »Die Vorstellung, einen Bus nach Scarsdale zu nehmen und in New Haven und Bridgeport umzusteigen, macht nicht gerade Spaß.«

»Um Himmels willen, *mieten* Sie sich doch einen Wagen.«

»Ich habe es gerade bei zwei Firmen versucht. Die erste hat erst heute abend einen, die zweite erst morgen. Irgendeine Ausstellung, nehme ich an.«

»Dann warten Sie eben bis heute abend.«

»Geht nicht. Familiengeschäfte. Mein Vater hat eine Sitzung seiner wirtschaftlichen Berater einberufen. Zum Abendessen – und wenn Sie meinen, daß ich ohne Wagen nach Scarsdale fahre, haben Sie sich getäuscht!«

Matlock lachte und bestellte eine zweite Runde. Er griff in die Tasche und legte eine Fünfzig-Dollar-Note auf die Bar. Der Schein mußte die Aufmerksamkeit von Jeff Kramer erwecken, der doch eine so teure Frau hatte.

»Ich hätte nie gedacht, daß Sie auch nur ein Konto ausgleichen können, geschweige denn wirtschaftlicher Ratgeber sein.«

»Ah, ich bin doch der Kronprinz. Das kann man einfach nicht vergessen.«

»Ein Glückspilz sind Sie. Das kann ich nicht vergessen. Ein richtiger Glückspilz.«

»Hey! Jetzt kommt mir eine Idee. Haben Sie Ihren Wagen in der Stadt?«

»Hey, Augenblick mal, wie …«

»Nein, hören Sie zu.« Matlock holte ein Bündel Geldscheine heraus. »Der alte Herr wird es bezahlen ... Vermieten Sie mir *Ihren* Wagen. Vier oder fünf Tage ... Hier, ich gebe Ihnen zwei, dreihundert.«

»Sie sind verrückt!«

»Nein, bin ich nicht. Er will, daß ich komme. Er wird auch bezahlen.«

Matlock konnte förmlich sehen, wie es in Kramer arbeitete. Er schätzte ab, was ein billiger Mietwagen für eine Woche kosten würde. Neunundsiebzig fünfzig und zehn Cent die Meile bei einer durchschnittlichen täglichen Fahrleistung von vielleicht fünfzehn oder zwanzig Meilen. Höchstens hundertfünf, hundertzehn Dollar die Woche. Kramer hatte eine sehr teure Frau und zwei sehr teure Kinder auf außergewöhnlich teuren Internaten.

»Soviel kann ich unmöglich nehmen.«

»Von *mir* doch nicht! Herrgott, das zahlt *er* doch!«

»Nun ...«

»Kommen Sie, ich schreibe gleich eine Rechnung aus. Die gebe ich ihm sofort, wenn ich ankomme.« Matlock nahm eine Serviette und drehte sie um, so daß die bedruckte Seite noch unten lag. Er holte seinen Kugelschreiber heraus und begann zu schreiben. »Ganz einfacher Vertrag ... ›Ich, James B. Matlock, verpflichte mich, Jeffrey Kramer dreihundert ...‹ was zum Teufel, ist ja sein Geld ... ›vierhundert Dollar für leihweise Überlassung seines ...‹ was ist's denn für eine Marke?«

»Ein Ford Stationwagon. Ein weißer Squire. Vom letzten Jahr.« Kramers Augen wanderten zwischen der Serviette und dem Bündel Geldscheinen hin und her, das Matlock gleichgültig auf der Bar hatte liegen lassen.

»›Ford Stationwagon auf die Dauer von ...‹ sagen wir eine Woche, okay?«

»Meinetwegen.« Kramer leerte sein zweites Glas Scotch.

»›einer Woche ... Unterschrift James B. Matlock!‹ Bitte schön, mein Freund. Zeichnen Sie gegen. Hier sind die vierhundert. Sie können Jonathan Munro dafür danken. Wo steht der Wagen?«

Die Instinkte des Gejagten waren unfehlbar, dachte Matlock, als Kramer die Scheine einschob und sich mit einer Serviette über das Kinn wischte, wo ihm Schweißtropfen hervorgetreten waren. Kramer holte die zwei Wagenschlüssel und den Parkzettel aus der Tasche. Wie Matlock vermutet hatte, wollte Jeff Kramer jetzt gehen. Mit seinen vierhundert Dollar.

Matlock versprach Kramer, in weniger als einer Woche anzurufen und den Wagen zurückzugeben. Kramer bestand darauf, die Getränke zu bezahlen und verließ eilig die Hogshead Tavern. Matlock trank seinen Bourbon alleine aus und überlegte seinen nächsten Schritt. Gejagter und Jäger waren jetzt eins geworden.

24

Matlock rollte in Kramers weißem Stationwagon die Route 72 hinunter in Richtung auf Mount Holly. Er wußte, daß er, ehe die nächste Stunde um war, eine Telefonzelle finden, eine Münze in den Zahlschlitz schieben und einen weiteren Anruf tätigen würde. Diesmal würde er einen Mann namens Howard Stockton, Besitzer des Carmount Country Club, anrufen. Er sah auf die Uhr; beinahe halb neun. Samuel Sharpe, Rechtsanwalt, dürfte Stockton bereits vor einigen Stunden angesprochen haben.

Wie Stockton wohl reagiert haben mochte.

Die Scheinwerfer des Stationwagon erfaßten das Ortsschild.

MOUNT HOLLY, 12386 EINWOHNER

Und dahinter spiegelte sich ein zweites Schild.

MOUNT HOLLY ROTARY CLUB
HARPER'S REST
DIENSTAG MITTAG
EINE MEILE

Warum nicht? dachte Matlock. Er hatte nichts zu verlieren. Wahrscheinlich sogar etwas zu gewinnen, wenn nicht zu lernen.

Der Jäger.

Die weiße Stuckfassade und die roten Neonlampen in den Fenstern sagten alles, was es über Harpers Küche zu sagen gab. Matlock parkte neben einem Kleinlaster, stieg aus und sperrte den Wagen ab. Sein neu gekaufter Koffer mit den neu gekauften Kleidern lag auf dem Rücksitz. Er hatte in Hartford einige hundert Dollar ausgegeben; er wollte kein Risiko eingehen.

Er ging über den billigen groben Kies und betrat die Bar von Harper's Restaurant.

»Ich bin auf der Fahrt nach Carmount«, sagte Matlock und zahlte mit einer Zwanzig-Dollar-Note für seinen Drink. »Würden Sie mir sagen, wo zum Teufel das liegt?«

»Etwa zweieinhalb Meilen westlich von hier. Biegen Sie etwas weiter unten an der Straße nach rechts ab. Haben Sie's nicht kleiner? Ich hab' nur zwei Fünfer und sonst nur Ein-Dollar-Scheine. Diese brauch' ich.«

»Geben Sie mir die Fünfer und wir knobeln um den Rest. Wenn Kopf oben ist, behalten Sie ihn, sonst nehm' ich noch einen und Sie behaltens trotzdem.« Matlock nahm eine Münze aus der Tasche und warf sie auf die mit Resopal belegte Theke und legte die Hand darüber. Dann hob er die Hand und steckte die Münze wieder ein, ohne sie dem Barkeeper zu zeigen. »Da haben Sie Pech gehabt. Sie schulden mir noch einen Drink – die zehn gehören Ihnen.«

Was er sagte, blieb den anderen Gästen nicht verborgen. Es waren drei Männer, die Bier tranken. Ganz gut so, dachte Matlock, während er sich nach einem Telefon umsah.

»Die Toilette ist ganz hinten, gleich um die Ecke«, sagte ein rustikal wirkender Mann in einer großkarierten Jacke und einer Baseballmütze.

»Danke. Telefon auch?«

»Neben dem Klo.«

»Danke.« Matlock holte einen Zettel heraus, auf den er geschrieben hatte: Howard Stockton, Carmount C.C.,

205-421-1100. Er winkte dem Barkeeper, der wie aus der Pistole geschossen herankam. »Ich soll diesen Knaben hier anrufen«, sagte Matlock leise. Ich glaube, ich hab' den Namen nicht richtig aufgeschrieben. Ich weiß nicht genau, ob er Stackton oder Stockton heißt. Kennen Sie ihn?«

Der Barkeeper sah auf das Papier, und Matlock bemerkte, wie es in seinen Augen aufblitzte. »Sicher. Stimmt schon. Stockton heißt er. Mr. Stockton. Er ist Vizepräsident im Rotary Club. Letztes Jahr war er Präsident. Stimmts, Leute?« Die Frage galt den übrigen Gästen.

»Sicher.«

»So ist es. Stockton.«

»Netter Kerl.«

Der Mann in der großkarierten Jacke und der Baseballmütze hielt es für notwendig, einige Einzelheiten hinzuzufügen. »Der ist Chef vom Country Club. Wirklich nett ist's dort. Echt.«

»Country Club?« Matlock stellte die Frage in leicht belustigtem Ton.

»Mhm. Swimmingpool, 'n Golfplatz. Am Wochenende wird getanzt. Klasse.« Diesmal lieferte der Barkeeper die Details.

»Ich würde sagen, er wird sehr empfohlen. Dieser Stockton, meine ich.« Matlock leerte sein Glas und sah sich um. »Dort hinten ist das Telefon, sagen Sie?«

»Ja, Mister. Gleich um die Ecke.«

Matlock griff in die Tasche nach Kleingeld und ging zu dem schmalen Korridor, wo die Toiletten und die Telefonzelle waren. Kaum war er um die Ecke gebogen, als er stehenblieb und sich gegen die Wand drückte. Er belauschte das Gespräch, von dem er wußte, daß es gleich beginnen würde.

»Der schmeißt vielleicht mit dem Geld 'rum, hm?« Das war der Barkeeper.

»Das tun die alle. Hab' ich das nicht erzählt? Mein Junge hat vor'n paar Wochen dort Caddy gemacht – da schlägt so'n Typ 'n Birdie und gibt dem Jungen fünfzig Dollar. Mann Gottes! Fünfzig Dollar!«

»Meine Alte sagt, all die 'rausgeputzten Weiber dort sind *Huren*. Echte Huren. Meine Alte arbeitet dort immer auf Parties. Richtige Huren ...«

»Da würde ich gern mal eine zwischen die Finger kriegen. Du lieber Gott! Ich kann euch sagen, die meisten tragen nicht mal BHs!«

»Richtige Huren ...«

»Wen juckt das schon? Dieser Stockton ist okay. Für mich ist er okay. Wißt ihr, was er gemacht hat? Die Kings. Ihr wißt schon, Artie King, der den Herzanfall hatte – er ist beim Rasenmähen dort oben tot umgefallen. Der alte Stockton hat der Familie nicht nur 'ne Menge Kies gegeben – nein, ein Konto hat er ihnen eröffnet im A&P. Ehrlich. Der ist okay.«

»Richtige Huren. Die treiben's für Geld ...«

»Stockton hat fast den ganzen Ausbau für die Schule bezahlt, vergeßt das nicht. Verdammt recht habt ihr, der ist okay. Ich hab' zwei Kinder auf der Schule!«

»Nicht nur – wißt ihr was? Er hat'n ganzen Haufen für das Picknick am Memorial Day gestiftet.«

»Richtige Huren ...«

Matlock ging lautlos weiter und schloß dann die Türe der Telefonzelle hinter sich, möglichst leise. Die Männer an der Bar wurden in ihrer Bewunderung für Howard Stockton, Eigentümer des Carmount Country Club, immer lauter. Eigentlich brauchte er sich gar keine Sorgen zu machen, daß sie hörten, wie er die Tür der Telefonzelle verspätet schloß.

Was ihn auf seltsame Weise beschäftigte, war er selbst. Wenn der *Gejagte* Instinkte hatte – Instinkte, die ihrem Wesen nach auf seinen Schutz abzielten, hatte der *Jäger* sie auch – und diese Instinkte waren aggressiv. Er begriff jetzt, daß es notwendig war, der Schweißspur zu folgen, sich ein Geflecht aus alles umfassenden Angewohnheiten aufzubauen. Es bedeutete, daß der Jäger abstrakte Werkzeuge besaß, die seine Waffen ergänzten. Werkzeuge, mit denen er sich eine Falle bauen konnte, eine Fallgrube, in die der Gejagte vielleicht stürzen würde.

Er hakte sie in Gedanken nacheinander ab.

Howard Stockton: ehemaliger Präsident, augenblicklicher Vizepräsident des Mount Holly Rotary Club; ein wohltätiger Mann, ein Mann mit Mitgefühl für seine Umgebung. Ein Mann, der sich um die Familie eines verstorbenen Angestellten namens Artie King kümmerte; der den Ausbau einer Grundschule finanzierte. Der Besitzer eines luxuriösen Country Club, in dem Männer ihren Caddies fünfzig Dollar als Trinkgeld gaben und in dem für angesehene Mitglieder Mädchen zur Verfügung standen. Und ein guter Amerikaner, der es der Stadt Mount Holly ermöglichte, am Memorial Day ein schönes Picknick abzuhalten.

Das genügte für den Anfang. Das genügte, Howard Stockton zu verunsichern, wenn – wie Sammy Sharpe das ausgedrückt hatte – ›es dazu kam.‹ Howard Stockton war nicht mehr der form- und gestaltlose Mann, der er vor fünfzehn Minuten gewesen war. Matlock kannte das Gesicht des Mannes immer noch nicht, aber dafür waren jetzt andere Aspekte, andere Faktoren definiert worden.

Matlock schob die Münze ein und wählte die Nummer des Carmount Country Clubs.

»Ist mir ein *großes* Vergnügen, Mr. Matlock«, rief Howard Stockton, als er Matlock auf den Marmorstufen des Carmount Country Club begrüßte. »Der Boy bringt Ihren Wagen weg. Hey! Boy! Aber paß gut auf, ja!«

Ein schwarzer Parkhelfer lachte über den Befehl dieses Gentleman aus den Südstaaten. Stockton schnippte eine Halb-Dollar-Münze in die Luft, und der Schwarze fing sie grinsend auf.

»Danke, Sßöh!«

»Man muß sie nur gut behandeln, dann behandeln die einen auch gut. Stimmt's, Junge? Behandle ich dich gut?!«

»Und *wie* gut, Mr. Howard!«

Matlock hatte einen Augenblick lang das Gefühl, Darsteller in einer abgedroschenen Werbesendung zu sein, bis er sah, daß Howard Stockton wirklich echt war. Bis hinauf zu seinem grau-blonden Haar, über dem von der Sonne gebräunten Gesicht, zu dem wiederum sein weißer Schnurrbart im Kontrast stand ebenso wie die tiefen blauen Augen mit den vielen Krähenfüßen. Es war das Gesicht eines Mannes, der gut lebte und sein gutes Leben zu schätzen wußte.

»Willkommen im Carmount, Mr. Matlock. Richmond ist es nicht, aber andererseits auch nicht der Okefenokee.«

»Danke. Im übrigen heiße ich Jim.«

»Jim? Der Name gefällt mir. Der klingt so richtig ehrlich. Meine Freunde nennen mich Howard. Sie können mich Howard nennen.«

Der Carmount Country Club, besser gesagt, das, was er davon sehen konnte, erinnerte Matlock an all die Bilder von Bauwerken vor dem Bürgerkrieg. Und warum auch nicht, wenn man den Besitzer ansah? Da standen überall Palmen in Kübeln, hingen prunkvolle Kronleuchter, die Wände waren mit Rokokotapeten beklebt, Tapeten mit hübschen Figuren in gepuderten Perücken. Howard Stockton war ein Missionar eines Lebensstils, der 1865 zusammengebrochen war, aber er war nicht bereit, das zuzugeben. Selbst die Bediensteten, vorwiegend Neger, waren livriert – tatsächlich livriert, mit Kniehosen und all dem. Sanfte Musik klang aus einem großen Speisesaal, an dessen Ende ein vielleicht achtköpfiges Streichorchester lang vergessene Weisen spielte. In der Mitte der Haupthalle wand sich eine Freitreppe nach oben. Das Ganze hätte Jefferson Davis zur Ehre gereicht, oder David O. Selznick. Attraktive Frauen schlenderten herum, Arm in Arm mit nicht so attraktiven Männern.

Die Wirkung des Ganzen war unglaublich, dachte Matlock, während er an der Seite seines Gastgebers auf die von seinem Gastgeber bescheiden als Privatbibliothek bezeichneten Räume zuging.

Der Südstaatler schloß die mit dicken Paneelen verkleidete Tür und ging auf eine wohlausgestattete Mahagonibar zu. Er schenkte ein, ohne zu fragen.

»Sam Sharpe sagt, Sie trinken Sour Mash. Sie sind ein Mann mit Geschmack, das kann ich Ihnen sagen. Trinke *ich* auch.« Er trug die zwei Gläser zu Matlock. »Bitte wählen Sie. Als Virginier muß man heutzutage einen Nordstaatler damit entwaffnen, daß man keinerlei Vorurteile zeigt.«

»Danke«, sagte Matlock, nahm ein Glas und setzte sich in den Sessel, auf den Stockton gezeigt hatte.

»Und dieser Virginier hier«, fuhr Howard Stockton fort und setzte sich Matlock gegenüber, »hat darüber hinaus die höchst unsüdstaatliche Angewohnheit, gleich zur Sache zu kommen ... Ich weiß nicht einmal, ob es klug für Sie ist, hier in meinem Club zu sein. Ich will ehrlich sein. Deshalb habe ich Sie gleich hierhergeführt.«

»Ich verstehe nicht. Sie hätten mir doch am Telefon sagen können, daß ich nicht kommen soll. Was soll das Spielchen?«

»Vielleicht können Sie das besser beantworten als ich. Sammy sagt, Sie seien ein wirklich großer Mann. Das was man ... *international* nennt. Mir soll's recht sein. Ich mag intelligente junge Leute, die auf der Erfolgsleiter nach oben klettern. Sehr lobenswert, wirklich ... Aber ich zahle meine Rechnungen. Pünktlich jeden Monat. Ich habe den besten kombinierten Laden nördlich von Atlanta. Ich will keinen Ärger.«

»Von *mir* kriegen Sie den nicht. Ich bin ein müder Geschäftsmann, der seine Runden abklappert, sonst gar nichts.«

»Was war bei Sharpe? Die Zeitungen sind voll davon. Ich will damit *nichts* zu tun haben!«

Matlock beobachtete den Südstaatler. Die feinen Kapillaräderchen in dem sonnengebräunten Gesicht waren von tiefem Rot; wahrscheinlich achtete der Mann deshalb darauf, das ganze Jahr sonnengebräunt zu sein. Die Bräune verdeckte eine Vielzahl kleiner Blessuren.

»Ich glaube nicht, daß Sie verstehen.« Matlock maß die Worte sorgfältig ab, während er das Glas an die Lippen führte. »Ich bin von weither gekommen, weil ich hier sein muß. Es ist nicht mein *Wunsch*, hier zu sein. Ich mußte aus persönlichen Gründen etwas früher kommen, also sehe ich mich ein wenig um. Aber das ist alles. Ich sehe mich nur um ... Bis zu meiner Verabredung.«

»Was für eine Verabredung?«

»Eine Verabredung in Carlyle, Connecticut.«

Stockton kniff die Augen zusammen und zupfte an seinem sorgsam gestutzten weißen Schnurrbart. »Sie müssen in Carlyle sein?«

»Ja. Das ist vertraulich, aber das brauche ich Ihnen wohl nicht zu sagen, oder?«

»Sie haben mir gar nichts gesagt.« Stockton beobachtete Matlocks Gesicht immer noch. Matlock wußte, daß der Südstaatler auf eine falsche Bewegung, ein falsches Wort, einen unsicheren Blick wartete, irgend etwas, das im Widerspruch zu dem stand, was er wußte.

»Gut ... übrigens, haben Sie auch eine Verabredung in Carlyle? In etwa eineinhalb Wochen?«

Stockton nippte an seinem Drink, fuhr sich dann mit der Zunge genießerisch über die Lippen und stellte das Glas auf ein Tischchen, als wäre es ein wertvoller Kunstgegenstand. »Ich bin bloß ein alter Knabe aus dem Süden, der versucht, ein paar Dollars zu verdienen. Ein gutes Leben zu führen und ein paar Dollars zu verdienen. Das ist alles. Ich weiß nichts von Verabredungen in Carlyle.«

»Tut mir leid, daß ich's aufs Tapet gebracht habe. Das ist ... ein großer Fehler von mir. Ich hoffe um unserer beider willen, daß Sie das nirgends erwähnen werden. Das nicht, und mich auch nicht.«

»Das ist das *letzte*, was ich tun würde. Soweit es mich betrifft, sind Sie ein Freund von Sammy, der sich ein wenig amüsieren will ... und ein wenig Gastfreundschaft sucht.« Plötzlich beugte Stockton sich in seinem Sessel vor, die Ellbogen auf die Knie gestützt, die Hände gefaltet. Er sah aus wie ein besorgter Priester, der einem Mitglied seiner Gemeinde ins Gewissen redet. »Was zum Teufel ist in Windsor Shoals passiert? Was war das?«

»Soweit ich das erkennen kann, war es eine örtliche Angelegenheit, irgendein Racheakt. Bartolozzi hatte Feinde. Manche sagten, er würde zuviel reden. Aiello auch, denke ich. Sie waren Angeber ... Frank war nur zufällig dabei, denke ich.«

»Diese verdammten Itaker! Alles bringen die durcheinander! Auf *der* Ebene natürlich, Sie verstehen doch, was ich meine?«

Da war es wieder. Die hingeworfene Frage, die eigentlich keine war – so wie der Südstaatler das brachte, war es eher eine Feststellung.

»Ich weiß, was Sie meinen«, sagte Matlock müde.

»Ich fürchte, ich habe schlechte Nachrichten für Sie, Jim. Ich hab' die Spieltische auf ein paar Tage geschlossen. Ich hatte einfach Schiß, nach dem was in Shoals passiert war.«

»Das ist nicht so schlimm. Nicht, wenn man bedenkt, daß ich in den letzten Tagen ohnehin ziemliches Pech hatte.«

»Hab' ich gehört. Sammy hat's erzählt. Aber es gibt ein paar andere Annehmlichkeiten hier. Sie sollen Carmount nicht ungastlich finden, das verspreche ich Ihnen.«

Die beiden Männer leerten ihre Gläser. Dann führte Stockton seinen Gast erleichtert in den überfüllten, eleganten Speisesaal. Das Essen war außergewöhnlich und wurde auf eine Art und Weise serviert, daß sich der wohlhabendste Pflanzer im alten Süden dessen nicht hätte zu schämen brauchen.

Obwohl das Dinner angenehm – auf gewisse Weise sogar entspannt – verlief, erfüllte es für Matlock keinen Sinn. Howard Stockton war nicht bereit, über seinen ›Laden‹ zu reden, oder nur in den allgemeinsten Floskeln, wobei er immer wieder darauf hinwies, daß er die ›beste Klasse von Yankees‹ zu seinen Gästen zählte. Wenn er redete, gebrauchte er immer wieder Anachronismen aus längst vergangener Zeit und wirkte insgesamt wie ein wandelnder Widerspruch. Etwa in der Mitte der Mahlzeit entschuldigte sich Stockton, um sich von einem wichtigen Clubmitglied zu verabschieden.

Jetzt hatte Matlock zum ersten Mal Gelegenheit, sich die ›beste Klasse von Yankees‹, die Stockton-Klientel, anzusehen.

Der Begriff paßte gut, dachte Matlock, wenn man *Klasse* gleichsetzte mit *Geld*, wozu er nicht ohne weiteres bereit war. Geld schrie von jedem Tisch. Der erste Hinweis darauf waren die zahlreichen gebräunten Gesichter. Das waren Leute, die jederzeit, wenn sie Lust dazu verspürten, zu den sonnigen Inseln flogen. Und dann das leichte kehlige Lachen, das durch den Raum hallte, und die schimmernden

Reflexe von Schmuck. Und die Kleider – weiche, elegante Anzüge, Seidenjaketts, Dior-Krawatten. Und die Flaschen mit Champagner, die majestätisch in Silberkübeln standen.

Aber irgend etwas stimmte hier nicht, dachte Matlock. Irgend etwas fehlte oder paßte nicht hierher, und er brauchte ein paar Minuten, bis er wußte, was es war.

Die gebräunten Gesichter, das Lachen, der Schmuck an den Handgelenken, die Jacketts, die Dior-Krawatten – das Geld, die Eleganz, das Ganze war eine überwiegend *männliche* Aura von Eleganz.

Das, was den Widerspruch bildete, waren die Frauen – die Mädchen. Nicht, daß nicht einige dagewesen wären, die zu ihren Partnern paßten, aber im wesentlichen war das nicht der Fall. Sie waren jünger. Viel, viel jünger. Und anders.

Zuerst sah er nicht ganz, worin der Unterschied lag. Und dann wurde es ihm plötzlich bewußt. Meistenteils hatten die Mädchen – und es *waren* Mädchen – eine Art an sich, die er sehr gut kannte. Er hatte in der Vergangenheit oft darüber gesprochen. Es war der Campus-Look – und das war etwas völlig anderes als der Büro-Look oder der Sekretärinnen-Look, eine etwas lockerere Haltung im Gespräch. Das Aussehen von Mädchen, die noch nicht in irgendeiner Routine befangen waren, die nicht zu Aktenschränken oder Schreibmaschinen gehörten. Man konnte das definieren, weil es wirklich war. Matlock hatte diese Art seit mehr als einem Jahrzehnt um sich herum erlebt – es war unverkennbar.

Dann erkannte er, daß es in diesem Widerspruch noch eine weitere, kleinere, Diskrepanz gab. Die Kleider, die die Mädchen trugen. Das waren nicht Kleider, wie er sie an Mädchen mit dem Campus-Look erwartete. Sie waren zu gut geschnitten, einfach zu feminin in dieser Welt des Uni-Sex.

Sie waren gleichsam kostümiert!

Und dann ließ ihn ein einziger, mit hysterisch schriller Stimme ausgesprochener Satz, einige Tische von ihm entfernt, aufschrecken. Er wußte, daß er recht hatte.

»Ehrlich, das ist ganz bestimmt so – groovy ist das!«

Diese Stimme! *Herrgott, die Stimme kannte er!*

Ob sie wohl für ihn bestimmt gewesen war?

Er hielt sich die Hand halb vors Gesicht und drehte sich langsam zu dem kichernden Mädchen herum. Das Mädchen lachte und trank Champagner, während ihr Begleiter – ein viel älterer Mann – befriedigt ihren riesigen Busen anstarrte.

Das Mädchen war Virginia Beeson. Die »pinky groovy« ewig unreife Frau von Archer Beeson, Geschichtsdozent an der Carlyle Universität.

Dem Mann in akademischer Eile.

Matlock gab dem Neger ein Trinkgeld, der seine Koffer über die Wendeltreppe in den großen prunkvollen Raum getragen hatte, den Stockton ihm angeboten hatte. Der Boden war mit einem dicken weinfarbenen Teppich ausgelegt, das Bett hatte einen Himmel, und die Wände waren mit Stuck verziert. Er sah, daß auf der Kommode ein Eiskübel, zwei Flaschen Jack Daniels und einige Gläser standen. Er klappte den Koffer auf, entnahm ihm seine Toilettenartikel und stellte sie auf das Tischchen neben dem Bett. Dann entnahm er ihm einen Anzug, ein leichtes Jackett und zwei Paar Hosen und trug sie an den Kleiderschrank. Er ging zum Koffer zurück, hob ihn vom Bett und legte ihn auf einen Sessel.

Es klopfte leise an der Tür. Zuerst dachte er, Howard Stockton käme ihn besuchen, aber er hatte unrecht.

Ein Mädchen, das ein aufreizend eng anliegendes, rotes Kleid trug, stand unter der Tür und lächelte. Sie war vielleicht neunzehn oder zwanzig Jahre alt und höchst attraktiv.

Und ihr Lächeln war falsch.

»Ja?«

»Die besten Grüße von Mr. Stockton.« Damit ging sie an Matlock vorbei ins Zimmer.

Matlock schloß die Tür und starrte das Mädchen an, weniger verblüfft als überrascht.

»Das ist sehr aufmerksam von Mr. Stockton, nicht wahr?«

»Freut mich, daß Sie zufrieden sind. Auf Ihrer Kommode stehen Whisky, Eis und Gläser. Ich hätte gerne einen Schluck. Sofern Sie es nicht eilig haben.«

Matlock ging langsam zu der Kommode. »Ich habe es nicht eilig. Was hätten Sie denn gerne?«

»Das ist egal. Was da ist. Nur Eis, bitte.«

»Aha.« Matlock schenkte ein und trug dem Mädchen das Glas hin. »Wollen Sie sich nicht setzen?«

»Aufs Bett?«

Der einzig weitere Stuhl im Zimmer neben dem, auf dem der Koffer lag, stand am Fenster.

»Tut mir leid.« Er stellte den Koffer weg und das Mädchen setzte sich. Howard Stockton hatte guten Geschmack, dachte er. Das Mädchen war höchst attraktiv. »Wie heißen Sie?«

»Jeannie.« Sie hatte ihr Glas mit einigen Schlucken fast geleert. Mag sein, daß das Mädchen sich noch keinen besonderen Geschmack für bestimmte Alkoholsorten entwickelt hatte, aber trinken konnte sie. Als sie dann das Glas vom Munde nahm, bemerkte Matlock den Ring an ihrem rechten Mittelfinger.

Er kannte den Ring sehr gut. Es gab ihn in einer Buchhandlung zu kaufen, die einige Häuserblocks von John Holdens Wohnung in Webster, Connecticut, entfernt lag. Es war der Ring der Madison Universität.

»Wenn ich jetzt sagte, daß ich nicht interessiert bin – was würden Sie dann sagen?« fragte Matlock und lehnte sich an den dicken Pfosten, der den anachronistischen Betthimmel trug.

»Da wäre ich überrascht. Sie sehen nicht aus, als wären Sie schwul.«

»Bin ich auch nicht.«

Das Mädchen blickte zu Matlock auf. Ihre hellblauen Augen blickten warm – aber berufsmäßig warm – bedeutungsvoll, und doch ohne jede Bedeutung. Ihre Lippen waren jung. Und voll, und straff.

»Vielleicht brauchen Sie ein wenig Aufmunterung.«

»Könnten Sie die liefern?«

»Ich bin gut.« Die Feststellung kam mit leiser Arroganz.

Sie war so jung, dachte Matlock, und doch wirkte sie alt. Und haßerfüllt. Der Haß war gut getarnt, aber nicht vollkommen. Sie spielte eine Rolle – das Kostüm, die Augen, die Lippen. Vielleicht verabscheute sie die Rolle, aber sie akzeptierte sie.

Berufsmäßig.

»Angenommen, ich will mich nur unterhalten?«

»Mit Reden ist das etwas anderes. Dazu gibt es keine Regeln. In der Abteilung habe ich die gleichen Rechte. Quid pro, Mister Ohne Namen.«

»Sie sind wortgewandt. Soll ich da etwas herauslesen?«

»Ich wüßte nicht weshalb.«

»›Quid pro quo‹ ist nicht die Sprache der Nutten.«

»Das hier ist auch nicht die Avenida de las Putas – falls Sie es noch nicht bemerkt haben sollten.«

»Tennessee Williams?«

»Wer weiß?«

»Sie, denke ich.«

»Schön. All right. Wir können uns ja im Bett über Proust unterhalten. Ich meine, dort wollen Sie mich doch haben, oder?«

»Vielleicht ziehe ich die Konversation vor.«

Plötzlich flüsterte das Mädchen erschreckt und heiser: »Sind Sie ein Bulle?«

»Das würde ich nicht sagen«, lachte Matlock. »Eher im Gegenteil. Man könnte sagen, einige der wichtigsten Polizisten in der Gegend würden mich gerne finden. Obwohl ich kein Krimineller bin … Übrigens auch kein Verrückter.«

»Jetzt bin *ich* nicht mehr interessiert. Kann ich noch einen Drink haben?«

»Aber sicher.« Matlock holte ihn ihr. Keiner von beiden sprach, bis er mit dem Glas zurückgekommen war.

»Macht es Ihnen etwas aus, wenn ich eine Weile hier bleibe? Bloß lange genug, daß es so aussieht, als hätten Sie mich gebumst.«

»Sie meinen, Sie wollen Ihr Honorar nicht verlieren?«

»Das sind fünfzig Dollar.«

»Wahrscheinlich müssen Sie es teilweise wieder ausgeben, um die Aufsicht im Schlafsaal zu bestechen. Die Madison Universität ist da ein wenig altmodisch. In manchen Häusern wird wochentags noch kontrolliert. Sie werden sich verspäten.«

Jetzt war der Schock im Gesicht des Mädchens vollkommen. »Sie sind *doch* ein Bulle! *Ein lausiger Bulle!*« Sie wollte aufstehen, aber Matlock trat vor sie und hielt sie an den Schultern fest. Er schob sie in den Sessel zurück.

»Ich bin kein Bulle, das habe ich Ihnen gesagt. Und Sie sind doch nicht interessiert, erinnern Sie sich? Aber *ich* bin interessiert. *Sehr* interessiert, und Sie werden mir jetzt sagen, was ich wissen will.«

Das Mädchen versuchte aufzustehen. Matlock packte sie an den Armen. Sie sträubte sich, worauf er sie unsanft zurückstieß. »Tragen Sie immer Ihren Ring, wenn Sie sich ›bumsen‹ lassen? Wollen Sie damit der Kundschaft zeigen, daß Sie etwas Besseres sind?!«

»O mein Gott!« Sie nahm ihren Ring und zerrte an ihrem Finger, als würde er davon verschwinden.

»Jetzt hören Sie mir zu! Sie beantworten jetzt meine Fragen, sonst bin ich morgen früh in Webster und stelle sie dort! Wäre Ihnen das lieber?«

»Bitte! Bitte!« Dem Mädchen traten die Tränen in die Augen. Ihre Hände zitterten, und sie atmete keuchend.

»Wie sind Sie hierhergekommen?«

»Nein! Nein …«

»*Wie?*«

»Man hat mich angeworben …«

»Wer?«

»Andere … andere. Wir werben einander gegenseitig an.«

»Wie viele sind Sie?«

»Nicht viele. Nicht sehr viele … Wir müssen den Mund halten … *Bitte,* lassen Sie mich gehen. Ich will *gehen.*«

»O nein. Noch nicht. Ich will wissen, wie viele Sie sind und *warum* Sie das machen!«

»Das habe ich Ihnen doch gesagt! Nur ein paar, vielleicht sieben oder acht Mädchen.«

»Unten sind doch bestimmt dreißig!«

»Ich *kenne* sie nicht. Die kommen von anderen Orten. Wir fragen einander nicht nach den *Namen!*«

»Aber Sie wissen doch, woher sie kommen, oder!«

»Einige … Ja.«

»Andere Schulen?«

»Ja ...«

»*Warum*, Jeannie? Um Himmels willen *warum*?«

»Warum denken Sie wohl? *Geld!*«

Das Kleid des Mädchens hatte lange Ärmel. Er packte sie am rechten Arm und riß den Stoff bis zum Ellbogen auf. Sie wehrte sich, aber er war stärker.

Da waren keine Spuren, keine Einstiche.

Sie trat nach ihm, und er ohrfeigte sie, so kräftig, daß sie einen Augenblick reglos blieb. Dann nahm er ihren linken Arm und riß den Ärmel ebenfalls auf.

Da waren sie. Verblaßt. Nicht aus jüngster Zeit stammend. Aber sie waren da. Die kleinen roten Punkte, die von Nadelstichen rührten.

»Ich nehme es nicht mehr! *Seit Monaten* nicht mehr!«

»Aber Sie brauchen das Geld! Sie brauchen fünfzig oder hundert Dollar, jedesmal wenn Sie hier herüberkommen! ... Was nehmen Sie denn jetzt!? Gelbe? Rote? *Acid? Speed?* Was zum Teufel ist es denn *jetzt*? Gras ist nicht so teuer!«

Das Mädchen schluchzte. Die Tränen rannen ihr über die Wangen. Sie bedeckte das Gesicht mit den Händen und sprach – jammerte – schluchzend.

»Es gibt soviel Ärger! Soviel ... *Ärger! Bitte*, lassen Sie mich gehen!«

Matlock kniete nieder und hielt den Kopf des Mädchens in den Armen, drückte ihn gegen seine Brust.

»Was für Ärger? Sagen Sie es mir bitte. Was für Ärger?«

»Die zwingen einen dazu ... Man *muß* ... So viele brauchen Hilfe. Die helfen *keinem*, wenn man es nicht tut. Bitte, wie Sie auch heißen, lassen Sie mich in Ruhe. Lassen Sie mich gehen. Sagen Sie nichts. Lassen Sie mich *gehen! ... Bitte!*«

»Das tu' ich auch, aber zuerst müssen Sie mir etwas erklären. Dann können Sie gehen, und ich werde nichts sagen ... Sind Sie hier, weil man Sie bedroht hat? Weil man die anderen jungen Leute bedroht hat?«

Das Mädchen nickte, ihr Atem ging keuchend. Matlock fuhr fort: »Sie womit bedroht hat? Daß man Sie anzeigt? ... Daß man verrät, daß Sie süchtig sind? Das ist es doch nicht wert. Nicht mehr heute ...«

»Oh, was verstehen Sie denn!« Das Mädchen sprach jetzt mit tränenerfüllter Stimme. »Die können einen ruinieren. Das ganze Leben ruinieren. Die Familie und die Schule, irgendwann später vielleicht. Vielleicht ... irgendein Gefängnis. Irgendwo! Als Süchtiger oder als Pusher ... Ein Junge, von dem einer weiß, daß er Ärger hat, und *die* können ihn freikriegen ... Irgendein Mädchen im dritten Monat, das einen Arzt braucht ... Und *die* können einen beschaffen. Still und leise.«

»Aber das *brauchen* Sie doch nicht! Wo sind Sie denn *gewesen*? Es gibt doch Agenturen, Beratungsstellen!«

»Du lieber Gott, Mister! Jetzt sagen Sie mir bloß, wo Sie die letzten fünf Jahre verschlafen haben? ... Die Drogengerichte, die Ärzte, die Richter! *Alle* haben die in der Tasche! ... Da können *Sie* gar nichts dagegen unternehmen. Und *ich* auch nicht. Also lassen Sie mich in Ruhe, lassen Sie *uns* in Ruhe! Da hängen zu viele dran!«

»Und Sie werden einfach weiterhin tun, was die verlangen! Verängstigte, verwegene kleine Dreckskerle, die einfach weiterjammern! Die Angst haben, sich die Hände zu waschen oder den *Mund* oder die *Arme*!« Er zog an ihrem linken Ellbogen und riß unsanft daran.

Das Mädchen blickte zu ihm auf, halb in Angst, halb voll Verachtung.

»Da haben Sie recht«, sagte sie mit seltsam ruhiger Stimme. »Ich glaube nicht, daß Sie das verstehen würden. Sie wissen nicht, worum es hier geht ... Wir sind anders als Sie. Meine Freunde sind alles, was ich besitze. Alles, was irgendeiner von uns besitzt. Wir helfen einander ... Ich bin nicht daran interessiert, die Heldin zu spielen. Mich interessieren nur meine Freunde. Ich habe keinen Aufkleber mit der amerikanischen Flagge an der Windschutzscheibe kleben, und ich mag auch John Wayne nicht. Ich finde, daß er ein großer Scheißer ist. Das seid ihr alle. Alle Scheißer.«

Matlock ließ den Arm des Mädchens los. »Wie lange glauben Sie wohl, daß Sie das durchhalten?«

»Oh, ich bin gut dran. In einem Monat hab' ich das Diplom, für das meine Eltern bezahlt haben, und ich bin hier 'raus. Später versuchen die nur ganz selten Kontakt mit einem aufzunehmen. Die sagen zwar, daß sie es tun werden, aber sie tun es selten ... Man erwartet von einem bloß, daß man mit der Möglichkeit lebt.«

Er begriff, was ihr stummes Zeugnis andeuten sollte, und wandte sich ab. »Es tut mir leid. Sehr, sehr leid.«

»Das braucht es nicht. Ich bin ja gut dran. Zwei Wochen, nach dem ich dieses Stück bedruckte Kacke geholt habe, auf das meine Eltern so scharf sind, sitze ich im Flugzeug. Ich werde dieses gottverdammte Land verlassen. Und nie wieder zurückkehren!«

25

Er hatte nicht schlafen können und auch nicht damit gerechnet. Er hatte das Mädchen weggeschickt und ihr Geld gegeben, weil er ihr nichts anderes geben konnte, weder Hoffnung noch Mut. Was er vorschlug, wurde von ihr zurückgewiesen, weil es das Risiko von Gefahr und Pein für unzählige Kinder mit sich trug, die einander verpflichtet waren. Fordern konnte er nichts; denn da war kein Vertrauen, aber auch keine Bedrohung, die der Last gleichkam, die sie trugen. Am Ende war es ein Kampf, den die Kinder alleine austragen mußten. Sie wollten keine Hilfe.

Er erinnerte sich des Rates von Bagdhivi: *Sehet euch die Kinder an – sehet und erkennet. Sie werden groß und stark sein und den Tiger jagen mit größerer Schlauheit und stärkeren Sehnen als ihr. Sie werden die Herden besser bewahren als ihr. Ihr seid alt und schwach. Sehet die Kinder. Hütet euch vor den Kindern.*

Jagten die Kinder den Tiger tatsächlich besser? Und wenn sie das taten, wessen Herden würden sie hüten? Und wer war der Tiger? War es dieses »gottverdammte Land«?

War es so weit gekommen?

Die Fragen brannten in seinem Bewußtsein. Wie viele Jeannies gab es? Wie weit war Nimrods Netz gespannt?

Er mußte es herausfinden.

Das Mädchen hatte eingeräumt, daß Carmount nur eine Anlaufstelle war; es gab andere, aber sie wußte nicht, wo diese Anlaufstellen waren. Man hatte Freunde von ihr nach New Haven geschickt, andere nach Boston und andere nach Norden in einen Vorort von Hanover.

Yale. Harvard. Dartmouth.

Was einem am meisten Angst machen konnte, war, daß Nimrod die Zukunft von tausend Menschen bedrohte. Wie hatte sie gesagt?

»Sie nehmen fast nie Kontakt auf ... Sie sagen nur, daß sie es tun würden ... Und man lebt mit der Möglichkeit.«

Wenn dieses der Fall war, hatte Bagdhivi unrecht. Die Kinder besaßen viel weniger Schlauheit, schwächere Sehnen; es bestand kein Grund, sich vor ihnen zu hüten. Nur Grund, sie zu bedauern.

Es sei denn, die Kinder waren in Gruppen aufgeteilt und wurden von anderen, stärkeren Kindern geführt.

Matlock entschied sich, nach New Haven zu fahren. Vielleicht würde er dort Antwort finden. Er hatte Dutzende von Freunden an der Yale Universität. Diese Exkursion war nicht eingeplant, war aber für das Gelingen der ganzen Reise wichtig. Sie war Teil der Nimrod-Odyssee.

Kurze, schrille Geräusche rissen Matlock aus seinen Gedanken. Er erstarrte, die Augen vom Schock gelähmt, sein ganzer Körper auf dem Bett angespannt. Er brauchte ein paar Sekunden, um seine Aufmerksamkeit auf den Ort zu konzentrieren, von dem das erschreckende Geräusch kam. Es war das Tel-electronic, das immer noch in seiner Jackentasche steckte. Aber wohin hatte er seine Jacke getan? Sie war nicht bei seinem Bett.

Er schaltete die Nachttischlampe ein und sah sich um, und die unablässigen schrillen Töne ließen seinen Puls schneller gehen, trieben ihm Schweißtropfen auf die Stirn. Dann sah er die Jacke. Er hatte sie über den Stuhl vor dem Fenster gelegt, etwa in der Mitte des Raumes. Er sah auf die Uhr: 4.35 früh. Er rannte zu der Jacke, zog das schreckliche Instrument heraus und schaltete es ab.

Die Panik des Gejagten kehrte zurück. Er nahm den Hörer des Telefons neben dem Bett ab. Es hatte eine direkte Leitung, war nicht mit der Hotelzentrale verbunden.

Der Wählton klang wie jeder andere Wählton außerhalb der großen Städte. Etwas abgenutzt vielleicht, aber gleichmäßig. Und wenn die Leitung angezapft war, würde er das ohnehin nicht erkennen. Er wählte 555-6868 und wartete, daß die Verbindung zustande kam.

»Charger Drei-Null«, meldete sich die mechanische Stimme. »Tut mir leid, daß ich Sie stören muß. Am Subjekt hat sich nichts geändert, alles ist befriedigend. Aber Ihr Freund aus Wheeling, West Virginia, ist sehr ungeduldig. Er hat um vier Uhr fünfzehn angerufen und gesagt, es sei unbedingt notwendig, daß Sie ihn sofort anrufen. Wir sind besorgt. Ende.«

Matlock legte den Hörer auf die Gabel und zwang sich, an nichts zu denken, bis er eine Zigarette gefunden und sie angezündet hatte. Er brauchte diese Augenblicke, um seinen jagenden Puls zu beruhigen.

Er haßte diese verdammte Maschine! Er haßte das, was dieses schreckliche Piepsen in ihm ausgelöst hatte.

Er sog den Rauch tief in die Lungen und wußte, daß er keine andere Wahl hatte. Er mußte den Carmount Country Club verlassen und zu einer Telefonzelle gehen. Greenberg hätte bestimmt nicht um vier Uhr früh angerufen, wenn es nicht dringend gewesen wäre. Er durfte das Risiko nicht eingehen, Greenberg von Carmount aus anzurufen.

Er warf seine Kleider in den Koffer und zog sich schnell an.

Vermutlich würde ein Nachtwächter oder ein Parkwächter irgendwo in einem Wachhäuschen schlafen, und er würde sein – Kramers – Auto holen. Wenn nicht, würde er irgend jemanden wecken, selbst wenn es Stockton selbst war. Stockton hatte immer noch Angst vor Ärger, Ärger von der Art, wie es ihn in Windsor Shoals gegeben hatte – er würde nicht versuchen, ihn aufzuhalten. Für diesen Vermittler jungen ansehnlichen Fleisches würde jede Ausrede reichen. Die sonnengebräunte südliche Blume des Connecticut-Tales. Der Gestank von Nimrod.

Matlock schloß die Türe leise und ging den schweigenden Korridor hinunter, bis er die mächtige Freitreppe erreichte. Die Lampen an den Wänden brannten, waren aber mit Dimmern so gedämpft, daß sie den Eindruck von Kerzenlicht erweckten. Selbst mitten in der Nacht konnte Howard Stockton seine Herkunft nicht vergessen. Das Innere des Carmount Country Club wirkte mehr denn je wie die schlafende große Halle einer Pflanzervilla.

Er ging auf den Eingang zu. Als er die Türe erreicht hatte, wußte er, daß er nicht weiterkommen würde. Wenigstens für den Augenblick nicht.

Howard Stockton, in eine prunkvolle, ins neunzehnte Jahrhundert gehörende Robe gekleidet, trat hinter einer Glastüre neben dem Eingang hervor. In seiner Begleitung befand sich ein großer italienisch wirkender Mann, dessen kohlschwarze Augen stumm von Generationen der Schwarzen Hand sprachen. Stocktons Begleiter war ein Killer.

»Aber, Mr. Matlock! Sie wollen uns verlassen?«

Er beschloß, aggressiv zu sein.

»Da Sie mein verdammtes Telefon angezapft haben, schließe ich daraus, daß Sie glauben, daß ich Probleme habe! Die sind *meine Angelegenheit, nicht die Ihre*! Wenn Sie es wissen wollen, mir paßt das nicht!«

Die Taktik hatte Erfolg. Matlocks Feindseligkeit verblüffte Stockton.

»Da ist doch kein Grund, böse zu sein ... Ich bin Geschäftsmann wie Sie. Das Ganze dient doch nur Ihrem Schutz. Verdammt! Das ist *wahr, Junge*!«

»Ich will die lausige Erklärung akzeptieren. Sind meine Schlüssel im Wagen?«

»Nun, nicht in Ihrem *Wagen*. Mein Freund Mario hier hat sie. Das ist ein wirklicher klasse Itaker, das kann ich Ihnen sagen.«

»Ich seh' ja das Familienwappen auf seiner Tasche. Kann ich jetzt meine Schlüssel haben?«

Mario sah Stockton sichtlich verwirrt an.

»Jetzt warten Sie mal«, sagte Stockton. »Einen Augenblick, Mario. Wir wollen nicht impulsiv sein ... Ich bin ein vernünftiger Mann. Ein sehr vernünftiger Mann. Ich bin bloß ein Virginia ...«

»*Kacker*, der einen Dollar machen will!« unterbrach ihn Matlock. »Schon gut! Und jetzt gehen Sie mir aus dem Weg, verdammt nochmal, und geben mir die Schlüssel!«

»Du lieber Gott, Sie sind richtig *gemein*! Ehrlich, *gemein*! Versetzen Sie sich doch einmal in meine Haut! ... Irgendein verrückter Code, der wie ›Charger Drei-Null‹ klingt, und ein dringender Anruf aus Wheelin' West *Virginia*! Und statt mein Telefon zu benützen, ziehen Sie Leine und wollen hier verschwinden! Hören Sie, Jim, was würden *Sie* da tun?!«

Matlocks Stimme klang eisig und präzise. »Ich würde versuchen zu verstehen, mit *wem* ich es zu tun habe ... Wir haben eine Anzahl Erkundigungen angestellt, Howard. Meine Vorgesetzten machen sich Gedanken über Sie.«

»Was-meinen-Sie-damit?« Stocktons Frage klang, als wäre der ganze Satz nur ein Wort.

»Sie glauben ... wir glauben, daß Sie zuviel Aufmerksamkeit auf sich selbst gelenkt haben. Präsident und Vize-Präsident eines *Rotary Club*! Du lieber Gott! Stifter für ein Schulgebäude; Versorger von Witwen und Waisen – mit Kreditkonten; Memorial Day Picknicks! Und dann stellen Sie noch hiesige Leute ein, die Gerüchte über die Mädchen verbreiten! Die halbe Zeit rennen die jungen Leute halb nackt herum. Bilden Sie sich etwa ein, daß die Leute hier nicht reden? *Herrgott*, Howard!«

»Wer zum Teufel sind Sie?«

»Nur ein müder Geschäftsmann, der sich ärgert, wenn er sieht, wie ein anderer Geschäftsmann sich selbst zum Narren macht. Was zum Teufel haben Sie sich eigentlich dabei gedacht? Wollen Sie sich für das Amt des Weihnachtsmannes bewerben? Haben Sie eigentlich nie darüber nachgedacht, wie auffällig dieses Kostüm ist?«

»Verdammt nochmal, Sie haben mich bloß auf dem Kieker! Ich hab' den besten kombinierten Laden nördlich von Atlanta! Ich weiß nicht, mit wem Sie geredet haben, aber ich kann Ihnen sagen – dieses alte kleine Mount Holly würde für mich Pferde stehlen! Diese Dinge, die Sie und Ihre Leute ausgegraben haben – das sind *gute* Dinge! *Wirklich* gut! ...

Sie verdrehen das alles so, daß es böse klingt. Das ist nicht *richtig*!«

Stockton holte ein Taschentuch heraus und betupfte sich das gerötete, schwitzende Gesicht. Der Südstaatler war jetzt so aufgeregt, daß seine Sätze sich überhaspelten und seine Stimme schrillte. Matlock versuchte schnell zu denken, ohne dabei die Vorsicht in den Wind zu schlagen. Vielleicht war dies jetzt der richtige Augenblick – für Stockton. Irgendwann mußte es ja sein. Er mußte seine eigene Einladung aussenden. Er mußte die letzte Etappe seiner Reise zu Nimrod beginnen.

»Beruhigen Sie sich, Stockton. Ganz ruhig. Vielleicht haben Sie recht ... Ich habe jetzt nicht die Zeit, darüber nachzudenken. Wir stecken in einer Krise. Wir alle. Dieser Anruf war ernst.« Matlock hielt inne und sah den nervösen Stockton scharf an und stellte dann seinen Koffer auf den Marmorboden. »Howard«, sagte er dann langsam, die Worte sorgfältig wählend, »ich werde Ihnen jetzt etwas anvertrauen und hoffe nur, daß Sie dem gewachsen sind. Wenn Sie es durchziehen, wird keiner mehr Ihren Laden belästigen – nie wieder.«

»Was denn?«

»Sagen Sie *ihm*, er soll einen Spaziergang machen. Bloß den Korridor hinunter, wenn Sie mögen.«

»Hast du gehört? Geh eine Zigarre rauchen.«

Mario wirkte gleichzeitig feindselig und verwirrt, als er langsam auf die Treppe zutrottete.

»Was soll ich denn tun?« fragte Stockton. »Ich hab' Ihnen ja gesagt, daß ich keinen Ärger will.«

»Wir werden *alle* Ärger haben, wenn ich nicht ein paar Delegierte erreiche. Das wollte Wheeling mir sagen.«

»Was meinen Sie damit ... Delegierte?«

»Das Treffen drüben in Carlyle. Die Konferenz mit unseren Leuten und der Nimrod-Organisation.«

»Das ist nicht meine Angelegenheit!« stieß Stockton hervor. »Ich weiß überhaupt nichts darüber.«

»Sicher tun Sie das nicht; das hat auch niemand von Ihnen erwartet. Aber jetzt betrifft es uns alle ... Manchmal muß man die Regeln brechen; und dies ist einer dieser Anlässe. Nimrod ist zu weit gegangen, das ist alles, was ich Ihnen sagen kann.«

»*Mir* sagen Sie das? Ich lebe doch mit diesen aufgeblasenen *Predigern*! Ich rede ja immer wieder mit ihnen, und wenn ich mich beklage – wissen Sie, was unsere eigenen Leute dann sagen? Die sagen bloß, ›so ist das eben, alter Howie, wir machen alle unsere Geschäfte!‹ Was sind das für Reden? Warum muß *ich* denn Geschäfte mit ihnen machen?«

»Vielleicht müssen Sie das nicht mehr lange. Deshalb muß ich ja einige von den anderen erreichen. Die Delegierten.«

»Die laden mich nicht zu ihren Zusammenkünften ein. Ich kenne niemanden.«

»Natürlich nicht. Noch einmal, man hat das von Ihnen erwartet. Die Konferenz ist wichtig, da kommen nur Hochkaräter, und alles läuft ganz geheim. So geheim, daß wir uns selbst 'reingelegt haben: Wir wissen gar nicht, wer alles in der Gegend ist. Von welcher Organisation, von welcher Familie? Aber ich habe meine Anweisungen. Wir müssen einen oder zwei erreichen.«

»Ich kann Ihnen nicht helfen.«

Matlock sah den Südstaatler streng an. »Ich glaube doch, daß Sie das können. Hören Sie mir gut zu. Morgen früh werden Sie ein paar Telefongespräche führen – aber ganz *vorsichtig*! Wir wollen keine Panik. Sprechen Sie mit niemandem, den Sie nicht kennen. Gebrauchen Sie meinen Namen nicht! Sagen Sie bloß, Sie wären jemandem begegnet, der das korsische Papier hat, das silberne korsische Papier. Er *muß* sich in aller Stille mit jemandem treffen, der es auch hat. Wenn es sein muß, fangen wir mit einer Person an. Haben Sie das verstanden?«

»Schon, aber es gefällt mir nicht! Das ist nicht *meine Sache*!«

»Würden Sie lieber schließen? Würden Sie lieber diesen herrlichen Bau verlieren und zehn oder zwanzig Jahre durch ein Zellenfenster starren? Ich habe gehört, daß Gefängnisbeerdigungen sehr rührend sind.«

»Also gut! … Also gut. Ich werde meinen Kontaktmann

anrufen, den, der immer bei mir kassiert. Ich werde sagen, daß ich nichts weiß! Ich leite nur eine Nachricht weiter.«

»Meinetwegen. Wenn Sie Kontakt bekommen, sagen Sie dem Betreffenden, ich würde heute abend oder morgen im Sail and Ski sein. Sagen Sie ihm, er soll das Papier mitbringen. Ich werde mit niemandem reden, der das Papier nicht vorzeigen kann!«

»Ohne das Papier …«

»Und jetzt will ich meine Schlüssel.«

Stockton rief Mario zurück. Matlock bekam seine Schlüssel.

Er verließ Mount Holly in südlicher Richtung auf der Route 72. Er erinnerte sich nicht genau wo, wußte aber, daß er auf der Fahrt von Hartford an ein paar Telefonzellen vorbeigekommen war. Seltsam, wie er anfing, öffentliche Telefone zu bemerken, das einzige Bindeglied zur soliden Welt, das er besaß. Alles andere war flüchtig, zufällig, fremdartig und beängstigend. Er würde Greenberg anrufen, wie Charger Drei-Null verlangt hatte, aber ehe er das tat, würde er einen von Blackstones Männern anrufen.

Es mußte sofort ein Treffen vereinbart werden. Er mußte jetzt das korsische Papier haben. Er hatte das Signal ausgesandt; jetzt würde er seinen Teil der Vereinbarung einhalten müssen, oder er würde gar nichts erfahren. *Falls* Stocktons Nachricht durchkam und *falls* jemand wirklich Kontakt aufnahm, würde dieser jemand töten oder getötet werden, ehe er den Eid der »Omerta« brach, sofern Matlock nicht das Papier vorlegte.

Oder war alles umsonst? War er wirklich der Amateur, als den Kressel und Greenberg ihn bezeichneten? Er wußte es nicht. Er gab sich große Mühe, die Dinge bis zum Ende durchzudenken, alles was er tat, von allen Seiten zu betrachten, seine geschulte akademische Fantasie zu benutzen. Aber war das genug? Oder war es möglich, daß das Gefühl der Verpflichtung, das er empfand, der Rachetrieb, der ihn beseelte, und der Ekel ihn nur in eine Art Don Quichote verwandelten?

Wenn dem so war, würde er damit leben. Er würde sich

die größte Mühe geben und damit leben. Er hatte gute Gründe dafür – einen Bruder namens David; ein Mädchen namens Pat; einen freundlichen alten Mann namens Luhs; einen netten Burschen namens Loring; eine verwirrte, erschreckte Studentin aus Madison namens Jeannie. Die ganze Übelkeit erregende Szene!

Matlock fand eine Telefonzelle an einem verlassenen Straßenabschnitt der Route 72 und rief den mechanischen Empfänger am anderen Ende von 555-6868 an. Er gab die Nummer der Telefonzelle durch und wartete, daß Charger Drei-Null seinen Anruf beantwortete.

Ein Milchlaster polterte vorbei. Der Fahrer sang aus voller Kehle und winkte Matlock zu. Ein paar Minuten später donnerte ein mächtiger Lastzug der Allied Van Lines vorbei und kurz darauf ein Gemüselaster. Es war schon fast halb sechs. Der Tag begann sich aufzuhellen, zu einem stumpfen Grau, denn am Himmel standen Regenwolken.

Das Telefon klingelte.

»Hallo!«

»Was für ein Problem haben Sie, Sir? Haben Sie Ihren Freund in West Virginia erreicht? Er sagte, jetzt würde es ernst.«

»Ich rufe ihn in ein paar Minuten an. Sind Sie Cliff?«

Matlock wußte, daß das nicht der Fall war; die Stimme klang anders.

»Nein, Sir. Ich bin Jim. Derselbe Name wie der Ihre.«

»Also gut, Jim. Sagen Sie, hat der andere Mann das getan, worum ich ihn gebeten hatte? Hat er das Papier für mich abgeholt?«

»Ja, Sir. Wenn es das silberne Papier mit der italienischen Schrift ist. Ich glaube wenigstens, daß das italienisch ist.«

»Das ist es …«

Matlock veranlaßte, daß die Übergabe in zwei Stunden stattfand. Man kam überein, daß der Blackstone-Mann namens Cliff sich mit ihm in einer durchgehend geöffneten Imbißstube an der Scofield Avenue in der Nähe der Stadtgrenze von West Hartford treffen sollte. Charger Drei-Null bestand darauf, daß die Übergabe ganz schnell auf dem

Parkplatz erfolgen sollte. Matlock beschrieb den Wagen, den er fuhr, und legte auf.

Der nächste Anruf galt Jason Greenberg in Wheeling. Und Greenberg war wütend.

»Sie Trottel! Als ob es nicht schon schlimm genug wäre, daß Sie Ihr Wort brechen – nein, Sie müssen sich eine eigene Armee anheuern! Was zum Teufel bilden Sie sich eigentlich ein, was diese Schwachköpfe können, was die Regierung der Vereinigten Staaten nicht besser könnte?«

»Diese Schwachköpfe kosten mich dreihundert Dollar pro Tag, Jason. Ich hoffe, daß sie das wert sind.«

»Sie sind abgehauen! Warum haben Sie das getan? Sie haben mir Ihr Wort gegeben, daß Sie es nicht tun würden. Sie haben gesagt, Sie würden mit unserem Mann zusammenarbeiten!«

»Ihr Mann hat mir ein Ultimatum verpaßt, mit dem ich nicht einverstanden war! Und wenn das Ganze Ihre Idee war, dann sage ich Ihnen dasselbe, was ich Houston gesagt habe.«

»Was soll das heißen? Was für ein Ultimatum?«

»Das wissen Sie verdammt genau! Treiben Sie jetzt keine Spielchen mit mir. Und hören Sie mir zu …«

Matlock wartete ein paar Augenblicke, ehe er sich in die Lüge hineinstürzte. Er gab sich Mühe, so überzeugend wie möglich zu klingen. »Es gibt einen Anwalt in Hartford, der einen sehr ausführlichen, von mir unterzeichneten Brief hat. Etwa mit demselben Inhalt, wie der Brief, den ich für Sie unterschrieben habe. Nur ein paar Kleinigkeiten sind anders: In dem Brief stimmt alles. Er beschreibt in allen Einzelheiten, wie man mich rekrutiert hat, wie ihr mich zuerst an die Leine gelegt und mich dann hängengelassen habt. Wie ihr mich gezwungen habt, eine Lüge zu unterschreiben … Wenn ihr irgend etwas versucht, wird er den Brief veröffentlichen, und dann werden eine ganze Menge Leute im Justizministerium ziemlich dumm aus der Wäsche gucken … Die Idee stammt von Ihnen, Jason. Es war eine verdammt gute Idee. Vielleicht bringt das ein paar Militante sogar darauf, den Campus von Carlyle in Stücke zu reißen. Vielleicht löst es sogar ein paar Krawalle im ganzen Land aus. Die akademische Szene wartet nur darauf, daß man sie aus ihrem Schlaf reißt. Ist es nicht das, was Sealfont gesagt hat? Nur, daß es diesmal nicht ein Krieg gegen die Wehrpflicht oder Drogen sein wird. Sie werden ein besseres Etikett finden: Infiltration durch die Regierung, Polizeistaat ... Gestapo-Taktiken. Sind Sie darauf vorbereitet?«

»Hören Sie doch um Himmels willen auf! Das bringt Ihnen doch nichts. Sie sind nicht so wichtig ... Wovon zum Teufel reden Sie überhaupt? Ich habe ihn nur *kurz informiert!* Da gab es keine Bedingungen, nur, daß Sie ihn über alles was Sie tun, informiert halten sollten.«

»Bockmist! Ich durfte den Campus nicht verlassen; ich durfte mit niemandem reden. Ich sollte ausschließlich Studenten befragen dürfen und hätte mir wahrscheinlich sogar dafür *vorher* Erlaubnis einholen müssen! Abgesehen von diesen belanglosen Einschränkungen war ich frei wie ein Vogel in der Luft! Kommen Sie doch! Sie haben Pat *gesehen!* Sie haben gesehen, was die mit ihr angestellt haben. Sie wissen, was die sonst noch getan haben – *vergewaltigt* haben sie sie, Greenberg! Haben Sie und Ihre Chefs etwa erwartet, daß ich Houston dafür *danke,* weil er so *verständnisvoll* ist?«

»Glauben Sie mir«, sagte Greenberg mit leiser Stimme, die aber seinen Ärger nicht verbergen konnte, »diese Bedingungen sind erst nachher hinzugefügt worden. Freilich hätten die mir das sagen sollen. Aber man hat das ganze zu Ihrem eigenen Schutz getan. Das begreifen Sie doch, oder?«

»Aber unsere Vereinbarung war anders.«

»Nein, das war sie nicht. Und man hätte mir sagen müssen ...«

»Außerdem frage ich mich, zu wessen Schutz das Ganze eigentlich diente. Dem meinen oder dem ihren.«

»Das ist eine gute Frage. Man hätte es mir sagen sollen. Man kann einfach nicht eine Verantwortung delegieren, und dann immer die Vollmachten wegnehmen. Es ist nicht logisch.«

»*Moralisch* ist es nicht. Ich will Ihnen einmal etwas sagen. Diese kleine Odyssee, auf der ich mich da befinde, bringt mich immer näher und näher an die Frage der Moral heran.«

»Das freut mich für Sie, aber ich fürchte, Ihre Odyssee wird bald ein Ende haben.«

»Sie können es ja versuchen!«

»Die werden dafür sorgen. Irgendwelche Erklärungen in den Büros von Rechtsanwälten bedeuten da überhaupt nichts. Ich habe denen gesagt, daß ich es zuerst versuchen würde ... Wenn Sie sich nicht binnen achtundvierzig Stunden in Schutzhaft begeben, wird man einen Haftbefehl ausstellen.«

»Mit welcher Begründung?!«

»Sie stellen eine Gefahr dar. Sie sind geistesgestört. Sie sind verrückt. Man wird sich auf Ihre Militärakten beziehen – zwei Kriegsgerichtsverfahren, Militärarrest, dauernde Unstabilität unter Frontbedingungen. Die Tatsache, daß Sie Drogen benutzen. Und Alkohol – dafür gibt es Zeugen. Und ein Rassist sind Sie auch – da ist diese Beschwerde über die Lumumba-Affäre. Und jetzt erfahre ich, wenn ich auch nicht über Fakten verfüge, daß Sie sich in der Gesellschaft notorischer Krimineller bewegen. Es gibt Fotos – von einem Lokal in Avon ... Stellen Sie sich, Jim. Die ruinieren Ihnen Ihr ganzes Leben.«

26

Achtundvierzig Stunden! Warum achtundvierzig Stunden? Warum nicht vierundzwanzig oder zwölf oder sofort? Es gab keinen Sinn! Dann begriff er und fing ganz alleine in der Zelle stehend zu lachen an. Er lachte laut in einer Telefonzelle um halb sechs Uhr morgens, an einem verlassenen Stück Highway in Mount Holly, Connecticut.

Diese praktisch denkenden Männer geben ihm gerade genug Zeit, um etwas zustande zu bringen – falls er etwas zustande bringen *konnte*. Wenn er das nicht konnte und etwas passierte, dann hatten sie eine saubere Weste. Es war aktenkundig, daß sie ihn für einen geistig aus dem Gleichgewicht geratenen Drogensüchtigen mit rassistischen Tendenzen hielten, der sich mit notorischen Kriminellen abgab, und sie hatten ihn gewarnt. Und weil der Umgang mit solchen Verrückten so delikat war, setzten sie eine *Zeit* fest, in der Hoffnung, die Gefahr zu verringern. Herrgott! Sie konnten es nicht lassen!

Er erreichte die Imbißstation in West Hartford um dreiviertel sieben und nahm ein umfangreiches Frühstück zu sich, vielleicht weil er irgendwie annahm, daß ihm das den Schlaf ersetzen und die Energie wiedergeben würde, die er brauchte. Er sah immer wieder auf die Uhr und wußte, daß er um halb acht auf dem Parkplatz sein würde.

Er fragte sich, wie seine Kontaktperson von Charger Drei-Null wohl aussehen mochte.

Der Mann war von hünenhafter Gestalt. Matlock hatte sich selbst nicht gerade für klein gehalten. Cliff von Charger Drei-Null erinnerte Matlock an jene alten Bilder von Primo Carnera. Mit Ausnahme des Gesichts. Das Gesicht war schmal, intelligent und lächelte jetzt breit.

»Steigen Sie nicht aus, Mr. Matlock.« Er griff durch das heruntergekurbelte Fenster und schüttelte Matlock die Hand. »Hier ist das Papier; ich habe es in einen Umschlag getan. Übrigens, Miß Ballantyne hat gestern abend gelacht. Sie fühlt sich besser. Das Enzephalogramm ist gleichmäßig, und ihr Stoffwechsel normalisiert sich auch wieder, die Pupillendilatation geht zurück. Ich dachte, Sie würden das vielleicht gerne wissen.«

»Ich nehme an, das ist gut.«

»Das ist es. Wir haben uns mit dem Arzt angefreundet. Er ist jetzt ganz offen zu uns.«

»Wie stellt sich das Krankenhaus denn zu Ihrem Wachdienst?«

»Mr. Blackstone löst solche Probleme im voraus. Wir haben Zimmer zu beiden Seiten des Objekts.«

»Die mir sicherlich berechnet werden.«

»Sie kennen Mr. Blackstone.«

»Langsam schon. Bei ihm geht alles erster Klasse.«

»Seine Klienten auch. Ich gehe jetzt besser wieder. Nett,

Sie kennenzulernen.« Der Mann von der Blackstone-Agentur ging schnell davon und stieg in ein unauffälliges, ein paar Jahre altes Auto.

Für Matlock war es Zeit, nach New Haven zu fahren.

Er hatte keinen festen Plan, hatte sich auch keine bestimmten Personen vorgenommen; er führte nicht, er ließ sich führen. Die Information, die er besaß, war bestenfalls nebulös skizzenhaft, viel zu unvollständig, um mit absoluten Werten weiterzuarbeiten. Aber vielleicht genügte das für jemanden, um eine Verbindung herzustellen. Aber wer auch immer das tat oder dazu imstande war, mußte jemand sein, der einen ziemlich allgemeinen Überblick über die Universität hatte. Jemand, der, wie zum Beispiel Sam Kressel, mit den allgemeinen Spannungen des Campus zu tun hatte.

Aber Yale war fünfmal so groß wie Carlyle; viel ausgedehnter, ein Teil der Stadt New Haven, nicht so von seiner Umgebung isoliert wie Carlyle. Es *gab* einen Brennpunkt. Das Büro für Studentenangelegenheiten; aber er kannte dort niemanden. Sich einfach als Unbekannter hinzustellen und eine unwahrscheinliche Geschichte von College-Mädchen zu erzählen, die im Begriff waren, einen Callgirl-Ring zu bilden – oder dazu gebracht wurden – der, soweit bisher bekannt, bis nach Connecticut, Massachusetts und New Hampshire reichte, würde, wenn man ihn ernst nahm, wie eine Bombe einschlagen. Aber er war gar nicht sicher, daß man ihn ernst nehmen würde. In diesem Fall würde er gar nichts erfahren.

Es gab eine Möglichkeit; ein armseliger Ersatz für das Büro für Studentenangelegenheiten, aber auch eine Stelle, die allgemeinen Überblick über die Campus-Angelegenheit hatte: die Zulassungsabteilung. Er kannte einen Mann namens Peter Daniels, der im Zulassungsbüro von Yale tätig war. Er und Daniels hatten in der Vergangenheit ein paarmal miteinander zu tun gehabt. Er kannte Daniels gut genug, um ihm die Fakten so darzulegen, wie er sie begriff; Daniels war nicht der Typ dazu, seine Worte anzuzweifeln oder in Panik zu geraten. Er würde seine Geschichte freilich auf das Mädchen beschränken.

Er parkte an der Chappel Street in der Nähe der Kreuzung mit der York Street. An der einen Straßenseite gab es einen Bogen, der zu der viereckigen Anlage des Silliman College führte, auf der anderen eine große Rasenfläche, durch die ein paar betonierte Wege zum Verwaltungsgebäude führten. Daniels Büro befand sich im ersten Stock. Matlock stieg aus dem Wagen, schloß ihn ab und ging auf den alten Ziegelbau mit seiner amerikanischen Flagge neben dem Banner von Yale zu.

»Das ist doch lächerlich! Wir leben im Wassermann-Zeitalter, heißt es immer. Man zahlt nicht mehr für Sex, man bekommt ihn gratis.«

»Ich weiß, was ich gesehen habe. Ich weiß, was das Mädchen mir erzählt hat; sie hat nicht gelogen.«

»Ich wiederhole. Sie können da einfach nicht sicher sein.«

»Es hängt mit zu vielen anderen Dingen zusammen. Die habe ich auch gesehen.«

»Darf ich eine naheliegende Frage stellen? Warum gehen Sie nicht zur Polizei?«

»Die Antwort darauf ist ebenfalls naheliegend. Die Universitäten hatten in letzter Zeit schon genug Ärger. Die Fakten, die ich besitze, sind isoliert. Ich brauche mehr Informationen. Ich möchte nicht für Verallgemeinerungen oder weitverbreitete Panik verantwortlich sein. Davon hat es schon genug gegeben.«

»Also gut, meinetwegen. Aber ich kann Ihnen nicht helfen.«

»Ich will nur ein paar Namen. Studenten *oder* Fakultät. Leute, die Sie kennen … Leute, bei denen Sie sicher sind, daß sie irgendwie im Dreck stecken. Sie haben solche Namen, das weiß ich; wir haben sie auch … Ich schwöre Ihnen, die werden nie erfahren, wer sie mir gegeben hat.«

Daniels erhob sich aus seinem Stuhl und zündete sich die Pfeife an. »Sie drücken sich verdammt allgemein aus. Im Dreck stecken wie? Akademisch, politisch … Narkotika, Alkohol? Das deckt einen weiten Bereich ab.«

»Einen Augenblick.« Daniels Worte riefen eine Erinnerung in ihm wach. Matlock erinnerte sich an einen schummrig beleuchteten, mit Rauch erfüllten Raum im Inneren eines scheinbar verlassenen Gebäudes in Hartford. Rocco Aiellos Jagdclub. Und ein hochgewachsener junger Mann in einer Kellnerjacke, der Aiello ein Quittungsformular zum Unterschreiben gebracht hatte. Der Veteran von Nam und Da Nang. Der Yalie, der dabei war Kontakte *herzustellen,* sich etwas *aufzubauen* … Der *Student der Betriebswirtschaft.* »Ich weiß, wen ich sehen möchte.«

»Wie heißt er?«

»Ich weiß nicht … Aber er ist Kriegsteilnehmer – Indochina, etwa zweiundzwanzig oder dreiundzwanzig; ziemlich groß, hellbraunes Haar … studiert Betriebswirtschaft.«

»Eine Beschreibung, die vielleicht auf fünfhundert Studenten paßt. Mit Ausnahme von Medizin, Jura und Ingenieurwissenschaften wird hier alles in einen Topf geworfen und nennt sich Freie Künste. Wir müssen uns jede Akte ansehen.«

»Bewerbungsfotos?«

»Die sind nicht mehr zulässig, das wissen Sie doch.«

Matlock starrte zum Fenster hinaus, die Stirn in Gedanken gefurcht. Jetzt sah er wieder Daniels an. »Pete, es ist Mai …«

»Na und? Ebensogut könnte es November sein, das würde das Gesetz gegen Diskriminierung nicht ändern.«

»In einem Monat ist Semesterschluß … Die Klassenfotos. Jahrbücher.«

Daniel begriff sofort. Er nahm die Pfeife aus dem Mund und ging auf die Türe zu.

»Kommen Sie mit.«

Sein Name war Alan Pace. Er war Student im achten Semester. Sein Studiengang konzentrierte sich nicht ausschließlich auf Betriebswirtschaft; er hatte auch Politologie belegt. Er wohnte außerhalb des Campus an der Church Street in der Nähe der Stadtgrenze von Hamden. Seinen Akten nach war Alan Pace ein ausgezeichneter Student mit hervorragenden Arbeiten in allen Fächern, der mit einem Stipendium an der

Schule für Politische Wissenschaften in Syracuse rechnen konnte. Er hatte achtundzwanzig Monate Militärdienst geleistet, vier mehr als man von ihm erwartete. Wie dies bei den meisten Kriegsteilnehmern der Fall war, gab es kaum extrakurrikulare Aktivitäten.

Während seiner Militärdienstzeit war Pace Offizier in der Zahlmeisterei gewesen. Er hatte sich für zusätzliche vier Monate in Saigon gemeldet – eine Tatsache, die auf seinem Bewerbungsformular besonders hervorgehoben war. Alan Pace hatte seinem Land vier Monate seines Lebens mehr gegeben, als notwendig war. Alan Pace war in diesen Tagen des Zynismus offensichtlich ein ehrenwerter Mann.

Ein Gewinner, dachte Matlock.

Die Fahrt auf der Church Street nach Hamden gab Matlock Gelegenheit, etwas Ordnung in seine Gedanken zu bringen. Er mußte einen Punkt nach dem anderen klären; einen abhaken – und sich den nächsten vornehmen. Er durfte nicht zulassen, daß seine Fantasie isolierte Fakten über ihre Bedeutung hinaus interpretierte. Er durfte nicht einfach alles zusammenwerfen und eine Summe herausbekommen, die größer war als die einzelnen Bestandteile.

Es war durchaus möglich, daß dieser Alan Pace ein Solospiel spielte. Alleine und unbeeinflußt.

Aber logisch war es nicht.

Das Haus, in dem Pace wohnte, war ein unauffälliger brauner Ziegelbau, wie es an den Rändern von Städten so häufig war. Früher einmal – vor vierzig oder fünfzig Jahren – war dies das stolze Symbol einer aufsteigenden Mittelklasse gewesen, die sich über die Betongrenzen hinaus ins Land ausdehnte, aber nicht genügend couragiert war, die Stadt völlig zu verlassen. Nicht, daß es heruntergekommen wäre, es war nur ... nicht herausgeputzt. Am auffälligsten schien Matlock an dem Wohnhaus freilich, daß es ein höchst unwahrscheinlicher Ort für einen Studenten war, um dort zu wohnen.

Aber er war jetzt dort; darüber hatte sich Peter Daniels vergewissert.

Pace hatte die Tür nicht öffnen wollen. Der Student erklärte sich erst dazu bereit, nachdem Matlock zwei Dinge erwähnt hatte. Das eine war, daß er nicht von der Polizei kam, das zweite war der Name von Rocco Aiello.

»Was wollen Sie? Ich hab' noch eine Menge Arbeit. Ich hab' absolut keine Zeit zum Reden. Ich hab' morgen Klausur.«

»Darf ich mich setzen?«

»Wozu denn? Ich hab' Ihnen doch gesagt, daß ich zu tun habe.« Der hochgewachsene, braunhaarige Student ging zu seinem Schreibtisch zurück, der mit Büchern und Papieren überhäuft war. Die Wohnung war gepflegt und aufgeräumt – mit Ausnahme des Schreibtisches – und ziemlich groß. Es gab Türen und kurze Gänge, die zu anderen Türen führten. Es war die Art von Wohnung, die sich gewöhnlich vier oder fünf Studenten teilten. Aber Alan Pace hatte keine Zimmerkollegen.

»Ich werde mich trotzdem setzen. Soviel sind Sie Rocco schuldig.«

»Was soll das bedeuten?«

»Nur, daß Rocco mein Freund war. Ich war der Mann, der neulich abends bei ihm stand, als Sie ihm eine Quittung zum Abzeichnen brachten. Erinnern Sie sich? Und er war gut zu Ihnen … Er ist tot.«

»Ich weiß. Ich habe davon gelesen. Es tut mir leid. Aber ich war ihm nichts schuldig.«

»Aber gekauft haben Sie von ihm.«

»Ich weiß nicht, wovon Sie reden.«

»Kommen Sie schon, Pace. Sie haben keine Zeit, und ich auch nicht. Sie stehen nicht mit Aiellos Tod in Verbindung, das weiß ich. Aber ich brauche Informationen, und Sie werden sie liefern.«

»Sie reden mit dem Falschen. Ich kenne Sie nicht. Ich weiß *nichts*.«

»Ich kenne *Sie*. Ich habe eine komplette Akte über Sie. Rocco Aiello und ich waren am Überlegen, ob wir gemeinsam ein Geschäft aufmachen sollen. Das betrifft Sie nicht, ich weiß schon, aber wir haben … Personalinformationen ausgetauscht. Ich komme zu Ihnen, um es ganz offen zu sagen, weil Rocco Aiello nicht mehr da ist und es Stellen gibt, die jetzt neu besetzt werden müssen. Ich will Sie um einen Gefallen bitten. Ich bin auch dazu bereit, dafür zu bezahlen.«

»Ich habe Ihnen gesagt, daß ich nicht ihr Mann bin. Ich kannte Aiello kaum. Ich habe mir nur als Kellner in seinem Lokal ein paar Dollar verdient. Sicher, ich habe Gerüchte gehört, aber das ist *alles*. Ich weiß nicht, was Sie wollen, aber Sie sollten besser zu einem anderen gehen.«

Pace war clever, dachte Matlock. Er löste sich völlig von Aiello, war aber nicht so dumm, völlige Unschuld für sich in Anspruch zu nehmen. Andererseits konnte es natürlich sein, daß er die Wahrheit sprach. Es gab nur eine Möglichkeit, das herauszufinden.

»Ich will es noch mal versuchen … Fünfzehn Monate in Vietnam, Saigon, Da Nang; Ausflüge nach Hongkong, Japan. Offizier in der Zahlmeisterei; die langweiligste Arbeit, die man sich vorstellen kann, für einen jungen Mann, der intelligent genug ist, an einer sehr schwierigen Universität so vorwärts zu kommen, wie Sie das tun.«

»Die Arbeit in der Zahlmeisterei war gut; keine Feindberührung, ungefährlich, sauber. Und die Ausflüge hat jeder gemacht. Sie brauchen sich doch nur die Urlaubslisten anzusehen.«

»Und dann«, fuhr Matlock fort, ohne auf Paces Unterbrechung einzugehen, »kehrt der junge Offizier nach hingebungsvollem Dienst ins Zivilleben zurück. Nach vier Monaten freiwilligem Dienst in Saigon – mich überrascht, daß es Sie *dabei* nicht erwischt hat – kommt er mit genügend Geld zurück, um die richtigen Investitionen zu tätigen, ganz sicher nicht von seiner Löhnung. Er ist einer der größten Dealer in New Haven. Soll ich fortfahren?«

Pace stand neben dem Schreibtisch und sein Atem schien stillzustehen. Er starrte Matlock mit weißem Gesicht an. Als er dann sprach, war seine Stimme die eines verängstigten jungen Mannes.

»Sie können gar nichts beweisen. Ich habe nichts getan.

Meine Armeezeugnisse, meine Zeugnisse hier – das ist alles in Ordnung. Sogar sehr gut.«

»Die besten. Makellos. Akten, auf die man stolz sein kann; ich meine das ganz ehrlich. Ich will auch gar nichts tun, um daran irgend etwas zu verändern; das ist wirklich mein Ernst.«

»Das könnten Sie auch nicht. Ich bin sauber!«

»Nein, das sind Sie nicht. Sie stecken bis zum Hals drin. Das hat Aiello mir ganz eindeutig bestätigt. *Schriftlich.*«

»Sie lügen!«

»Sie sind dumm. Glauben Sie, Aiello würde mit *irgend jemand* Geschäfte machen, ohne den Betreffenden zu überprüfen? Glauben Sie, er *dürfte* das? Aiello hat sehr ausführliche Bücher geführt, Pace, und die sind in meinem Besitz. Ich sagte Ihnen doch, wir hatten vor, gemeinsam ein Geschäft aufzumachen. Man geht keine Partnerschaft ein, ohne sich genau zu informieren, das sollten Sie wissen.«

Paces Stimme war jetzt nicht viel mehr als ein Flüstern. »Solche Bücher gibt es nicht. Es gibt nur Städte, Dörfer, Codes. Keine Namen. Niemals Namen.«

»Weshalb bin ich dann hier?«

»Sie haben mich in Hartford gesehen und suchen jetzt nach einer Verbindung.«

»Dazu sind Sie doch viel zu intelligent. Seien Sie kein Narr.«

Matlocks schnell vorgebrachte Andeutungen waren für den hochgewachsenen, erschreckten jungen Mann zuviel. »Warum sind Sie zu mir gekommen? Ich bin nicht so wichtig. Sie sagen, Sie wissen über mich Bescheid; dann wissen Sie auch, daß ich nicht wichtig bin.«

»Das sagte ich Ihnen doch. Ich brauche Informationen. Ich zögere, zu den hohen Priestern zu gehen, den Leuten mit wirklicher Macht. Ich möchte nicht aus einer schwachen Position verhandeln. Deshalb bin ich bereit zu zahlen; ich bin auch bereit, alles zu zerreißen, was ich über Sie besitze.«

Die Aussicht, sich aus dem Würgegriff des Fremden lösen zu können, drängte offenbar alles andere aus Paces Gedanken. Er antwortete schnell:

»Und wenn ich Ihre Fragen nicht beantworten kann? Dann werden Sie glauben, daß ich lüge.«

»Damit verschlechtert sich ja für Sie nichts. Sie haben keine andere Wahl, als es zu versuchen.«

»Also, fragen Sie.«

»Ich habe ein Mädchen kennengelernt ... aus einem College in der Nähe. Ich lernte sie unter Umständen kennen, die man nur als professionelle Prostitution bezeichnen kann. Professionell in jedem Sinn des Wortes. Feste Termine, feste Beträge, unbekannte Klienten, alles eben ... Was wissen Sie darüber?«

Pace trat ein paar Schritte auf Matlock zu. »Was meinen Sie, was ich weiß? Ich weiß, daß es so etwas gibt. Was gibt es da sonst noch zu wissen?«

»Wie umfangreich ist der Ring?«

»Ziemlich. Das ist nichts Neues.«

»Für mich schon.«

»Sie kennen die Szene nicht. Sehen Sie sich doch in ein paar Collegestädten um.«

Matlock schluckte. War er wirklich so unwissend? »Angenommen, ich würde Ihnen jetzt sagen, daß ich mit einer ganzen Menge ... Collegestädten vertraut bin?«

»Dann würde ich sagen, daß Sie in ziemlich spießigen Kreisen verkehren. Außerdem habe ich nichts damit zu tun. Noch etwas?«

»Bleiben wir noch einen Augenblick bei diesem Thema ... Warum?«

»Warum was?«

»Warum tun es die Mädchen?«

»Pinke, Mann. Warum tut jemand etwas?«

»Sie sind viel zu intelligent, um das zu glauben ... Ist es organisiert?«

»Ja, ich denke schon. Ich sagte Ihnen ja, daß ich nichts damit zu tun habe.«

»Vorsichtig! Ich habe 'ne Menge Papiere über Sie ...«

»Also gut. Ja, es ist organisiert. Alles ist organisiert. Wenn es funktionieren soll.«

»Und wo *genau* läuft das?«

»*Sagte* ich doch! Überall.«

»In den Colleges?«

»Nein, nicht in den Colleges. Gewöhnlich am Stadtrand. Ein paar Meilen gewöhnlich, wenn der Campus auf dem Lande liegt. Alte Häuser, etwas abseits von den Vorstädten. Und in den Städten – da sind es Hotels in der Innenstadt, Privatclubs, Miethäuser. Aber nicht *hier*.«

»Sprechen wir hier von ... Columbia, Harvard, Radcliffe, Smith, Holyoke? Und südlicher?«

»Alle vergessen immer Princeton«, erwiderte Pace mit einem schiefen Lächeln. »Auf diesen Nebenstraßen gibt es eine Menge netter alter Anwesen ... Ja, wir sprechen von diesen Städten.«

»Ich hätte das nie geglaubt...« Matlock sprach ebenso sehr zu sich wie zu Pace. »Aber *warum*? Kommen Sie mir nicht noch einmal mit der ›Pinke‹....«

»Pinke ist *Freiheit*. Mann! Für diese Leute ist das Freiheit. Das sind keine aufgeputschten Freaks; die laufen nicht in schwarzen Mützen und Militärjacken herum. Ganz wenige von uns tun das. Wir haben gelernt. Man braucht nur Geld zu haben; Kumpel, dann mögen einen die netten Leute ... Und außerdem – ob Sie es nun bemerkt haben oder nicht – man kommt heute nicht mehr so leicht an anständiges Geld wie früher. Die meisten dieser Typen brauchen es.«

»Das Mädchen, das ich vorher erwähnt habe; ich hatte den Eindruck, daß man sie dazu gezwungen hatte.«

»Großer Gott, niemand wird *gezwungen*! Das ist doch Unsinn.«

»Aber sie hat man gezwungen. Sie erwähnte da einige Dinge ... Man könnte das vielleicht Kontrollen nennen. Gerichte, Ärzte, selbst Jobs ...«

»Davon weiß ich nichts.«

»Und später. Kontakte, die später kommen – vielleicht ein paar Jahre später. Ganz gewöhnliche altmodische Erpressung. Genauso wie ich Sie jetzt erpresse.«

»Dann hatte sie schon früher Ärger; dieses Mädchen meine ich. Keiner zwingt sie, diesen Trip zu machen. Es sei denn, sie hat bei irgend jemand Schulden und kann nur auf diese Weise bezahlen.«

»Wer ist Nimrod?« Matlock stellte die Frage mit ganz leiser Stimme, ohne Betonung. Aber die Frage veranlaßte den jungen Mann dazu, sich abzuwenden und wegzugehen.

»Das weiß ich nicht. Diese Information steht mir nicht zur Verfügung.«

Matlock erhob sich aus seinem Stuhl und blieb reglos stehen. »Ich frage Sie nur noch einmal, und wenn ich dann keine Antwort bekomme, gehe ich zur Türe hinaus, und Sie sind erledigt. Dann wird ein sehr vielversprechendes Leben drastisch geändert – wenn Sie eines haben … Wer ist Nimrod?«

Der junge Mann fuhr herum, und Matlock sah wieder die Angst. Die Angst, die er in Lucas Herrons Gesicht, in Lucas Herrons Augen gesehen hatte.

»So wahr mir Gott helfe, ich kann diese Frage nicht beantworten!«

»Kann nicht oder will nicht?«

»Kann nicht. Ich *weiß es nicht*!«

»Ich glaube, Sie wissen es doch. Aber ich sagte, ich würde nur einmal fragen. Das wär's dann.« Matlock ging auf die Türe zu, ohne den jungen Mann noch einmal anzusehen.

»Nein! … Verdammt noch mal, ich *weiß es nicht*! … Woher *sollte* ich es denn wissen? Sie können nicht …!« Pace rannte auf Matlock zu.

»Ich kann was nicht?«

»Das tun, was Sie gesagt haben … Hören Sie! Ich weiß nicht, wer sie sind! Ich habe nicht …«

»Sie?«

Pace blickte verwirrt. »Yeah … Ich muß wohl sagen, ›sie‹. Ich weiß nicht. Ich habe keine Kontakte. Andere haben welche, ich nicht. Sie haben mich in Frieden gelassen.«

»Aber Sie wissen von ihnen.« Eine Feststellung.

»Wissen … ja, ich weiß von ihnen. Aber *wer* es ist, ehrlich, das weiß ich *nicht*!«

Matlock drehte sich um und sah den Studenten an. »Wir schließen einen Kompromiß. Für den Augenblick. Sagen Sie mir, was Sie wissen.«

Das tat der verängstigte junge Mann. Als die Worte aus ihm heraussprudelten, steckte seine Angst selbst Matlock an.

Nimrod war ein unsichtbarer Puppenspieler. Gesichtslos, formlos, aber mit einer Macht, die Angst einjagte. Er war kein *er*, auch keine anonyme Gestalt, keine *sie* – nach Alan Pace war Nimrod eine *Macht*. Eine komplizierte Abstraktion, die ihre nicht zu fassenden Tentakel in jeder größeren Universität im Nordosten hatte, in jeder Gemeinde, die der akademischen Landschaft diente, in all den finanziellen Pyramiden, die die komplizierten Strukturen der Universitätswelt von Neuengland finanzierten. ›Und weiter südlich‹, falls die Gerüchte begründet waren.

Rauschgift war nur ein Aspekt, das war die Kröte, die den Legionen der Verbrecherwelt im Halse steckte – der unmittelbare Anlaß für die Mai-Konferenz und den korsischen Brief.

Aber über die Drogen und ihre Profite hinaus trugen Dutzende von Collegeverwaltungen den Stempel von Nimrod. Pace war überzeugt, daß Studiengänge geformt, Universitätspersonal eingestellt und entlassen wurde, Stipendien verteilt oder verweigert – daß einfach alles nach den Instruktionen der Nimrod-Organisation gelenkt wurde. Matlocks Erinnerung wanderte nach Carlyle zurück. An den stellvertretenden Leiter des Aufnahmebüros in Carlyle – eine Nimrod-Besetzung, nach dem toten Loring. Zu Archer Beeson, der seinen schnellen Aufstieg in der Geschichtsabteilung machte; zu einem Trainer der Universitäts-Footballmannschaft, zu einem Dutzend anderer Namen in der Fakultät und im Universitätspersonal, die alle auf Lorings Liste standen.

Wie viele mehr gab es noch? Wie tief war die Infiltration? *Warum?*

Die Callgirl-Ringe waren Hilfsorganisationen. Die Kind-Huren sorgten selbst für Neuzugänge; Adressen wurden geliefert, Preise festgesetzt. Junges Fleisch, das Eignung zeigte und attraktiv war, konnte seinen Weg zu Nimrod finden und dort den widerlichen Pakt schließen. Und dann gab es ›Freiheit‹, gab es ›Brot‹ in dem Pakt mit Nimrod.

Und ›niemand‹ wurde verletzt; es war ein Verbrechen ohne Opfer.

»Überhaupt kein Verbrechen, nur Freiheit, Mann. Kein Druck, der auf einen ausgeübt wird. Kein Geschrei über Stipendien.«

Alan Pace sah in dem unfaßbaren, praktischen Nimrod viel Gutes. Mehr als Gutes.

»Und Sie finden, das sei alles so anders als draußen – als die ›normale‹. Welt? Sie irren, Mister. Das ist ein Mini-Amerika: organisiert und computerisiert und von einer massiven Organisationsstruktur überlagert wie die Wirtschaft auch. Verdammt, das Ganze läuft nach dem Muster des amerikanischen Syndroms – das ist einfach Wirtschaftspolitik, Firmenpolitik, Mann! Das ist General Motors, ITT und MaBell – nur daß jemand clever genug war, die akademische Welt zu organisieren. Und es wächst schnell. Kämpfen Sie nicht dagegen, schließen Sie sich an.«

»Ist es das, was Sie tun werden?« fragte Matlock.

»Das ist die Zukunft, Mann. Der Glaube. Nach allem, was mir bekannt ist, sind *Sie* ja auch dabei. Am Ende wollen Sie mich anwerben. Sie und Ihresgleichen sind ja überall; ich habe Sie erwartet.«

»Und wenn ich nicht bin, was Sie vermuten?«

»Dann sind Sie verrückt. Und in Gefahr.«

27

Wenn man den weißen Stationwagon und seinen Fahrer auf die Stadtmitte von New Haven zurollen sah, hätte man denken können – wenn man überhaupt dachte –, daß es ein prächtiger Wagen war, einer wohlhabenden Vorstadt angemessen, mit einem Mann am Steuer, dessen Aussehen und dessen Gesichtszüge zu dem Fahrzeug paßten.

Ein solcher Beobachter konnte nicht wissen, daß der Fahrer den um ihn ablaufenden Verkehr kaum wahrnahm, daß er von den Enthüllungen wie benommen war, die er in der letzten Stunde in sich hatte aufnehmen müssen; ein erschöpfter Mann, der achtundvierzig Stunden lang nicht mehr geschlafen hatte, der das Gefühl hatte, an einem dünnen Seil über einem unendlichen Abgrund zu hängen und sich festzuhalten, ein Mann, der jeden Augenblick damit rechnete, daß man diese sein Leben bewahrende Leine durchschnitt und ihn in den endlosen Nebel stürzte.

Matlock gab sich redlich Mühe, alle Denkprozesse, derer er fähig war, in der Schwebe zu halten. Die Jahre, ganz speziell die Monate, in denen er sein akademisches Rennen gegen selbstauferlegte Zeitpläne gerannt war, hatten ihn gelehrt, daß der Geist – zumindest sein Geist – nicht richtig funktionierten, wenn Erschöpfung und ein Übermaß neuer Eindrücke zusammenkamen.

Und daß er funktionierte, war jetzt wichtiger als alles andere.

Er befand sich in Gewässern, die ihm völlig unbekannt waren, gleichsam karthographisch noch nicht erfaßten Gewässern. Einem Meer mit winzigen Inseln, die von grotesken Bewohnern bevölkert waren: Julian Dunoises, Lucas Herrons, die Bartolozzis, die Aiellos, die Sharpes, die Stocktons und die Paces. Die Vergifteten und die Vergifter.

Nimrod.

Karthographisch nicht erfaßte Gewässer?

Nein, das waren sie nicht, dachte Matlock.

Sie waren durchaus befahren. Und die Reisenden waren die Zyniker des Planeten.

Er fuhr zum Sheraton Hotel und nahm sich ein Zimmer.

Er setzte sich auf den Bettrand und meldete ein Telefongespräch für Howard Stockton im Carmount an. Stockton war nicht im Hause.

In brüskem, arrogantem Ton erklärte er der Vermittlung im Carmount, daß Stockton zurückrufen solle – er sah auf die Uhr; es war zehn Minuten vor zwei –, und zwar in vier Stunden. Um sechs Uhr. Er gab die Nummer des Sheraton Hotels an und legte auf.

Er brauchte wenigstens vier Stunden Schlaf. Er wußte nicht, wann er wieder schlafen würde.

Dann nahm er noch einmal den Hörer ab und verlangte, daß man ihn um Viertel vor sechs wecken solle.

Während sein Kopf ins Kissen sank, hob er den Arm an die Augen. Durch den Stoff seines Hemds spürte er seine Bartstoppeln. Er würde zum Friseur gehen müssen; er hatte seinen Koffer in dem weißen Stationwagon gelassen. Er war zu müde gewesen, zu durchgedreht, um daran zu denken, ihn mit ins Zimmer zu nehmen.

Das dreimalige kurze Klingeln des Telefons zeigte, daß das Sheraton seine Instruktionen erfüllte. Es war genau Viertel vor sechs. Fünfzehn Minuten später klingelte es wieder, diesmal länger, normaler. Es war genau sechs, und der Anrufer war Howard Stockton.

»Ich will es kurz machen, Matlock. Sie haben einen Kontakt. Nur daß er sich nicht mit Ihnen *im* Sail and Ski treffen will. Sie gehen an den Osthang – der steht im Frühjahr und im Sommer den Touristen zur Verfügung, damit sie die Landschaft bewundern können – und nehmen den Lift nach oben. Seien Sie um halb neun Uhr heute abend dort. Er wird einen Mann oben haben. Das ist alles, was ich zu sagen habe. *Mich geht das nichts an!*«

Stockton knallte den Hörer auf die Gabel. Das Echo hallte in Matlocks Ohr.

Aber er hatte es geschafft! *Er hatte es geschafft!* Er hatte den Kontakt zu Nimrod hergestellt! Zu der Konferenz.

Er ging den finsteren Weg zum Skilift. Zehn Dollar machten dem Helfer auf dem Parkplatz des Sail and Ski sein Problem begreiflich: Der nette Mann in dem Stationwagon war verabredet. Der Ehemann würde erst viel später kommen – was zum Teufel, so war das Leben eben. Der Parkwächter war sehr hilfsbereit.

Als er den Osthang erreichte, begann der Regen, der den ganzen Tag gedroht hatte. In Connecticut waren April-Regengüsse irgendwie immer Mai-Gewitter, und Matlock ärgerte sich, daß er nicht daran gedacht hatte, sich einen Regenmantel zu kaufen.

Er sah sich an dem verlassenen Lift um, dessen hohe, doppelte Leinen sich deutlich vor dem immer stärker werdenden Regen abzeichneten und wie dicke Hanftaue in einem nebligen Hafen glänzten. In der Hütte, welche die komplizierten, schwerfälligen Maschinen beherbergte, die den Lift betrieben, war ein winziges, fast unsichtbares Licht zu sehen. Matlock ging auf die Türe zu und klopfte. Ein kleiner, drahtig aussehender Mann öffnete und musterte ihn scharf.

»Sind Sie der Mann, der hinauf will?«

»Ich denke schon.«

»Wie heißen Sie?«

»Matlock.«

»Schätze, Sie sind der Richtige. Kommen Sie mit dem Lift klar?«

»Ich bin schon Ski gelaufen. Den Arm um die Stange, den Hintern aufs Brett und die Füße aufs Rohr.«

»Sie brauchen keine Hilfe von mir. Ich lass' die Kiste an und das weitere machen Sie.«

»'s ist recht.«

»Sie werden naß werden.«

»Ich weiß.«

Matlock stellte sich rechts von der Grube auf, als die schwerfällige Maschinerie sich in Bewegung setzte. Die Kabel ächzten und begannen dann ihre lange Reise, und eine Stange kam auf ihn zu. Er schob sich auf den Lift, preßte die Füße gegen die Fußstange und schloß die Stange vor seinem Sitz. Er spürte das Schwanken, als die Leinen ihn vom Boden hoben.

Er befand sich auf dem Wege zum höchsten Punkt des Osthangs, auf seinem Weg zu dem Kontakt mit Nimrod. Als er nach oben schaukelte, zehn Fuß über dem Boden, wurde der Regen aufmunternd statt lästig. Er näherte sich dem Ende seiner Reise, dem Ende seines Rennens. Wer auch immer ihm oben auf dem Gipfel entgegentrat, würde völlig verwirrt sein. Er rechnete darauf; er hatte es so geplant. Wenn alles stimmte, was der ermordete Loring und der quicklebendige Greenberg ihm erzählt hatten, konnte es gar nicht anders sein. Die totale Geheimhaltung der Konferenz; die Delegierten, die einander nicht kannten; der Eid, der ›Omerta‹, das hartnäckige Festhalten der Subkultur an Codes und

Gegencodes, um seine Bewohner zu schützen – *das alles* stimmte. Er hatte es selbst in Funktion gesehen. Eine so komplizierte Logistik führte – wenn man sie plötzlich unterbrach – unausweichlich zu Argwohn und am Ende zu Verwirrung. Und diese Verwirrung war es, auf die Matlock baute.

Lucas Herron hatte ihn bezichtigt, sich von Komplotten und Gegenkomplotten beeinflussen zu lassen. Nun, er war nicht von ihnen *beeinflußt*, er *verstand* sie nur. Das war etwas völlig anderes. Dieses Verstehen war es, das ihn einen Schritt von Nimrod weg geführt hatte.

Der Regen war jetzt heftiger geworden, aufgepeitscht von dem Wind, der in der Höhe viel stärker als am Boden wehte. Matlocks Querstange schwankte und ruckte, eine Bewegung, die immer stärker wurde, bis er den nächsten Stützpfeiler erreicht hatte. Das schwache Licht in der Maschinenhütte war in der jetzt herrschenden Dunkelheit und im Regen kaum mehr zu sehen. Er vermutete, daß er inzwischen die Hälfte des Weges zum Gipfel zurückgelegt hatte.

Es gab einen Ruck; die Maschine hielt an. Matlock packte die Seitenstange und spähte durch den Regen nach oben und versuchte zu sehen, was das Anhalten verursacht hatte, vielleicht irgend etwas am Rad. Aber da war nichts.

Er drehte sich etwas unsicher halb herum und spähte mit zusammengekniffenen Augen den Abhang hinunter zur Hütte. Dort war jetzt kein Licht, nicht einmal ein winziges Lämpchen. Er hielt sich die Hand vor die Stirn und schützte sich so, so gut er konnte, vor dem Regen. Er mußte sich irren, der strömende Regen nahm ihm die Sicht, vielleicht war die Stange für ihn sichtbar. Er lehnte sich zuerst nach rechts und dann nach links. Aber da war kein Licht mehr von unten.

Vielleicht waren die Sicherungen durchgebrannt. Wenn ja, dann wäre ohne Zweifel auch die Lampe in der Hütte ausgegangen. Oder ein Kurzschluß. Es regnete, und Skilifts wurden normalerweise im Regen nicht betrieben.

Er sah nach unten. Der Boden war vielleicht fünfzehn Fuß entfernt. Wenn er sich an die Fußstange hängte, würde er nur acht oder neun Fuß nach unten fallen. Damit würde er zurechtkommen. Er würde den Rest des Weges bis zum Gipfel zu Fuß gehen. Aber es mußte jetzt schnell gehen. Er würde wahrscheinlich wenigstens zwanzig Minuten bis zum Gipfel brauchen, genau konnte er es nicht wissen. Das Risiko jedenfalls, daß seine Kontaktperson in Panik geriet und beschloß, wegzugehen, ehe er sie erreichte, war zu groß.

»Bleiben Sie, wo Sie sind! Schnallen Sie sich nicht ab!«

Die Stimme kam aus der Finsternis, durchschnitt Regen und Wind. Der unvermittelte Befehl lähmte Matlock ebensosehr wegen der Überraschung als auch aus Angst. Der Mann stand unter ihm, etwas rechts. Er trug einen Regenmantel und irgendeine Kappe. Es war unmöglich, sein Gesicht zu sehen oder auch nur seine Größe zu bestimmen.

»Wer sind Sie? Was wollen Sie?«

»Ich bin der Mann, mit dem Sie sich treffen sollen. Ich will das Papier sehen, das Sie in der Tasche haben. Werfen Sie es herunter.«

»Ich werde Ihnen das Papier zeigen, wenn ich *Ihre* Kopie sehe. Das war unsere Vereinbarung. So habe ich es zumindest abgesprochen.«

»Sie verstehen nicht, Matlock. Werfen Sie einfach das Papier herunter. Das ist alles.«

»Wovon zum Teufel reden Sie?!«

Das grelle Scheinwerferbündel einer Taschenlampe blendete ihn. Er griff nach der Schutzstange, die ihn im Sitz festhielt.

»Rühren Sie das nicht an! Halten Sie hübsch die Hände still, sonst sind Sie ein toter Mann!«

Der Lichtkegel wanderte von seinem Gesicht zu seiner Brust hinunter, und ein paar Sekunden lang war alles, was Matlock sehen konnte, ein Gebilde Tausender flammender Sterne in seinen Augen. Als er dann wieder sehen konnte, erkannte er, daß der Mann unter ihm jetzt näher auf die Liftkabel zuging und sich dabei immer wieder mit Hilfe seiner Taschenlampe am Boden orientierte. Im Schein der Lampe sah er auch, daß der Mann eine große häßliche Automatik in der rechten Hand hielt. Das blendende Licht kehrte jetzt zu seinem Gesicht zurück und schien unmittelbar unter ihm.

»Bedrohen Sie mich bloß nicht, Sie Knilch!« schrie Matlock und erinnerte sich daran, welche Wirkung sein Ärger um vier Uhr früh auf Stockton gehabt hatte. »Stecken Sie diese gottverdammte Waffe weg und helfen Sie mir herunter! Wir haben nicht ewig Zeit, und ich mag solche Spiele nicht!«

Diesmal war der Effekt nicht derselbe. Statt dessen fing der Mann unter ihm zu lachen an, ein Lachen, das in ihm fast Übelkeit erzeugte. Dabei war es völlig echt. Der Mann unten empfand ein Heidenvergnügen.

»Sie sind sehr komisch. Sie sehen komisch aus, wie Sie da mit dem Hintern in der Luft hocken. Wissen Sie, wie Sie aussehen? Wie eine von diesen hüpfenden Affenzielscheiben auf einem Schießstand! Wissen Sie, *was ich meine*? Und jetzt Schluß mit dem verdammten Unfug, werfen Sie mir das Papier herunter!«

Wieder lachte er. Als Matlock das hörte, war ihm plötzlich alles klar.

Er hatte gar keinen Kontakt hergestellt. Er hatte niemanden in die Enge getrieben. All seine sorgfältigen Pläne, seine wohlüberlegten Aktionen, alles für nichts und wieder nichts. Er war Nimrod jetzt um kein Jota nähergerückt, war ihm genauso fern wie vor der Zeit, da ihm Nimrods Existenz überhaupt zur Kenntnis gelangt war.

Man hatte ihn in eine Falle gelockt.

Trotzdem mußte er es versuchen. Es blieb ihm gar nichts anderes übrig.

»Sie machen den größten Fehler Ihres Lebens!«

»Ach du liebe Güte, hören Sie schon auf! Her mit dem Papier! Wir suchen diesen Scheißfetzen jetzt seit einer Woche! Ich habe Anweisung, ihn *jetzt* zu bringen!«

»Ich kann es Ihnen nicht geben.«

»Dann knalle ich Sie ab!«

»Ich habe gesagt, daß ich nicht *kann*! Ich habe nicht gesagt, daß ich nicht *will*!«

»Sie wollen mich wohl verscheißern. Sie haben es bei sich! Sie wären niemals ohne das Papier hierhergekommen!«

»Es ist in einem Päckchen, das ich mir ums Kreuz geschnallt habe.«

»Dann holen Sie's heraus!«

»Ich habe doch gesagt, daß es nicht geht! Ich sitze auf einem vier Zoll breitem Holzknüppel mit einer Fußstange und hänge zwanzig Fuß über dem Boden!«

Der peitschende Regen verschluckte seine Worte fast völlig. Der Mann unter ihm war enttäuscht, ungeduldig.

»Ich habe gesagt, *her mit dem Papier*!«

»Ich muß mich fallen lassen. Ich komme nicht an die Riemen!« Matlock mußte schreien, um sich Gehör zu verschaffen. »Ich kann *gar nichts* tun! Ich habe keine Waffe!«

Der Mann mit der großen häßlichen Automatik trat ein paar Schritte zurück. Er richtete den Lichtkegel seiner Taschenlampe und die Waffe auf Matlock.

»Okay, kommen Sie runter! Aber eine falsche Bewegung, und ich verpass' Ihnen eine Ladung Blei!«

Matlock löste die Sicherheitsstange und kam sich wie ein kleiner Junge ganz oben auf einem Riesenrad vor, der sich fragt, was wohl geschehen würde, wenn das Rad für immer anhielte und der Sicherungsbügel herunterfiele.

Er hielt sich an der Fußstütze fest und ließ sich herunter. Er baumelte jetzt in der Luft. Der Regen durchnäßte ihn, während der Lichtkegel ihn blendete. Er mußte jetzt scharf nachdenken, mußte sich etwas einfallen lassen. Sein Leben war für jemanden wie den Mann dort unten viel weniger wert, als das Leben der Leute in Windsor Shoals wert gewesen war.

»Richten Sie Ihre Lampe nach unten! Ich kann nichts sehen!«

»Quatsch! Lassen Sie sich einfach fallen!«

Er ließ sich fallen.

In der Sekunde, in der er den Boden berührte, stieß er einen lauten, schmerzerfüllten Schrei aus und griff sich ans Bein.

»Ahhh! Mein Knöchel! Mein Fuß! Ich hab' mir den verdammten Knöchel gebrochen!« Er krümmte sich auf dem Boden, das Gesicht von Schmerz verzerrt.

»Maul halten! Her mit dem Papier! *Schnell*!«

»*Du lieber Gott!* Was *wollen* Sie denn von mir? Mein Knöchel ist ganz *herumgedreht*. Er ist *gebrochen*!«

»Schlimm! Her mit dem Papier!«

Matlock lag ausgestreckt auf dem Boden. Sein Kopf bewegte sich hin und her, um den Schmerz besser zu ertragen. Er stöhnte und stieß dazwischen hervor:

»Hier ist der Riemen. Machen Sie ihn auf.« Er riß an seinem Hemd, so daß man den Segeltuchgurt sehen konnte.

»Machen Sie ihn selbst auf. Bißchen fix!«

Aber der Mann kam näher. Er war nicht ganz sicher. Der Scheinwerferkegel war jetzt genau über Matlock. Dann wanderte er an ihm herunter. Matlock konnte den dicken Lauf der häßlichen schwarzen Automatik sehen.

Das war der Augenblick, auf den er gewartet hatte.

Seine rechte Hand schoß in die Höhe, auf die Waffe zu. Gleichzeitig warf er sich gegen die Beine des Mannes im Regenmantel. Er hielt den Lauf der Automatik fest und zog ihn mit aller Gewalt nach unten. Die Waffe entlud sich zweimal. Matlock zerrissen die Schüsse fast die Hand, während der feuchte Boden und der peitschende Regen den Knall der Schüsse teilweise verschluckten.

Der Mann war jetzt unter ihm, drehte sich krampfhaft zur Seite, schlug mit den Beinen und dem freien Arm nach dem schwer auf ihm lastenden Matlock. Matlock stürzte sich auf den Arm, den er festhielt, und grub die Zähne in das Handgelenk über der Hand, die die Waffe hielt. Er biß in das Fleisch, bis er das Blut herausspritzen spürte, um sich mit dem eisigen Regen zu mischen.

Der Mann ließ die Waffe los und stieß einen erschreckten Schrei aus. Matlock griff nach der Waffe, riß sie dem anderen weg und schmetterte sie ihm ein paarmal hintereinander ins Gesicht. Die Taschenlampe lag in dem hohen Gras. Ihr Lichtkegel stach sinnlos nach oben in das nasse Laub.

Matlock kauerte über dem halb bewußtlosen, blutigen Gesicht seines Widersachers. Er war außer Atem und hatte immer noch den übelkeiterregenden Geschmack des Blutes dieses Mannes im Mund. Er spuckte ein halbes dutzendmal aus und versuchte seine Zähne und seinen Hals damit zu säubern.

»Okay!« Er packte den Mann am Kragen und riß seinen

Kopf in die Höhe. »Und jetzt werden Sie mir sagen, was hier geschehen ist! Das war eine Falle, nicht wahr?«

»Das Papier! Ich muß das Papier haben.« Man konnte den Mann kaum hören.

»Man hat mich in die *Falle gelockt, nicht wahr!* Die ganze letzte Woche war eine Falle!«

»Yeah Yeah. Das Papier.«

»Dieses Papier ist recht wichtig, wie?«

»Die werden Sie umbringen … umbringen werden die Sie, um es zu bekommen! Sie haben keine Chance, Mister … Keine Chance …«

»Wer ist *die*?!«

»Ich weiß nicht … weiß nicht!«

»*Wer ist Nimrod?*«

»Ich weiß nicht … ›Omerta‹! … ›Omerta‹!«

Die Augen des Mannes weiteten sich. In dem schwachen Widerschein der heruntergefallenen Taschenlampe sah Matlock, daß mit seinem Gefangenen etwas geschehen war. Irgendein Gedanke, eine Vorstellung, gewann die Übermacht über seine gequälte Fantasie. Es tat weh, ihm zuzusehen. Das erinnerte ihn zu sehr an den Anblick des von panischer Angst geplagten Lucas Herron, des erschreckten Alan Pace.

»Kommen Sie, ich schaffe Sie den Abhang hinunter …«

Weiter kam er nicht. Der Mann mit dem blutverschmierten Gesicht warf sich plötzlich vor, machte einen letzten verzweifelten Versuch, die Waffe zu erreichen, die Matlock in der rechten Hand hielt. Matlock zuckte zurück und feuerte instinktiv die Waffe ab. Blut und Fleischfetzen flogen nach allen Richtungen davon. Der Hals des Mannes wurde halb weggerissen.

Matlock stand langsam auf. Der Rauch der Automatik hing über dem Toten, und der Regen drückte ihn nach unten, in die Erde.

Er beugte sich nach vorne, um die Taschenlampe aus dem Gras aufzuheben, und als er das tat, begann er sich zu übergeben.

28

Zehn Minuten später beobachtete er den Parkplatz unter sich vom Stamm eines mächtigen Ahornbaumes aus, der gute fünfzig Meter weiter bergauf stand. Die neuen Blätter boten ihm teilweisen Schutz vor dem strömenden Regen, aber seine Kleider waren schmutzig, mit feuchtem Schlamm und Blut bedeckt. Er sah den weißen Stationwagon ganz vorne am Parkplatz neben dem Steintor, das zum Sail and Ski führte. Im Augenblick war nicht viel los; es kamen keine Wagen, und die Fahrer würden ohne Zweifel warten, bis der Wolkenbruch vorüber war, ehe sie sich wieder auf die Straße wagten. Der Parkwächter, dem er die zehn Dollar gegeben hatte, unterhielt sich mit einem uniformierten Türsteher unter dem Vordach des Restauranteingangs. Matlock wäre am liebsten zu dem Stationwagon gerannt und so schnell er konnte weggefahren, aber er wußte, daß der Anblick seiner Kleider die beiden Männer alarmieren würde. Dann würden sie anfangen nachzudenken, was wohl am Osthang passiert sein mochte. Er hatte jetzt keine andere Wahl, als zu warten; er mußte warten, bis jemand herauskam und die beiden ablenkte oder bis beide aus freien Stücken hineingingen.

Er haßte das Warten. Aber mehr noch als er es haßte, machte es ihm Angst. An der Hütte, die den Liftmechanismus beherbergte, war niemand gewesen, den er hatte hören oder sehen können, aber das bedeutete nicht, daß niemand dort war. Nimrods toter Kontaktmann hatte wahrscheinlich irgendwo einen Partner, der ebenso wartete, wie Matlock jetzt wartete. Wenn man den toten Mann fand, würden sie ihn aufhalten, ihn töten – wenn nicht um der Rache willen, dann um sich des korsischen Papiers zu bemächtigen.

Er hatte jetzt keine Wahl mehr. Er hatte sich überschätzt, war zu weit gegangen, weiter als seine Fähigkeiten dies erlaubten. Nimrod hatte ihn ebenso manipuliert, wie die Männer aus dem Justizministerium ihn manipuliert hatten. Er würde Jason Greenberg anrufen und tun, was Greenberg ihm sagte. In mancher Hinsicht war er froh darüber, daß seine Rolle jetzt abgelaufen war oder dies bald sein würde. Er fühlte sich immer noch verpflichtet, aber es gab nichts mehr, was er tun konnte. Er hatte versagt.

Unter ihm öffnete sich der Eingang des Restaurants und eine Kellnerin gab dem uniformierten Türsteher ein Zeichen. Er und der Parkwächter gingen die Treppe hinauf, um mit dem Mädchen zu sprechen.

Matlock rannte zu der Kiesfläche hinunter und hetzte vor den Kühlern der am Rande des Parkplatzes abgestellten Wagen entlang. Zwischen den Fahrzeugen blickte er immer wieder zu der Restauranttüre hinüber. Die Kellnerin hatte dem Portier einen Becher Kaffee gegeben. Die drei rauchten, unterhielten sich, lachten.

Er bog um den Kreis und duckte sich vor dem Stationwagon. Er kroch an die Türe, spähte hinein, und sah zu seiner großen Erleichterung, daß die Schlüssel im Zündschloß steckten. Er atmete tief durch, öffnete die Tür so leise ihm das möglich war und sprang hinein. Statt sie zuzuknallen, zog er die Tür schnell und lautlos zu, um die Innenbeleuchtung wieder zum Verlöschen zu bringen, ehe jemandem das Geräusch auffiel. Die beiden Männer und die Kellnerin redeten und lachten noch und nahmen nicht wahr, was um sie herum vorging.

Er setzte sich zurecht, betätigte die Zündung, legte den Rückwärtsgang ein und raste vor dem Tor nach hinten. Er fegte zwischen den Steinsäulen durch, die lange Straße zum Highway hinunter.

Die drei Angestellten unter dem Dach vor der Eingangstür waren einen Augenblick lang verblüfft. Dann wurden sie neugierig. Sie konnten nämlich ganz hinten am Parkplatz das tiefe Dröhnen eines zweiten, viel kräftigeren Motors hören. Grelle Scheinwerferbalken flammten auf, von dem strömenden Regen etwas verzerrt, dann schoß eine lange schwarze Limousine nach vorne.

Der drohend wirkende Wagen schoß mit pfeifenden Rädern auf die Steinpfosten zu. Dann nahm der schwere Wagen Tempo auf und raste hinter dem Stationwagon her.

Auf dem Highway war nicht viel Verkehr, aber er war dennoch der Ansicht, er würde auf den Nebenstraßen schneller nach Carlyle kommen. Er hatte beschlossen, geradewegs zu Kressels Haus zu fahren, obwohl Sam gelegentlich zur Hysterie neigte. Sie würden Greenberg gemeinsam anrufen. Er hatte gerade brutal und auf schreckliche Weise ein anderes menschliches Wesen getötet. Ob die Tat nun gerechtfertigt war oder nicht, ihm saß jedenfalls der Schock noch tief in den Knochen. Wahrscheinlich würde er ihn den Rest seines Lebens nicht loswerden. Er war nicht sicher, ob Kressel jetzt der richtige Mann war, den er aufsuchen mußte.

Aber sonst gab es niemanden. Es sei denn, er kehrte zu seiner Wohnung zurück und blieb dort, bis ihn ein Mann vom FBI abholte. Aber ebensogut war es möglich, daß ihn kein FBI-Mann aufsuchte, sondern ein Abgesandter Nimrods.

Die Straße beschrieb eine langgezogene S-Kurve. Er erinnerte sich, daß dahinter eine lange gerade Strecke quer durch Farmland führte, wo er aufholen konnte. Der Highway war zwar schnurgerade angelegt, aber solange kein Verkehr war, kam man auf den Nebenstraßen schneller von der Stelle. Als er aus der Kurve kam, merkte er, daß er das Steuer so fest umkrampft hielt, daß ihm die Arme weh taten. Das waren die unwillkürlichen Verteidigungskräfte seines Körpers, die das Kommando übernahmen und die seine zitternden Glieder unter Kontrolle hielten und den Wagen mit schierer gefühlloser Kraft geradeaus steuerten.

Jetzt kam das gerade Straßenstück; der Regen war schwächer geworden. Er trat das Gaspedal durch und spürte, wie der Stationwagon an Tempo gewann.

Er sah zwei-, dreimal in den Rückspiegel und achtete auf Streifenwagen. Er sah, wie sich von hinten ein Scheinwerferpaar näherte. Er blickte auf den Tachometer. Er fuhr jetzt siebenundachtzig Meilen die Stunde, und die Lichter im Rückspiegel rückten immer noch näher.

Die Instinkte des Gejagten drängten sich schnell an die Oberfläche, er wußte, daß der Wagen hinter ihm kein Polizeifahrzeug war. Da war keine Sirene, die die regnerische

Nacht durchdrang, da blitzten keine Lichter, die behördliche Macht anzeigten.

Er schob den rechten Fuß nach vorne, drückte das Gaspedal noch weiter nieder, auch wenn es ihm nichts mehr einbrachte. Jetzt zeigte der Tachometer vierundneunzig Meilen die Stunde an – schneller konnte der Stationwagon nicht mehr laufen.

Die Scheinwerfer leuchteten jetzt unmittelbar hinter ihm. Der unbekannte Verfolger war nur noch wenige Fuß, jetzt nur noch einige Zoll von seiner hinteren Stoßstange entfernt. Plötzlich schoben sich die Scheinwerfer nach links, und der Wagen ging an den weißen Stationwagon längsseits.

Es war dieselbe schwarze Limousine, die er nach Lorings Ermordung gesehen hatte! Derselbe schwere Wagen, der wenige Minuten nach dem Massaker von Windsor Shoals aus der abgedunkelten Einfahrt gerast war! Matlock zwang sich, wenigstens einen Teil seines Bewußtseins auf die Straße zu konzentrieren, während der Rest sich dem Fahrer des Wagens zuwandte, der ihn auf die rechte Seite der Straße zu drängen versuchte. Der Stationwagon vibrierte von der ungewohnten Geschwindigkeit; es fiel ihm immer schwerer das Steuer gerade zu halten.

Dann sah er den Lauf der Pistole, der sich durch das Fenster des schweren Wagens zu seiner Linken auf ihn richtete. Er sah den verzweifelten Blick in den unruhig herumhuschenden Augen hinter dem ausgestreckten Arm, der versuchte, auf ihn zu zielen.

Er hörte die Schüsse und spürte, wie ihm das Glas ins Gesicht und über den Vordersitz gefegt wurde. Er trat auf die Bremse und riß das Steuer nach rechts, setzte über den Seitenstreifen und schoß auf einen Stacheldrahtzaun zu und durch ihn hindurch auf ein mit Steinen übersätes Feld. Der Stationwagon fegte über das Gras vielleicht fünfzig oder sechzig Fuß weit, und stieß dann gegen eine Ansammlung von Felsblocken, offenbar eine Art Grenzmarkierung. Die Scheinwerfer zersplitterten und gingen aus, der Kühlergrill wurde zerdrückt. Er wurde gegen das Armaturenbrett geschleudert und nur seine rechtzeitig hochgerissenen Arme verhinderten, daß sein Kopf gegen die Windschutzscheibe krachte.

Aber er war bei Bewußtsein, und die Instinkte des Gejagten würden ihn nicht verlassen.

Er hörte, wie eine Wagentür sich öffnete und wieder schloß und wußte, daß der Mörder jetzt seinem Opfer nachsetzte. Seinem Opfer und dem korsischen Papier. Er spürte, wie ihm ein Blutfaden über die Stirn rann – wobei er nicht wußte, ob er einen Streifschuß abbekommen oder sich an den Glassplittern verletzte hatte. Aber er war dankbar, daß das Blut da war. Er würde es jetzt brauchen, er brauchte Blut auf seiner Stirn. Er blieb über das Steuer gebeugt, reglos, stumm.

Und unter seiner Jacke hielt er die häßliche Automatik, die er dem toten Mann im Regenmantel am Osthang abgenommen hatte. Sie war unter seinem linken Arm auf die Tür gerichtet.

Er konnte die halb erstickten Schritte auf dem weichen Boden draußen hören. Er spürte förmlich – so wie ein blinder Mann das spürt – das Gesicht, das durch das zersplitterte Glas nach ihm hereinspähte. Er hörte das Klicken des Türknopfs, als der eingedrückt wurde, dann das Ächzen der Scharniere, als die schwere Tür geöffnet wurde.

Eine Hand griff nach seiner Schulter. Matlock feuerte seine Waffe ab.

Das Brüllen war ohrenbetäubend, der Schrei des verwundeten Mannes durchschnitt die lastende Dunkelheit. Matlock sprang aus dem Sitz und warf sich mit voller Gewalt gegen den Mörder, der voll Schmerz nach seinem linken Arm gegriffen hatte. Matlock schlug dem Mann wild und ohne zu zielen die Pistole ins Gesicht und gegen den Hals, bis er zu Boden stürzte. Die Waffe des Mannes war nirgends zu sehen, seine Hände waren leer. Matlock stellte dem anderen den Fuß auf den Hals und drückte zu.

»Ich höre erst auf, wenn Sie mir ein Zeichen geben, daß Sie bereit sind, zu reden, Sie Dreckskerl! Sonst *höre ich nicht auf!*«

Der Mann würgte, die Augen traten ihm fast aus den Höhlen. Er hob bittend die rechte Hand.

Matlock nahm den Fuß weg und kniete neben dem Mann nieder. Er war vierschrötig und schwarzhaarig und hatte die groben Züge des brutalen Mörders.

»Wer hat Sie hinter mir hergeschickt? Woher kannten Sie diesen Wagen?«

Der Mann hob leicht den Kopf, als wolle er antworten. Statt dessen fuhr plötzlich seine rechte Hand nach seiner Hüfte, riß ein Messer heraus, und dann warf er sich scharf nach links, riß sein gorillaähnliches Knie vor und trieb es Matlock in den Unterleib. Das Messer bohrte sich in Matlocks Hemd, und er wußte, als er die stählerne Spitze an seinem Fleisch spürte, daß er jetzt dem Tode so nahe gekommen war, wie nie zuvor.

Er schmetterte dem Mann den Lauf seiner schweren Automatik gegen die Schläfe. Das reichte. Der Kopf des Mörders fuhr zurück; Blut besudelte seinen Haaransatz. Matlock stand auf und stellte den Fuß auf die Hand mit dem Messer.

Bald öffneten sich die Augen des Killers wieder.

In den nächsten fünf Minuten tat Matlock etwas, wozu er sich nie für fähig gehalten hätte – er folterte einen anderen Menschen. Er folterte den Mörder mit dessen eigenem Messer, bohrte es in die Haut unter seinen Augen, zerschnitt ihm die Lippen mit derselben Stahlspitze, die ihm das eigene Fleisch aufgerissen hatte. Jedesmal wenn der Mann schrie, schmetterte Matlock ihm den Lauf seiner Automatik auf den Mund, so daß die Zähne des Mörders splitterten.

Es dauerte nicht lange.

»Das Papier!«

»Was denn sonst?«

Der Killer stöhnte und wand sich und spuckte Blut, wollte aber nicht sprechen. Das tat Matlock; ganz leise und völlig ernst.

»Sie werden mir jetzt Antwort geben, sonst treibe ich Ihnen diese Klinge durch die Augen. Mir ist jetzt alles egal. Glauben Sie mir.«

»Der alte Mann!« Die gutturalen Laute kamen tief aus der Kehle des Mannes. »Er hat gesagt, er hat es aufgeschrieben … Niemand weiß … Sie haben mit ihm gesprochen …«

»Welcher alte …« Matlock hielt inne, als ihm ein schrecklicher Gedanke in den Sinn kam. »*Lucas Herron? Meinen Sie das?!*«

»Er hat gesagt, er hat es aufgeschrieben. Die glauben, Sie wissen das. Vielleicht hat er gelogen … Um Gottes willen, er könnte gelogen haben …«

Die Bewußtlosigkeit erlöste den Mörder.

Matlock stand langsam auf, seine Hände zitterten, er schauderte am ganzen Körper. Er blickte zur Straße hinüber, zu der großen schwarzen Limousine, die lautlos in dem immer schwächer werdenden Regen stand. Das würde sein letzter Schritt sein, sein letzter Versuch.

Aber irgend etwas regte sich in seinem Gehirn, etwas, das sich ihm noch entzog und doch greifbar war. Er mußte diesem Gefühl vertrauen, so, wie er sich angewöhnt hatte, den Instinkten des Jägers und des Gejagten zu vertrauen.

Der alte Mann!

Die Antwort lag irgendwo in Lucas Herrons Haus.

29

Er parkte die Limousine eine Viertelmeile von Herrons Nest und ging am Straßenrand auf das Haus zu, bereit, jederzeit in das Gehölz zu springen, das die Straße säumte, falls irgendwo ein Wagen auftauchte.

Aber es kam keiner.

Er erreichte ein Haus, dann noch eines, und rannte beide Male vorbei und beobachtete die beleuchteten Fenster, um zu sehen, ob jemand heraussah.

Aber da war niemand.

Er erreichte die Grenze von Herrons Anwesen und duckte sich zu Boden. Langsam, vorsichtig, lautlos arbeitete er sich auf die Einfahrt zu. Das Haus lag in Dunkelheit; da waren keine Wagen, keine Menschen, keine Spuren von Leben. Nur der Tod.

Er ging den Plattenweg hinauf. Sein Blick fiel auf ein amtlich wirkendes Dokument, das in der Dunkelheit kaum sichtbar und mit Reißzwecken an der Haustüre befestigt war. Er ging darauf zu und riß ein Streichholz an. Das Sheriff-Siegel.

Wieder eine Übertretung der Gesetze, dachte Matlock.

Er ging um das Haus herum nach hinten und erinnerte sich, als er vor der Terrassentüre stand, wie Herron über seinen manikürt wirkenden Rasen auf die drohende grüne Wand zugerannt war, die er so geschickt geteilt hatte und in der er so völlig verschwunden war.

An der Hintertüre hing ebenfalls ein Sheriff-Siegel. Diesmal war es an einer Glasscheibe festgeklebt.

Matlock zog die Automatik aus dem Gürtel und schlug das kleine Fenster links von dem Siegel so leise es ging ein. Er öffnete die Türe und trat ein. Das erste, was ihm auffiel, war die Dunkelheit. Licht und Dunkelheit waren relativ, das hatte er in den letzten Wochen langsam begriffen. Die Nacht hatte Licht, an das die Augen sich anpassen konnten; das Tageslicht täuschte oft, war mit Schatten angefüllt und nebligen blinden Flecken. Aber in Herrons Haus herrschte völlige Dunkelheit. Er zündete ein Streichholz an und begriff.

Die Fenster in der kleinen Küche waren abgedunkelt. Nur daß dazu nicht gewöhnliche Vorhänge benutzt wurden, sondern Sonderanfertigungen. Es handelte sich um schweres Tuch, das mit senkrechten Stangen an den Rahmen befestigt war. Er ging auf das Fenster über dem Ausguß zu und riß wieder ein Streichholz an. Nicht nur, daß das Tuch dicker als gewöhnlich war; die Stange und das Schloß unten stellten sicher, daß das Tuch absolut glatt am ganzen Rahmen anlag. Es war höchst zweifelhaft, daß auch nur eine Spur von Licht durch dieses Fenster drang, von drinnen oder von draußen.

Herrons Wunsch – oder Bedürfnis – ungestört zu sein, war außergewöhnlich gewesen. Aber wenn alle Fenster in sämtlichen Räumen so abgedunkelt waren, würde ihm das die Arbeit erleichtern.

Er riß ein drittes Streichholz an und ging in Herrons Wohnzimmer. Was er in dem flackernden Licht sah, ließ ihn in der Bewegung erstarren, der Atem stockte ihm.

Der ganze Raum war ein einziges Chaos. Bücher waren über den Boden verstreut, Möbel umgekippt und auseinandergerissen, Teppiche hochgeklappt, ja sogar Teile der Wand eingeschlagen. Es sah genauso aus, wie seine eigene Wohnung in der Nacht nach dem Abendessen bei den Beesons. Herrons Wohnzimmer war gründlich und verzweifelt durchsucht worden.

Er ging zur Küche zurück, um nachzusehen, ob er etwas übersehen hatte, weil er sich zu sehr auf die Verdunkelung konzentriert hatte. So war es auch. Jede Schublade war herausgezogen, jeder Schrank durchwühlt. Und dann sah er auf dem Boden eines Besenschrankes zwei Taschenlampen. Die eine war rechteckig, die andere eine typische, langstielige Sportlampe. Die erste funktionierte nicht, wohl aber die zweite.

Er ging schnell ins Wohnzimmer zurück und versuchte, sich zu orientieren, ließ den Lichtkegel der Taschenlampe über die Fenster wandern. Jedes Fenster war abgedunkelt und jede Verdunkelung am Fenstersims befestigt.

Auf der anderen Seite der schmalen Halle vor den noch schmaleren Treppen stand eine Tür offen. Sie führte in Herrons Arbeitszimmer, das, sofern das möglich war, noch chaotischer aussah als sein Wohnzimmer. Zwei Aktenschränke waren umgestürzt, die Hinterwände abgerissen; der große, mit Leder überzogene Schreibtisch war von der Wand weggezogen, zertrümmert und von einem halben Dutzend Axthiebe beschädigt. Ebenso wie im Wohnzimmer waren auch hier die Wände aufgerissen. Matlock vermutete, daß es sich dabei um Stellen handelte, die hohl geklungen hatten.

Oben waren die beiden kleinen Schlafzimmer und das Bad ähnlich zugerichtet, ähnlich in Stücke geschlagen.

Er ging die Treppe wieder hinunter und sah, daß man selbst die Stufen gelöst hatte.

Lucas Herrons Haus war von Profis durchsucht worden. Was konnte er finden, das ihnen entgangen war? Er schlenderte ins Wohnzimmer zurück und setzte sich auf die Überreste eines Armsessels. Er hatte das beunruhigende Gefühl, daß auch sein letzter Versuch zum Scheitern verurteilt war. Er zündete sich eine Zigarette an und versuchte, Ordnung in seine Gedanken zu bekommen.

Wer auch immer das Haus durchsucht hatte, hatte das, dem sein Interesse galt, nicht gefunden. Oder doch? Eigentlich konnte man das ja nicht sagen. Nur, daß der Killer auf dem Feld geschrien hatte, daß der alte Mann es ›aufgeschrieben hatte‹. Als wäre diese Tatsache fast ebenso wichtig wie das verzweifelt begehrte korsische Dokument. Und doch hatte er hinzugefügt: › ...vielleicht hat er gelogen, er kann ja gelogen haben.‹ *Gelogen?* Warum sollte ein Mann, dessen Wille gebrochen war, so etwas hinzufügen?

Er konnte nur annehmen, daß in den Qualen, die er im Geist erlitt, der am Rande zum Wahnsinn stand, das schlimmste Übel verdrängt wurde. Verdrängt werden mußte, um sich an einem letzten Rest von Vernunft festzuhalten.

Nein ... Nein, sie hatten nicht gefunden, was immer sie *finden mußten.* Und da sie es nach solchen außergewöhnlichen, erschöpfenden Mühen nicht gefunden hatten – *existierte* es nicht. Aber er wußte, das es das tat.

Vielleicht hatte Herron Verbindung zu Nimrod selbst gehabt, aber er war kein Geschöpf dieser Welt. Irgendwo an irgendeinem Ort hatte er eine Anklage hinterlassen. Er war ein zu guter Mensch, um das nicht getan zu haben. In Lucas Herron war sehr viel Anstand gewesen. Irgendwo ... an irgendeinem Ort.

Aber wo?

Er stand auf und ging in der Dunkelheit in dem Zimmer herum, knipste die Taschenlampe immer wieder an und aus. Mehr aus Nervosität, als um der Beleuchtung willen.

Er konzentrierte sich auf jedes Wort, jeden Ausdruck, den Lucas an jenem frühen Abend vor vier Tagen gebraucht hatte. Er war wieder der Jäger, hatte sich auf die Spur gesetzt, versuchte, Witterung aufzunehmen. Und er war nahe; verdammt nochmal, ganz nahe war er! ... Herron hatte vom ersten Augenblick an, von der Sekunde an, in der er die Haustür geöffnet hatte, gewußt, hinter was Matlock her war. In seinen Augen war jener flüchtige Augenblick des Erkennens gewesen. Für Matlock war das unverkennbar gewesen. Er hatte es sogar zu dem alten Mann gesagt. Der alte Mann hatte gelacht und hatte ihm vorgeworfen, sich zuviel mit Komplotten zu beschäftigen.

Aber da war noch etwas gewesen. Bevor er das von den Komplotten gesagt hatte ... Etwas *drinnen*. In diesem Raum. Ehe Herron vorgeschlagen hatte, sich nach *draußen* zu setzen ... Nur, daß er es nicht *vorgeschlagen* hatte, er hatte eine Feststellung ausgesprochen, einen Befehl erteilt.

Und ehe er den Befehl gegeben hatte, zur hinteren Terrasse zu gehen, war er lautlos hereingekommen, *lautlos hereingekommen*, und hatte Matlock erschreckt. Er hatte die Pendeltür geöffnet, hatte *zwei gefüllte Gläser getragen*. Matlock *hatte ihn nicht gehört*. Matlock knipste die Taschenlampe wieder an und ließ den Scheinwerferkegel über die Küchentür tanzen. Da war kein Teppich, nichts was Schritte dämpfen konnte – es war ein Hartholzboden. Er ging auf die offene Pendeltür zu, ging hindurch, und schloß sie wieder. Dann schob er sie schnell in derselben Richtung auf, in der Lucas Herron sie aufgeschoben hatte, als er die beiden Drinks hereinbrachte. Die Scharniere quiekten, wie solche Scharniere das tun, wenn sie alt sind und die Tür schnell aufgeschoben wird – *normal* aufgeschoben wird. Er ließ die Tür wieder zufallen und drückte dann ganz sachte dagegen, schob sie Zoll für Zoll auf.

Lucas Herron hatte die Drinks gemacht und sich dann *lautlos* ins Wohnzimmer geschlichen, damit man ihn nicht hören konnte. Um Matlock beobachten zu können, ohne daß Matlock das wußte. Dann hatte er vorgeschlagen, auf die Terrasse zu gehen.

Matlock zwang sich dazu, sich *genau* an das zu erinnern, was Lucas Herron in jenem *exakten* Augenblick gesagt und getan hatte.

› ... wir gehen auf die Terrasse. Der Tag ist viel zu schön, um drinnen zu bleiben. Kommen Sie‹.

Und dann war Herron, *ohne auf Antwort zu warten, schnell* wieder durch die Küchentür zurückgegangen. Da war keine oberflächliche Höflichkeit gewesen, nichts von den guten Manieren, die man von Lucas erwartet hat.

Er hatte einen Befehl erteilt, das feste Kommando eines Offiziers und Gentlemans.

Durch Kongreßbeschluß.

Das war *es*! Matlock ließ den Scheinwerferkegel über den Schreibtisch wandern.

Die Fotografie! Die Fotografie der Marineoffiziere mit der Landkarte und der Thompson Automatik in irgendeinem winzigen Stück Dschungel auf einer unbedeutenden Insel im Südpazifik.

›Ich behalte dieses alte Foto, um mich daran zu erinnern, daß die Zeit nicht immer so schlimm war.‹

In genau dem Augenblick, indem Herron durch die Tür gekommen war, hatte Matlock sich die Fotografie angesehen! Die Tatsache, daß er das tat, beunruhigte den alten Mann, beunruhigte ihn so sehr, daß er darauf bestand, daß beide sofort hinausgingen. Auf eine abgehackte Art, die so gar nicht zu ihm paßte.

Matlock ging schnell auf den Schreibtisch zu. Das kleine, mit Cellophan bedeckte Foto war immer noch da, wo es gewesen war – an der Wand rechts über dem Schreibtisch. Einige größere, in Glas gerahmte Bilder waren zerschlagen worden; das hier war noch intakt. Es war klein, gar nicht auffällig.

Er packte den Kartonrahmen und zog das Foto von der Reißzwecke, die es an der Wand festhielt. Er sah es sich gründlich an, drehte es herum, musterte den schmalen Rand.

Das grelle Licht der Taschenlampe ließ an der oberen Ecke der Pappe Kratzer erkennen. Kratzer von Fingernägeln? Vielleicht. Er richtete das Licht auf die Schreibtischplatte. Da lagen ungespitzte Bleistifte, ein paar Fetzen Notizpapier und eine Schere. Er nahm die Schere und schob die Spitze zwischen die dünnen Pappschichten, bis er das Foto aus dem Rahmen reißen konnte.

Auf diese Weise fand er es.

Auf der Rückseite des kleinen Fotos war eine Skizze, die offenbar mit einer breiten Füllfeder gezeichnet war. Sie hatte die Form eines Rechtecks, und die Linien unten und oben waren mit Punkten gefüllt. Oben waren zwei kleine Linien mit Pfeilen, der eine gerade, der andere wies nach rechts.

Und über jeder Pfeilspitze stand die Zahl 30. Zweimal die 30.

Dreißig.

Und an den Seiten, ganz am Rand, waren kindisch hinge-kritzelte Bäume.

Oben über den Zahlen war eine weitere vereinfachte Skiz-ze. Halbkreise, die miteinander verbunden waren und darun-ter eine Wellenlinie. Eine Wolke. Darunter weitere Bäume.

Es war eine Landkarte, und was sie darstellte, war sofort zu erkennen. Es war eine Karte von Herrons Hinterhof; die Striche an den drei Seiten sollten Herrons finstere grüne Wand darstellen.

Die Ziffern, die Dreißig, waren Maße – aber sie waren auch noch etwas anderes. Sie waren zeitgenössische Symbole.

Denn Lucas Herron, der jahrzehntelang Vorsitzender des Instituts für Romanische Sprachen gewesen war, hatte eine unersättliche Liebe für Worte und den ungewöhnlichen Ge-brauch derselben. Was eignete sich besser als das Symbol ›Dreißig‹, um die Endgültigkeit anzudeuten?

Jeder Student der Journalistik im ersten Jahr würde bestä-tigen, daß die Zahl Dreißig unten an einem Manuskript be-deutete, daß die Geschichte beendet war. Vorbei.

Es gab nichts mehr zu sagen.

Matlock hielt das Foto mit der Vorderseite nach unten in der linken Hand. Seine rechte Hand hielt die Taschenlampe umfaßt. Er war etwa in der Mitte – vielleicht ein Stück links davon – in den Wald eingedrungen, so wie es auf der Zeich-nung zu sehen war. Die Zahl 30 konnte Fuß, Yards, Meter, Schritte bedeuten – ganz sicher nicht Zoll.

Er markierte dreißig Zwölf-Zoll-Strecken. Dreißig Fuß ge-radeaus, dreißig Fuß nach rechts.

Nichts.

Nichts, als das triefend nasse Gehölz und das Unkraut, das sich um seine Füße ringelte.

Er kehrte an den Eingang zu der grünen Mauer zurück und beschloß, Yards und Schritte zu kombinieren, wobei ihm wohl klar war, daß Schritte in einer solch dschungelähn-lichen Umgebung unterschiedlich lang sein konnten.

Er markierte die Stelle, die dreißig Fuß vor ihm lag, und ging weiter, bis er glaubte, dreißig Yards zurückgelegt zu haben, Dann kehrte er zu den gebogenen Zweigen zurück, wo er den Endpunkt von dreißig Schritten vermutet hatte, und begann, zur Seite zu gehen.

Wieder nichts. Ein alter, halb verfaulter Ahornbaum stand in der Nähe eines der Punkte. Matlock schätzte, daß dies dreißig Schritte waren. Sonst war hier nichts Ungewöhnliches. Er ging zu den abgeknickten Ästen zurück und begab sich zu seiner zweiten Markierung.

Dreißig Yards geradeaus. Also neunzig Fuß, plus oder minus ein oder zwei Fuß. Dann dreißig Yards durch das triefendnasse Blattwerk zu seinem nächsten Ziel. Wieder neunzig Fuß. Insgesamt einhundertundachtzig Fuß. Fast Zweidrittel von einem Fußballplatz.

Er kam jetzt langsamer von der Stelle, weil das Blattwerk dichter war oder zumindest so schien. Matlock wünschte sich eine Machete oder irgendein sonstiges Gerät, um sich den Weg durch das nasse Astwerk bahnen zu können. Einmal vergaß er zu zählen und versuchte sich zurückzuerinnern – waren es jetzt einundzwanzig oder dreiundzwanzig große Schritte? Hatte das etwas zu besagen? Bedeutete ein Unterschied von drei bis sechs Fuß wirklich so viel?

Er erreichte die Stelle. Das waren entweder achtundzwanzig oder dreißig Yards. Das war genau genug, wenn es etwas zu sehen gab. Er richtete die Taschenlampe auf den Boden und begann, sie langsam hin- und herzuschieben.

Nichts. Nur Tausend von Feuchtigkeit glitzernde Unkräuter und die tiefbraune Farbe von durchtränkter Erde. Immer wieder schob er den Lichtkegel hin und zurück, strengte seine Augen an und fragte sich jede Sekunde aufs neue, ob er diese spezielle Stelle schon überprüft hatte oder nicht – alles sah so ähnlich aus.

Die Wahrscheinlichkeit des Mißerfolgs wuchs. Er konnte umkehren und von neuem beginnen, dachte er. Vielleicht galt die Ziffer 30 einer anderen Maßgröße. Meter vielleicht oder das Vielfache einer anderen Zahl, die irgendwo in dem Diagramm verborgen war. Die Punkte? Hätte er die Punkte unten und oben an dem Rechteck zählen sollen? Warum waren die Punkte da?

Er hatte eine Strecke von sechs Fuß, eher etwas mehr, abgesucht.

Nichts.

Sein Geist wanderte zu den Punkten zurück, und er holte das Foto aus der Innentasche. Als er sich aufrichtete, um die Muskeln am Rückgratansatz zu lockern – das dauernde Kauern hatte weh getan –, stieß er mit dem Fuß gegen eine harte Fläche. Zuerst dachte er, es wäre ein heruntergefallener Ast oder vielleicht ein Felsbrocken.

Dann wußte er, daß es keines von beiden war.

Er konnte es nicht sehen – was auch immer es sein mochte, es war von dichtem Unkraut überwuchert. Aber er konnte die Umrisse des Gegenstandes mit dem Fuß ertasten. Er war gerade, präzise gearbeitet. Er gehörte nicht zum Wald.

Er hielt die Taschenlampe über das Unkraut und sah, daß es sich nicht um Unkraut handelte. Das war irgendeine kleinknospige Blüte. Eine Blume, die keine Sonne und auch nicht viel Platz brauchte.

Eine Dschungelblume. Deplaziert, gekauft, verpflanzt.

Er schob die Blume weg und beugte sich vor. Darunter war ein dickes, lackiertes Holzbrett, das etwa zwei Fuß breit und etwa eineinhalb Fuß lang war. Es war ein oder zwei Zoll in den Boden eingesunken, die Oberfläche war so oft geglättet und überlackiert worden, daß die einzelnen Lackschichten fast auf Hochglanz gekommen waren und das Licht der Taschenlampe wie Glas reflektierten.

Matlock grub die Finger in die Erde und hob das Brett auf. Darunter war jetzt eine verwitterte Metalltafel, vielleicht aus Bronze, zu erkennen.

Für Major Lucas N. Herron, USMCR
In Dankbarkeit von den Offizieren und Soldaten der
Bravo Kompanie, Vierzehntes Angriffsbataillon,
Erste Marine-Infanterie-Division
Salomoninseln – Südpazifik
Mai 1943

Matlock hatte das Gefühl, auf einen Grabstein zu blicken.

Er schob die Erde weg, die die Tafel umgab, und grub einen winzigen Graben um das Metall. Auf Händen und Knien hob er vorsichtig und etwas unsicher die Platte hoch und legte sie zur Seite.

Er hatte es gefunden.

In der Erde war ein Metallbehälter vergraben – die Art, wie man sie in Bibliotheksarchiven für wertvolle Manuskripte benutzt. Luftdicht, wettersicher, unter Vakuum stehend, für die Ewigkeit gebaut.

Ein Sarg, dachte Matlock.

Er hob den Behälter auf und schob die kalten, feuchten Finger unter den Hebel. Er mußte beträchtliche Kraft einsetzen, um ihn in die Höhe zu ziehen, aber schließlich gelang es ihm. Ein leises Zischen war zu hören, so, wie man es hört, wenn man eine Dose Instant Kaffee öffnet. Die Gummilippen lösten sich voneinander. Im Inneren des Behälters konnte Matlock ein Öltuchpaket in Form eines Notizbuches erkennen.

Er wußte, daß er die Anklage gefunden hatte.

30

Das Notizbuch war dick, mehr als dreihundert Seiten, und jedes Wort war mit Tinte geschrieben. Es hatte die Form eines Tagebuches, aber die umfangreichen Eintragungen unterschieden sich erheblich. Hinsichtlich der Daten gab es keinerlei Gleichmäßigkeit. Häufig folgten die Tage einander; dann lagen wieder Wochen, ja Monate zwischen den Eintragungen. Auch die Art, wie das Buch geführt wurde, war unterschiedlich. Es gab Strecken mit klarer, erzählender Darstellung, denen dann wieder zusammenhanglose ausführende Überlegungen folgten. In den. letztgenannten Abschnitten hatte die Hand gezittert, waren die Worte oft unlesbar.

Lucas Herrons Tagebuch war ein Schrei der Angst, ein

Ausschütten des Schmerzes. Die Beichte eines Mannes bar jeder Hoffnung.

Während Matlock auf dem kalten, feuchten Boden saß, von Herrons Worten förmlich hypnotisiert, begriff er die Motive, die hinter Herrons Nest standen, die abweisende grüne Mauer, die verdunkelten Fenster, die völlige Isolierung.

Lucas Herron war ein Vierteljahrhundert lang drogensüchtig gewesen. Ohne die Drogen war sein Schmerz unerträglich. Und niemand konnte etwas für ihn tun, abgesehen davon, daß man ihn für den Rest seines unnatürlichen Lebens in ein Veteranenhospital einwies.

Lucas Herron hatte diesen lebenden Tod von sich gewiesen und sich dafür in eine andere Art des Todes hineingestürzt.

Major Lucas Nathaniel Herron, Marinekorps der Vereinigten Staaten, Angehöriger der Truppe für Amphibische Kriegführung, Flottenkommando Pazifik, hatte viele Kompanien des Vierzehnten Bataillons der Ersten Marinedivision auf verschiedenen Inseln überall auf den von den Japanern besetzten Salomon- und Karolineninseln zum Angriff geführt.

Und Major Lucas Herron war von der winzigen Karolineninsel Peleliu auf einer Tragbahre weggetragen worden, nachdem er durch Dschungelfeuer zwei Kompanien an den Strand zurückgeführt hatte.

Niemand hatte geglaubt, daß er überleben würde.

Major Lucas Herron trug eine japanische Kugel am Schädelansatz, wo sie sich in einen Teil seines Nervensystems eingebettet hatte. Man rechnete nicht damit, daß er überlebte. Die Ärzte, zuerst in Brisbane, dann in San Diego und schließlich in Bethesda hielten weitere Operationen für sinnlos. Der Patient konnte sie nicht überleben; selbst die geringste Komplikation würde dazu führen, daß er zu bloßem geist- und gefühllosem Vegetieren verurteilt wurde – und niemand war bereit, dafür die Verantwortung zu übernehmen.

Man verabreichte dem Patienten starke Medikamente,

um den Schmerz zu lindern. Dann lag er mehr als zwei Jahre in dem Krankenhaus in Maryland.

Die Stadien der Heilung und die teilweise Wiederherstellung waren langsam und schmerzhaft. Zuerst kamen die Halsstützen und die Pillen, dann die Stützen und die Krücken, die er zum Gehen brauchte, und immer noch Pillen. Am Ende andere, leichtere Krücken mit Halsstützen und immer noch Pillen. Lucas Herron kehrte zurück ins Land der Lebenden – aber nicht ohne die Pillen. Und in den Augenblikken größter Qual – am Abend die Morphiumspritze.

Es gab Hunderte, vielleicht Tausende wie Lucas Herron, aber nur wenige besaßen seine außerordentliche Qualifikation – für diejenigen, die ihn aufsuchten. Er war ein authentischer Held des Pazifikkrieges, ein brillanter Gelehrter, ein Mann jenseits von Fehl und Tadel. Er war perfekt. Und konnte perfekt benutzt werden.

Einerseits konnte er ohne die Linderung, die die Narkotika ihm lieferten, nicht leben, den Schmerz nicht ertragen – er brauchte die Pillen und die immer regelmäßiger werdenden Spritzen. Andererseits würde er, wenn das Ausmaß seiner Drogenabhängigkeit einmal den Ärzten bekannt wurde, ins Krankenhaus zurückversetzt werden.

Diese Alternativen machte man ihm langsam und auf höchst subtile Weise klar. Langsam in dem Sinne, daß seine Versorgungsquellen hin und wieder einen Gefallen von ihm erbaten – einen Kontakt, der in Boston hergestellt werden mußte, Männer, die man in New York bezahlen mußte. Subtil in der Weise, daß man Herron, wenn er fragte, welche Folgen sein Tun hätte, immer wieder sagte, daß es völlig harmlos sei. Harmlos, aber notwendig.

Und während die Jahre verstrichen, wurde er den Männern, die er so dringend brauchte, immer wertvoller. Der Kontakt in Boston, die Männer in New York, denen er Geld geben mußte, wurden immer häufiger, immer *notwendiger*. Dann sandte man Lucas an immer fernere Orte. Winterurlaube, Ferien im Frühjahr, im Sommer: Kanada, Mexiko, Frankreich ... Das Mittelmeer.

Er wurde zum Kurier.

Stets stand dahinter die Vorstellung der Krankenstation, die Qualen, die sein geschundener Körper erleiden mußte.

Man hatte ihn auf brillante Art manipuliert. Er kam nie mit den Folgen seiner Arbeit in Berührung, wurde sich nie des immer umfangreicher werdenden Netzes der Zerstörung bewußt, das er aufbauen half. Als er zuletzt von allem erfuhr, war es zu spät. Das Netz stand.

Nimrod hatte seine Macht.

22. April 1951. Jetzt schicken sie mich mitten im Semester nach Mexiko zurück. Ich werde – wie üblich – an der Universität von M. Station machen und dann auf dem Rückweg in Baylor. Eigentlich eine Ironie: Der Kassier hat mich angesprochen und mir gesagt, Carlyle würde mir gern bei der Erstattung meiner Forschungskosten behilflich sein. Ich habe abgelehnt und ihm gesagt, meine *Versehrtenpension* würde schon reichen. Vielleicht hätte ich annehmen sollen ...

13. Juni 1956. Nach Lissabon, auf drei Wochen. Ein Fahrplan, so hat man mir das erklärt, für ein kleines Schiff. Es soll die Azoren anlaufen, dann Kuba (scheußlich!) und schließlich Panama. Stationen – für mich – an der Sorbonne, Universität von Toledo, U. von Madrid. Ich werde ein akademischer Zugvogel! Ich bin über die Methoden nicht glücklich – wer könnte das sein? –, aber dann bin ich auch nicht für die archaischen Gesetze verantwortlich. Man kann so vielen, vielen helfen. Sie brauchen Hilfe! Ich war mit Dutzenden in Berührung, habe mit ihnen telefoniert – sie haben die Verbindung hergestellt –, Männern wie mir, die ohne Hilfe keinen weiteren Tag ertragen könnten ... Dennoch mache ich mir Sorgen ... Doch was kann ich schon tun? Wenn ich es nicht tun würde, würden andere ...

24. Februar 1957. Ich bin hinsichtlich meiner Besorgnis alarmiert, aber ruhig und (hoffentlich) vernünftig. Man hat mir jetzt gesagt, ich wäre, wenn man mich ausschickt, um Kontakte herzustellen, der *Bote* von *Nimrod*! Der Name ist eine Codebezeichnung – er hat keine

Bedeutung, sagen sie – und wird honoriert werden. Es ist alles so albern – wie die Abwehrinformationen, die wir immer von Mac Arthurs Hauptquartier im Südpazifik erhielten. Sie hatten *alle* Codes und *überhaupt keine Fakten* ... Die Schmerzen sind schlimmer, die Ärzte sagen, daß es noch schlimmer wird. Aber ... Nimrod ist sehr verständnisvoll ... Ebenso wie ich ...

10. März 1957. Sie waren böse auf mich! Sie hielten meine Dosis zwei Tage zurück – ich dachte, ich würde mich umbringen! Ich wollte mit dem Wagen zum Veteranenhospital in Hartford fahren, aber sie hielten mich auf dem Highway auf. Sie fuhren in einem Streifenwagen von Carlyle – eigentlich hätte ich wissen müssen, daß die Polizei hier mit ihnen unter einer Decke steckt – von ihnen bezahlt wird! ... Ich hatte keine Wahl, entweder ein *Kompromiß* oder das *Hospital*! ... Sie hatten recht! ... Ich muß nach Kanada und soll dort einen Mann von Nordafrika abholen ... Ich *muß* es tun! Es kommen dauernd Anrufe. Heute abend sagte ein Mann – Army, 27. Division – in Naha verwundet – von East Orange, N. J., er und sechs andere seien von mir abhängig! Es gibt so viele, die wie wir sind! Warum? Warum um Gottes willen *verachtet* man uns so? Wir brauchen *Hilfe*, und das einzige, was man uns anbietet, sind Krankenhäuser, *Intensivstationen*!...

19. August 1960. Ich habe meine Position klargemacht! Sie gehen zu weit ... Nimrod ist nicht nur eine Codebezeichnung für einen Ort, es ist auch ein *Mann*! Die Geographie ändert sich nie, wohl aber der Mann. Sie helfen Menschen wie mir nicht mehr – nun vielleicht tun sie das noch – aber es geht um mehr als nur *uns*! Sie breiten sich aus – ziehen Leute an – für viel Geld! ...

20. August 1960. Jetzt bedrohen sie mich. Sie haben gesagt, wenn mein Schrank leer ist, werde ich nichts mehr bekommen ... Mir ist es egal! Für eine Woche reicht es – mit einigem Glück für eineinhalb ... Ich wünschte, ich würde Alkohol lieber mögen oder zumindest, daß mir davon nicht übel wird ...

28. August 1960. Ich zitterte am ganzen Körper, aber ich ging auf die Polizeistation von Carlyle. Ich habe nicht nachgedacht. Ich verlangte, mit dem höchstrangigen Mann zu sprechen, und man sagte mir, es sei schon nach fünf – er wäre nach Hause gegangen. Also sagte ich, ich besäße Informationen über Narkotika, und binnen zehn Minuten tauchte der Polizeichef auf ... Bis dahin konnte ich schon nichts mehr verbergen – ich hatte keine Kontrolle mehr über mich – ich habe mir in die Hose gepißt. Der Polizeichef führte mich in ein kleines Zimmer und verpaßte mir eine Spritze. Er war von Nimrod ...

7. Oktober 1965. Dieser Nimrod ist mit mir unzufrieden. Ich bin immer mit den Nimrods zurechtgekommen – den beiden, die ich kennengelernt habe, aber der hier ist strenger, denkt mehr über meine Leistungen nach. Ich weigere mich, *Studenten* zu kontaktieren, das akzeptiert er, aber er sagt, ich wäre in meinen Vorträgen albern, nicht hart genug. Daß ich nicht werbe, ist ihm egal – er will das gar nicht –, aber er sagt, ich solle – nun, konservativer in meinen Ansichten sein ... Es ist seltsam. Er heißt Mathew Orton, und er ist ein unbedeutender Helfer des stellvertretenden Gouverneurs von Hartford. Aber er ist Nimrod. Und ich werde gehorchen ...

14. November 1967. Der Rücken ist jetzt unerträglich – die Ärzte haben gesagt, das würde sich *auflösen* – so haben *die* das ausgedrückt – aber doch nicht *so*! Ich schaffe vierzig Minuten eines Vortrags und dann *muß* ich mich entschuldigen ... Ich frage mich immer wieder – ist es das wert? ... Das muß es sein, sonst würde ich nicht weitermachen ... Oder bin ich einfach ein zu großer Egoist – oder ein zu großer Feigling –, um mir das Leben zu nehmen? ... Heute abend treffe ich mich mit Nimrod. In einer Woche ist *Thanksgiving Day* – ich frage mich, wo ich dann hingehen werde ...

27. Januar 1967. Das *muß* das Ende sein. Um mit den herrlichen Worten von C. Fry zu sprechen, muß die ›Seraphinische Erdbeere, die in ihrem Bett strahlt‹ sich jetzt wenden und Nesseln zeigen, mir bleibt nichts mehr übrig, und Nimrod hat zu viele infiziert, zu vollständig. Ich werde mir das Leben nehmen – so schmerzlos wie möglich – ich habe schon soviel Schmerz erlebt ...

28. Januar 1970. Ich habe versucht, mich zu töten! Ich schaffe es nicht! Ich bringe die Pistole und dann das Messer an den Punkt, aber es *geschieht nicht!* Bin ich *wirklich* schon so infiziert, daß ich das nicht mehr schaffe, was ich so ersehne? ... Nimrod wird mich töten. Ich weiß das, und er weiß es besser.

29. Januar 1970. Nimrod – jetzt ist es *Arthur Latona!* Unglaublich! Derselbe Arthur Latona, der die Reihenhäuser für mittlere Einkommensschichten in Mount Holly gebaut hat! – Jedenfalls hat er mir einen Befehl gegeben, den ich nicht akzeptieren kann. Ich habe ihm gesagt, daß ich ihn nicht akzeptieren kann. Ich bin viel zu wertvoll, um einfach weggeworfen zu werden, und das habe ich ihm *auch* gesagt ... Er möchte, daß ich einen größeren Betrag Geldes nach Toros Daglari in der Türkei bringe! ... Warum, o warum kann mein Leben nicht einfach *beendet* werden? ...

18. April 1971. Es ist eine wundersam fremdartig Welt. Um zu überleben, um zu existieren und die Luft zu atmen, tut man so viel, das man eigentlich verabscheut. Das Ganze ist erschreckend ... Die Entschuldigungen und Rationalisierungen sind noch schlimmer ... Und dann geschieht etwas, das jegliche Notwendigkeit des Urteils aufhebt – oder zumindest verschiebt – ... Die Schmerzen haben sich vom Hals und der Wirbelsäule nach unten verlagert. Ich wußte, daß es etwas anderes sein mußte. Etwas, das viel ... Ich bin zu Nimrods Arzt gegangen – so wie ich das immer tun mußte. Ich habe abgenommen, meine Reflexe sind erschütternd. Er ist besorgt, und morgen gehe ich in das private Krankenhaus in Southbury. Er sagt, für eine Untersuchung ... Ich weiß, daß sie dort ihr Bestes für mich tun werden. Sie haben andere Reisen – sehr wichtige Reisen, sagt

Nimrod. Ich werde den größten Teil des Sommers auf Reisen sein, sagt er ... Wenn ich nicht wäre, würde es jemand anderer tun. Die Schmerzen sind schrecklich.

22. *Mai 1972.* Der alte, müde Soldat ist zu Hause. Herrons Nest ist meine Rettung! Man hat mir eine Niere herausoperiert. Wegen der anderen kann man nichts sagen, meint der Arzt. Aber ich weiß es besser. Ich bin am Sterben ... O Gott, wie ich das begrüße! Es wird keine Reise mehr geben, keine Drohungen. Nimrod kann nichts mehr tun ... Sie halten mich am Leben. Solange sie können. *Das müssen sie jetzt!* ... Ich habe dem Arzt angedeutet, daß ich all die Jahre ein Tagebuch geführt habe. Er hat mich nur wortlos angestarrt. Ich habe noch nie einen Menschen gesehen, der solche Angst hatte ...

23. *Mai 1971.* Latona – Nimrod – kam heute morgen vorbei. Ehe er über irgend etwas sprechen konnte, sagte ich ihm, ich wüßte, daß ich am Sterben wäre. Daß mir jetzt nichts mehr etwas ausmachte – die Entscheidung, mein Leben zu beenden, sei getroffen und nicht von mir. Ich sagte ihm sogar, daß ich vorbereitet wäre – erleichtert; daß ich versucht hätte, es selbst zu beenden, es aber nicht geschafft hätte. Er fragte mich nach dem ›*was Sie dem Arzt gesagt haben*‹, er war nicht imstande, die *Worte* auszusprechen! Seine Angst lag wie ein schwerer Nebel über dem Wohnzimmer ... Ich antwortete ganz ruhig, sehr selbstbewußt, denke ich. Ich sagte ihm, daß man ihm alle Aufzeichnungen geben würde – *wenn man mir meine letzten Tage oder Monate leichter machte.* Er war wütend, aber er wußte, daß es nichts gab, was er tun konnte. Was kann jemand schon mit einem alten Mann tun, der Schmerzen erleidet und weiß, daß er sterben wird? Was für Argumente bleiben da noch?

14. *August 1971.* Nimrod ist tot! Latona ist an einem Herzinfarkt gestorben! *Vor mir*, und darin liegt eine große Ironie! ... Aber das Geschäft geht unverändert weiter. Man bringt mir immer noch jede Woche, was ich brauche, und jede Woche stellen die verängstigten

Boten ihre Fragen – wo sind sie? Wo sind die Aufzeichnungen? –, beinahe drohen sie mir, aber ich erinnere sie dann immer daran, daß Nimrod das Wort eines sterbenden alten Mannes hatte. Warum sollte ich das ändern? ... Dann ziehen sie sich in ihre Angst zurück ... Bald wird ein neuer Nimrod gewählt werden ... Ich habe gesagt, ich wollte es nicht wissen – und ich will es auch nicht!

20. September 1971. Für Carlyle beginnt ein neues Jahr. Mein letztes Jahr, das weiß ich – ... Nimrods Tod hat mir Mut gegeben. Oder ist es das Wissen um meinen eigenen bevorstehenden Tod? Gott weiß, daß ich nicht viel ungeschehen machen kann, aber ich kann es versuchen! ... Ich suche jetzt, finde ein paar, denen man sehr weh getan hat, und biete ihnen Hilfe an. Mag sein, daß es nur Worte sind, nur Ratschläge, aber das bloße Wissen dessen, was ich durchgemacht habe, *scheint ihnen zu helfen.* Für diejenigen, mit denen ich spreche, ist es immer ein großer Schock! Man stelle sich vor! Der ›große alte Vogel‹! Die Schmerzen sind nahezu unerträglich. Vielleicht kann ich nicht mehr warten ...

23. Dezember 1971. Zwei Tage vor meinem letzten Weihnachten. Ich habe so vielen gesagt, die mich zu sich eingeladen haben, ich würde nach New York fahren. Natürlich stimmt das nicht. Ich werde die Tage hier im Nest verbringen ... Etwas, was mich beunruhigt: Die Boten sagen mir, der neue Nimrod sei der strengste, härteste von allen. Sie sagen, er sei rücksichtslos. Er befiehlt Exekutionen ebenso leicht wie seine Vorgänger einfache Befehle erteilt haben. Oder sagen Sie mir diese Dinge nur, um mir Angst zu machen? Das kann mir keine Angst machen!

18. Februar 1972. Der Arzt hat mir gesagt, er würde kräftigere ›Medizin‹ verschreiben, warnte mich aber vor einer Überdosis. Und er hat von dem neuen Nimrod gesprochen. Selbst er ist beunruhigt – er deutete an, der Mann sei verrückt. Ich sagte ihm, ich wolle nichts wissen. Ich hätte nichts mehr damit zu tun.

26. Februar 1972. Ich kann es nicht glauben! Nimrod ist ein *Ungeheuer*! Er muß *verrückt* sein! Er hat verlangt, daß all diejenigen, die drei Jahre lang hier gearbeitet haben, abgeschnitten werden – aufs Land geschickt – und wenn sie sich weigern – getötet werden! Der Arzt geht nächste Woche weg. Frau, Familie, Praxis ... Latonas Witwe wurde bei einem ›Autounfall‹ ermordet! Einer der Boten – Pollizzi – wurde in New Haven erschossen. Ein anderer – Capalbo – starb an einer Überdosis, und es geht das Gerücht, daß man ihm die OD verpaßt hat!

5. April 1972. Von Nimrod an mich – den Boten sind sämtliche Aufzeichnungen auszuliefern, sonst werden meine Lieferungen abgeschnitten. Mein Haus wird rund um die Uhr bewacht werden. Man wird mir überallhin folgen, wohin ich gehe. Ich soll keinerlei ärztliche Behandlung mehr erhalten. Die kombinierten Auswirkungen des Karzinoms und des Entzugs sollen über alles hinausgehen, was ich mir vorstellen kann. Was Nimrod nicht weiß, ist, daß der Arzt mir vor seiner Abreise genug für einige Monate gegeben hat. Offen gestanden glaubte er nicht, daß ich so lange aushalten würde ... Zum ersten Mal verhandle ich in diesem schrecklichen Leben von einer Position der Stärke aus. Mein Leben ist wegen des Todes stärker denn je.

10. April 1972. Nimrod ist meinetwegen der Hysterie nahe. Er hat gedroht, mich zu verraten – was natürlich bedeutungslos ist. Ich habe ihn das durch die Boten wissen lassen. Er hat gesagt, er würde den ganzen Campus von Carlyle vernichten, aber wenn er das tut, wird er sich selbst auch vernichten. Es geht das Gerücht, er wolle eine Konferenz einberufen. Eine wichtige Besprechung mächtiger Männer ... Mein Haus wird jetzt – so wie Nimrod das angekündigt hat – rund um die Uhr bewacht. Von der Polizei von Carlyle natürlich. Nimrods Privatarmee!

22. April 1972. Nimrod hat gewonnen! Es ist erschreckend – aber er hat gewonnen! Er hat mir zwei Zeitungsausschnitte geschickt. In jedem wurde ein Student durch eine Überdosis getötet. Die erste ist ein Mädchen in Cambridge, der zweite ein Junge vom Trinity-College. Er sagt, er würde für jede Woche, die ich ihm die Akten vorenthalte, einen weiteren auf die Liste setzen ... Geiseln werden getötet! – Man muß ihn *aufhalten*! Aber wie? Was kann ich *tun*? ... Ich habe einen Plan, aber ich weiß nicht, ob ich es machen kann – ich werde versuchen, Akten zu *fälschen*. Sie intakt lassen. Es wird schwierig sein – meine Hände zittern manchmal so! Ob ich es wohl schaffe? – Ich muß. Ich habe gesagt, ich würde jedesmal ein *paar* liefern. Zu meinem *eigenen* Schutz. Ob er wohl darauf eingehen wird?

24. April 1972. Nimrod ist unglaublich böse, aber er ist Realist. Er weiß, daß er nichts anderes tun kann! Wir befinden uns beide in einem Wettrennen gegen den Zeitpunkt meines Todes. Ein Patt! Ich wechsle zwischen einer Schreibmaschine, verschiedenen Füllhaltern und verschiedenen Papierarten ab. Zur Zeit werden keine Leute getötet, aber man hat mir gesagt, man würde damit wieder beginnen, wenn ich auch nur *eine* Lieferung verpasse! Nimrods Geiseln sind in meiner Hand! Ihre Tötung kann nur durch mich verhindert werden!

27. April 1972. Etwas Seltsames geschieht! Der junge Beeson hat unseren Kontaktmann in der Aufnahmeabteilung angerufen. Jim Matlock war dort, und Beeson verdächtigt ihn. Er hat Fragen gestellt, sich mit Beesons Frau blöd benommen ... Matlock steht auf keiner Liste! Er hat nichts mit Nimrod zu tun – auf keiner Seite. Er hat nie etwas gekauft, nie etwas verkauft ... Die Carlyle-Streifenwagen stehen jetzt immer draußen. Nimrods Armee ist gewarnt. Was bedeutet das?

27. April 1972 – nachmittags. Die Boten kamen – zwei waren es –, und was sie mir einreden wollten, ist so unglaublich, daß ich es nicht einmal hier hinschreiben kann ... Ich habe nie gefragt, wer Nimrod ist, ich wollte es nie wissen. Aber jetzt herrscht überall Panik, etwas läuft ab, über das selbst Nimrod keine Kontrolle mehr hat. Und die Boten haben mir gesagt, wer Nimrod ist ... Sie *lügen*! Ich *kann es, will es nicht glauben*! Wenn es wahr ist, stecken wir alle in der Hölle!

Matlock starrte die letzte Eintragung hilflos an. Die Handschrift war kaum mehr lesbar, die Worte waren miteinander verbunden, so, als könne der Schreiber seinen Stift nicht mehr aufhalten.

28. April. Matlock war hier. Er weiß es! Andere auch! Er sagt, die Leute von der Regierung hätten sich jetzt eingeschaltet ... Es ist vorbei! Aber was sie nicht verstehen können, ist, was nun geschehen wird – ein Blutbad, Morde – Exekutionen! Nimrod ist nicht imstande, *weniger* zu tun! Es wird so viel *Schmerz* geben. Es wird Massenmorde geben, und ein belangloser Dozent für Englische Literatur wird sie auslösen ... Ein Bote hat gerufen. Nimrod *selbst* kommt heraus. Das ist eine Konfrontation. Jetzt werde ich die Wahrheit erfahren – wer er wirklich ist ... Wenn er der ist, den man mir genannt hat – irgendwie werde ich diese Aufzeichnung hinausschaffen – irgendwie. Das ist alles, was noch übrig bleibt. Jetzt bin ich an der Reihe mit Drohen ... Jetzt ist es vorbei. Der Schmerz wird auch bald vorbei sein ... Es hat so viel Schmerz gegeben ... Ich werde noch eine letzte Eintragung vornehmen, wenn ich sicher bin ...

Matlock klappte das Notizbuch zu. Was hatte das Mädchen namens Jeannie gesagt? *Sie haben die Gerichte, die Polizei, die Ärzte.* Und Alan Pace. Er hatte noch die Verwaltungen der größeren Universitäten hinzugefügt – im ganzen Nordosten. Die ganze akademische Welt; Anstellungsverträge, Studiengänge – Quellen ungeheurer Finanzkraft. *Sie* haben *alles.*

Aber Matlock hatte die Anklageschrift.

Das genügte. Genug, um Nimrod aufzuhalten – wer auch

immer er war. Genug, um das Blutbad aufzuhalten, die Exekutionen.

Jetzt *mußte* er Jason Greenberg erreichen.

Alleine.

31

Das in Öltuch gehüllte Paket in der Hand, begann er zu Fuß in Richtung Carlyle zu gehen. Er benutzte dazu die Nebenstraßen, auf denen es nachts kaum Verkehr gab. Er wußte, daß es zu gefährlich war, jetzt mit dem Wagen zu fahren. Der Mann auf dem Feld hatte sich inzwischen vermutlich genügend erholt, um mit jemandem Verbindung aufzunehmen – mit Nimrod. Man würde Alarm schlagen, die Suche nach ihm beginnen. Jetzt verfolgten ihn ohne Zweifel bereits die unsichtbaren Armeen. Seine einzige Chance lag darin, daß er Greenberg erreichte. Jason Greenberg würde ihm sagen, was zu tun war.

Er hatte Blut am Hemd, an Hose und Jacke klebte verkrusteter Schlamm. Sein Aussehen erinnerte ihn an die menschlichen Wracks in Bill's Bar & Grill am Frachtbahnhof. Es war jetzt fast halb drei Uhr morgens, aber Lokale wie dieses blieben den größten Teil der Nacht geöffnet. Für sie war die Polizeistunde nur eine Richtschnur, nicht Gesetz. Er erreichte den College Parkway und ging die Hügel hinunter in Richtung Bahnhof.

Er bürstete seine feuchten Kleider so gut er konnte ab und deckte das blutbesudelte Hemd mit dem Jackett zu. Er betrat die heruntergekommene, schmutzige Bar; über den heruntergekommenen Gästen hingen Schwaden von billigem Zigarettenrauch. Eine Musikbox spielte ausländische Musik, Männer schrien, jemand mißhandelte eine Art Waschbrett. Matlock wußte, er würde hier untertauchen können. Er würde ein paar wertvolle Augenblicke der Sicherheit finden.

Er setzte sich in eine der hinteren Nischen.

»Was zum Teufel ist *Ihnen* denn passiert?«

Es war der Barkeeper, derselbe argwöhnische Barkeeper, mit dem er sich schließlich vor ein paar Tagen angefreundet hatte. Vor Jahren, besser … vielen Jahren.

»Der Regen hat mich erwischt. Ich bin ein paarmal hinge-fallen. Lausiger Whisky … Haben Sie was zu Essen?«

»Käsebrot. Das Fleisch würde ich Ihnen nicht mehr anbie-ten wollen. Das Brot ist auch nicht mehr sonderlich frisch.«

»Ist mir egal. Bringen Sie mir ein paar Brote. Und ein Glas Bier. Geht das?«

»Sicher. Klar, Mister … Wollen Sie auch wirklich hier es-sen? Ich meine, man sieht ja, daß das nicht Ihre Art von Lo-kal ist, verstehen Sie, was ich meine?«

Da war es wieder. Die ewige bedeutungslose Frage; *ver-stehen Sie, was ich meine …?* Eigentlich überhaupt keine Fra-ge. Selbst in den wenigen Augenblicken der Erleichterung mußte er sie wieder hören.

»Ich verstehe, was Sie meinen … Aber ich will hier bleiben.«

»Ist ja Ihr Magen.«

Der Barkeeper schlenderte zu seinem Arbeitsplatz zurück.

Matlock fand Greenbergs Telefonnummer und ging zu dem übelriechenden Telefonautomaten an der Wand. Er schob eine Münze ein und wählte.

»Tut mir leid, Sir«, sagte das Mädchen von der Vermitt-lung, »der Anschluß ist nicht zu erreichen. Haben Sie eine andere Nummer für den Teilnehmer?«

»Versuchen Sie es noch einmal! Ich bin sicher, daß Sie irren.«

Sie versuchte es noch einmal, aber sie irrte nicht. Schließ-lich teilte die Aufsicht in Wheeling, West Virginia, der Ver-mittlung in Carlyle, Connecticut, mit, daß Anrufe für einen Mr. Greenberg nach Washington, D. C., weitergegeben wer-den sollten. Man nahm an, daß etwaige Anrufer wissen wür-den, wen in Washington sie anrufen sollten.

»Aber Mr. Greenberg wird erst am frühen Morgen in Washington erwartet«, sagte sie. »Bitte teilen Sie das dem Teilnehmer mit.«

Er versuchte nachzudenken. Durfte er es riskieren, Washington anzurufen, das Justizministerium, Rauschgiftabteilung? Würde Washington unter den vorliegenden Umständen nicht – damit es schnell ging – jemand in der Umgebung von Hartford auffordern, mit ihm Verbindung aufzunehmen? Greenberg hatte eindeutig erklärt, daß er dem Büro in Hartford und den dortigen Agenten nicht vertraute.

Er begriff jetzt Greenbergs Besorgnis viel besser. Er brauchte nur an die Polizei von Carlyle zu denken – Nimrods Privatarmee.

Nein, er würde Washington nicht anrufen. Er würde Sealfont anrufen. Der Universitätspräsident war seine letzte Hoffnung. Er wählte Sealfonts Nummer.

»James! Du lieber Gott, James! Alles in Ordnung bei Ihnen? Um Himmels willen, wo haben Sie denn *gesteckt*?«

»An Orten, von deren Existenz ich nie geträumt hätte. Ich wußte nie, daß es so etwas gab.«

»Aber Sie sind in Ordnung? Das ist alles, worauf es ankommt! Geht es Ihnen wirklich gut!«

»Ja, Sir. Und ich habe alles. Alles habe ich. Herron hat alles aufgeschrieben. Ein Tagebuch, das dreiundzwanzig Jahre umfaßt.«

»Dann hatte er *tatsächlich* damit zu tun?«

»Ja, sehr sogar.«

»Der arme, *kranke* Mann … Ich verstehe das nicht. Aber das ist jetzt nicht wichtig. Das geht dann die Behörden an. Wo sind Sie? Ich schicke Ihnen einen Wagen … Nein, ich komme selbst. Wir haben uns alle solche Sorgen gemacht. Ich war dauernd mit den Leuten im Justizministerium in Verbindung.«

»Bleiben Sie, wo Sie sind«, sagte Matlock schnell. »Ich komme selbst zu Ihnen – jeder kennt Ihren Wagen. Auf die Weise ist es nicht so gefährlich. Ich weiß, daß man mich sucht. Ich werde hier jemanden ein Taxi rufen lassen. Ich wollte nur sichergehen, daß Sie zu Hause sind.«

»Wie Sie meinen. Ich muß Ihnen sagen, daß ich sehr erleichtert bin. Ich werde Kressel anrufen. Was auch immer Sie mir zu sagen haben, er sollte es auch wissen. So muß es sein.«

»Ganz Ihrer Meinung, Sir. Bis bald.«

Er ging in die Nische zurück und begann, die unappetitlichen Brote zu essen. Er hatte sein Bier zur Hälfte ausgetrunken, als aus den Tiefen seiner feuchten Jacke das hysterische Piepen von Blackstones Tel-electronic ertönte. Er holte das Gerät heraus und drückte den Knopf. Ohne an irgend etwas anderes als die Nummer 555-6868 zu denken, sprang er auf und ging schnell zum Telefon zurück. Mit zitternder Hand schob er die Münze ein und wählte.

Die aufgezeichnete Stimme traf ihn wie ein Peitschenschlag übers Gesicht.

»Charger Drei-Null ist storniert.«

Dann herrschte Schweigen. Wie Blackstone ihm das versprochen hatte, war da nur der einzige Satz – nur einmal ausgesprochen. Es gab niemanden, mit dem er sprechen konnte, niemand, den er umstimmen konnte. Nichts.

Aber da mußte doch jemand sein! Man durfte ihn doch, man *konnte* ihn nicht einfach so abschneiden! Wenn Blackstone seinen Auftrag zurückgab, hatte er doch ein Recht darauf, zu erfahren, *weshalb*! Er hatte ein Recht darauf zu wissen, daß Pat in *Sicherheit* war! Es dauerte ein paar Minuten, und er mußte einige Drohungen ausstoßen, ehe er an Blackstone selbst herankam.

»Ich brauche nicht mit Ihnen zu sprechen!« Die schläfrige Stimme klang verärgert. »Das habe ich Ihnen doch klargemacht! … Aber es macht mir nichts aus, denn wenn ich diesen Anruf orten kann, dann kann ich denen sagen, sobald Sie aufgelegt haben, wo sie Sie finden können!«

»Drohen Sie mir nicht! Sie haben viel zu viel Geld von mir genommen, um mich zu bedrohen … Warum ist mein Auftrag gestrichen? Ich habe ein Recht, das zu erfahren.«

»Weil Sie stinken! Wie Müll stinken Sie!«

»Das reicht mir nicht! Das *sagt* mir nichts!«

»Dann will ich es Ihnen erklären. Weil ein Haftbefehl gegen Sie ergangen ist. Vom Gericht unterzeichnet und …«

»Wofür denn, verdammt noch mal? Schutzhaft? *Vorbeugehaft*?!«

»Wegen Mord, Matlock! Wegen Verschwörung, Rauschgift zu verteilen! Wegen Unterstützung bekannter Rauschgift*verteiler*! ... Ich sagte ja, Sie *riechen*! Und ich verabscheue das Geschäft, in dem Sie tätig sind!«

Matlock war wie benommen. Mord? Verschwörung! Wovon redete Blackstone denn?

»Ich weiß nicht, was man Ihnen gesagt hat. Aber es ist nicht wahr. Nichts davon ist wahr! Ich habe mein Leben riskiert, *mein Leben, hören Sie*! Wenn ich das, was ich habe ...«

»Sie können gut reden«, unterbrach ihn Blackstone, »aber Sie sind unvorsichtig! Und ein schmutziger Bastard sind Sie auch! In einem Feld außerhalb von Carlyle liegt ein Mann, dem man die Kehle durchschnitten hat. Die Boys von der Regierung brauchten keine zehn Minuten, um den Fahrer dieses Ford Stationwagons ausfindig zu machen!«

»Ich habe diesen Mann nicht *getötet*! Das schwöre ich bei allem, was mir heilig ist. *Ich habe ihn nicht getötet!*«

»Nein, natürlich nicht! Und den Mann, dem Sie am Osthang den Kopf abgeschossen haben, haben Sie nicht einmal *gesehen*, nicht wahr? Nur, daß es dort einen Parkwächter und ein paar andere Leute gibt, die Sie an Ort und Stelle gesehen haben! ... Ich habe etwas vergessen. Dumm sind Sie auch. Sie haben den Parkzettel sogar unter dem Scheibenwischer stecken lassen!«

»Jetzt warten Sie einmal! Einen *Augenblick!* Das ist alles verrückt! Der Mann am Osthang wollte sich dort mit mir treffen! Er hat versucht, *mich zu ermorden*!«

»Das können Sie Ihrem Anwalt erzählen. Wir haben die ganze Geschichte – mit allen Einzelheiten – von den Boys vom Justizministerium bekommen! Das habe ich verlangt. Ich habe einen verdammt guten Ruf ... Aber eines muß man ihnen lassen. Wenn Sie sich verkaufen, dann für *viel Geld*! Über sechzigtausend Dollar in einem Scheckkonto. Wie gesagt, Sie *riechen*, Matlock!«

Er war so schockiert, daß er nicht einmal die Stimme erheben konnte. Als er antwortete, war er außer Atem, so daß man ihn kaum hören konnte.

»Hören Sie mir zu. Sie *müssen* mir zuhören. Alles, was Sie

da gesagt haben … Es gibt für alles eine Erklärung. Nur nicht für den Mann in dem Feld. Das verstehe ich nicht. Aber es ist mir gleichgültig, ob Sie mir glauben oder nicht. Es ist nicht wichtig. Ich habe genügend Entlastungsmaterial in der Hand … Wichtig ist jetzt nur, daß Sie *dieses Mädchen* im Auge behalten! Sie dürfen meinen Auftrag nicht streichen! Sie müssen sie *bewachen!*«

»Sie verstehen offenbar nicht. Der Auftrag ist gestrichen! Charger Drei-Null ist *storniert!*«

»Und das Mädchen?«

»Wir sind keine Unmenschen«, sagte Blackstone bitter. »Sie ist in völliger Sicherheit. Sie befindet sich im Schutz der Polizei von Carlyle.«

In der Bar wurde es jetzt laut. Der Barkeeper wollte schließen, und seine Gäste waren damit nicht einverstanden. Ungehaltene Flüche hallten über die Theke, während kühlere oder vielleicht auch noch betrunkenere Köpfe langsam auf die Türe zuwankten.

Matlock stand wie paralysiert am Telefon. Der Lärm in der Bar erreichte seinen Höhepunkt, aber er hörte nichts; er sah die Gestalten alle nur wie durch einen Nebel. Ihm war übel, und er klammerte sich förmlich an dem Öltuchpäckchen mit Lucas Herrons Notizbuch fest, das er sich unter den Gürtel geschoben hatte. Er glaubte, er würde sich gleich übergeben müssen, so wie er sich neben der Leiche an dem Berghang übergeben hatte.

Aber dafür war jetzt keine Zeit. Pat wurde von Nimrods Privatarmee festgehalten. Er mußte *jetzt* handeln. Wenn er handelte, würde das Uhrwerk ablaufen, und er würde es nicht wieder aufziehen können.

Die schreckliche Wahrheit, die ihn dabei quälte, war, daß er nicht wußte, wo er anfangen mußte.

»Was ist denn, Mister? War etwas mit den Sandwiches?«

»Was?«

»Sie sehen aus, als wollten Sie jeden Augenblick kotzen.«

»Oh? … Nein.« Matlock erkannte zum ersten Mal, daß fast alle das Lokal verlassen hatten.

Das Notizbuch! Das Notizbuch würde sein Lösegeld sein. Er würde keine qualvolle Entscheidung treffen – nicht für diese Plastikmenschen! Nicht für dieses Pack, das andere nur *manipulierte*! Nimrod konnte das Buch haben! Die Anklageschrift!

Aber was dann? Würde Nimrod sie leben lassen? Ihn leben lassen? ... Wie hatte Lucas Herron geschrieben: »Der neue Nimrod ist ein Ungeheuer ... Ohne jede Rücksicht. Er befiehlt Exekutionen ...«

Die Motive, die Nimrod zum Mord veranlaßt hatten, waren wesentlich geringer gewesen als das Wissen eines Dritten um Lucas Herrons Tagebuch.

»Hören Sie, Mister. Es tut mir leid, aber ich muß jetzt schließen.«

»Würden Sie mir bitte ein Taxi rufen?«

»Ein Taxi? Es ist jetzt nach drei. Selbst wenn es eines gäbe, würde es niemals um drei Uhr morgens *hierher* kommen.«

»Haben Sie einen Wagen?«

»Augenblick mal, Mister. Ich muß hier saubermachen und die Kasse abschließen. Heute war ziemlicher Betrieb. Ich brauche mindestens zwanzig Minuten für die Kasse.«

Matlock holte seine Geldscheine heraus. Der kleinste war ein Hunderter. »Ich muß einen Wagen haben – sofort. Wieviel wollen Sie? Ich bring' den Wagen in einer Stunde zurück – vielleicht sogar noch früher.«

Der Barkeeper sah Matlocks Geld an. Das war ein Anblick, den er in dieser Höhe nicht gewöhnt war. »Es ist eine ziemlich alte Kiste. Sie kommen vielleicht nicht damit zurecht.«

»Ich kann *jeden Wagen* fahren! Hier! Da ist ein Hunderter! Wenn ich einen Unfall baue, können Sie die ganze Rolle haben. Hier! Nehmen Sie schon, um Himmels willen!«

»Sicher. Sicher, Mister.« Der Barkeeper griff unter seine Schürze und holte die Wagenschlüssel heraus. »Der viereckige ist der Zündschlüssel. Er steht hinten. Zweiundsechziger Chevy. Gehen Sie zur Hintertür hinaus.«

»Danke.« Matlock ging auf die Türe zu, die der Barkeeper ihm wies.

»Hey, Mister!«

»Was?«

»Wie hießen Sie doch gleich? … Irgendwas mit ›Rock‹? Ich hab's vergessen. Ich meine, Herrgott noch mal, ich geb' Ihnen den Wagen und kenn' nicht einmal Ihren Namen!«

Matlock überlegte einen Augenblick lang. »Rod. Nimrod. Nimrod heiße ich.«

»Das ist kein Name, Mister.« Der breitschultrige Mann bewegte sich auf Matlock zu. »Ein Blinker zum Forellenfischen heißt so. Also wie heißen Sie? Schließlich geb' ich Ihnen meinen Wagen, da werd' ich doch wohl Ihr'n Namen wissen dürfen.«

Matlock hielt das Geld immer noch in der Hand. Er zog drei weitere Hunderter herunter und warf sie auf den Boden. Das schien ihm jetzt richtig. Er hatte Kramer vierhundert Dollar für seinen Stationwagon gegeben. Irgendwo hatte er das Bedürfnis nach Symmetrie. Oder zumindest nach bedeutungsloser Logik.

»Das sind vierhundert Dollar. Für einen '62er Chevy kriegen Sie nirgends vierhundert. Ich bring' ihn zurück!« Er rannte auf die Tür zu. Die letzten Worte, die er hörte, kamen von dem dankbaren, aber verwirrten Geschäftsführer von Bill's Bar & Grill.

»Nimrod. So'n Witzbold!«

Der Wagen war eine alte Kiste, wie sein Besitzer auch gesagt hatte. Aber er fuhr noch, und das war alles, worauf es jetzt ankam. Sealfont würde ihm helfen, die Fakten zu analysieren und die Alternativen herauszuarbeiten. Zwei Meinungen waren besser als eine; er hatte Angst davor, die ganze Verantwortung auf sich zu nehmen – er war dazu nicht imstande. Und Sealfont würde die richtigen Leute kennen, mit denen er Verbindung aufnehmen konnte. Sam Kressel, der Verbindungsmann, würde zuhören und Einwände erheben und Angst haben. Aber das hatte nichts zu besagen; man würde ihn wegschicken. Pats Sicherheit stand an erster Stelle. Sealfont würde das begreifen.

Vielleicht war jetzt auch die Zeit, um zu drohen – so wie Herron am Ende gedroht hatte. Nimrod hatte Pat; er hatte

Herrons Anklageschrift. Das Leben eines Menschen gegen den Schutz von Hunderten, vielleicht Tausenden. Selbst Nimrod mußte ihre Verhandlungsposition erkennen. Es gab keinen Zweifel; die Vorteile standen auf seiner Seite.

Als er sich dem Bahnhof näherte, wurde ihm klar, daß seine Art zu denken auch aus ihm einen Manipulator machte. Pat war auf *Größe X* reduziert worden und Herrons Tagebuch auf *Größe Y*. Er würde die Gleichung vorgeben, und dann würden die mathematischen Beobachter ihre Entscheidungen auf der Grundlage der Ihnen dargebotenen *Daten* treffen. Das war die eiskalte Logik des Überlebens; gefühlsmäßige Faktoren wurden einfach abgetan, bewußt für nichts erklärt.

Angst konnte einem dabei werden!

Er bog am Bahnhof nach rechts und fuhr den College Parkway hinauf. Sealfonts Villa stand ganz am Ende. Er fuhr, so schnell der '62er Chevy es erlaubte – das war bergauf nicht viel mehr als dreißig Meilen die Stunde. Die Straßen waren verlassen, vom Regen saubergewaschen. Die Ladenfassaden, die Häuser und schließlich auch der Campus waren finster und stumm.

Er erinnerte sich daran, daß Kressels Haus nur einen halben Block vom College Parkway entfernt auf der High Street lag. Der Umweg würde höchstens dreißig Sekunden in Anspruch nehmen. Das war die Mühe wert. Wenn Kressel nicht schon zu Sealfont gefahren war, würde er ihn mitnehmen und dann konnten sie schon im Wagen miteinander sprechen. Matlock *mußte* reden, *mußte* anfangen. Er konnte die Isoliertheit nicht länger ertragen.

Er bog an der Ecke der High Street nach links. Kressels Haus war ein großer, grauer Bau im Kolonialstil mit einer breiten Rasenfläche, die ihn von der Straße trennte und die von Rhododendren gesäumt war. Im Erdgeschoß brannte Licht. Wenn er Glück hatte, war Kressel noch zu Hause. In der Einfahrt standen zwei Wagen; Matlock verlangsamte seine Fahrt.

Hinten an der Einfahrt fiel ihm ein stumpfer Reflex auf. Kressels Küchenlicht brannte; im Lichtschein konnte man die Motorhaube eines dritten Wagens sehen. Die Kressels besaßen nur zwei.

Er sah den Wagen, der vor dem Haus stand, noch einmal an. Es war ein Streifenwagen von Carlyle. Die Polizei von Carlyle war in Kressels Haus!

Nimrods Privatarmee war bei *Kressel*!

Oder war Nimrods Privatarmee bei *Nimrod*?

Er zog den Wagen nach links, ganz knapp an dem Streifenwagen vorbei und jagte die Straße hinunter zur nächsten Ecke. Dann bog er nach links und trat das Gaspedal bis zum Boden durch. Er war verwirrt, verängstigt, verstört. Wenn Sealfont Kressel angerufen hatte – was er offensichtlich getan hatte – und Kressel mit Nimrod zusammenarbeitete oder Nimrod *war*, dann würden ihn weitere Streifenwagen, weitere Soldaten der Privatarmee erwarten.

Seine Gedanken wanderten zu der Polizeistation von Carlyle zurück – das war vor einem Jahrhundert, dabei war nur eine Woche vergangen –, zu der Nacht, in der Loring ermordet worden war. Kressel hatte ihn damals beunruhigt. Und selbst davor – als er mit Loring und Greenberg zusammengewesen war – war Kressels Feindseligkeit, mit der er den beiden Männern aus Washington begegnet war, über die Grenzen der Vernunft hinausgegangen.

Du großer Gott! Jetzt war alles so klar! Seine Instinkte waren richtig gewesen. Die Instinkte, die ihm als *Gejagten* ebenso wie als *Jäger* gedient hatten, waren richtig gewesen! Man hatte ihn zu gründlich beobachtet, hatte jeden Schritt, den er tat, vorhergesehen. Kressel, der *Verbindungsmann*, war tatsächlich Kressel der Spurensucher, der Mörder.

Nichts war jemals so, wie es schien – nur das, was man hinter dem äußeren Schein fühlte. Man mußte seinen Gefühlen vertrauen.

Irgendwie mußte er an Sealfont herankommen. Mußte Sealfont warnen, daß Kressel der Judas war. Jetzt mußten sie *beide* sich schützen, irgendeinen Stützpunkt finden, von dem aus sie zurückschlagen konnten.

Wenn ihnen das nicht gelang, war das Mädchen, das er liebte, verloren.

Er durfte keine Sekunde mehr vergeuden. Sealfont hatte ohne Zweifel Kressel gesagt, daß er, Matlock, Lucas Herrons Tagebücher hatte, und das war alles, was Kressel wissen mußte. Alles, was Nimrod wissen mußte.

Nimrod mußte sowohl das korsische Papier *als auch* das Tagebuch in seinen Besitz bringen, jetzt, da er wußte, wo sie sich befanden. Er würde seiner Privatarmee sagen, daß dies ihr Augenblick des Triumphes oder der Katastrophe war. Sie würden bei Sealfonts Haus auf ihn warten; Sealfonts Villa war die Falle, hinter der sie auf ihn lauerten.

Matlock bog an der nächsten Ecke nach Westen. In seiner Hosentasche waren seine Schlüssel, darunter auch der zu Pats Wohnung. Nach seinem besten Wissen war niemand bekannt, daß er einen solchen Schlüssel besaß, jedenfalls würde niemand von ihm erwarten, daß er dorthin fuhr. Er mußte es riskieren; durfte jetzt nicht zu einem öffentlichen Telefon gehen, durfte nicht riskieren, daß man ihn unter einer Straßenlampe sah. Die Streifenwagen würden überall nach ihm suchen.

Er hörte hinter sich das Aufbrüllen eines Motors und spürte einen stechenden Schmerz im Magen. Ein Wagen folgte ihm – rückte näher. Und der '62er Chevrolet war ihm nicht gewachsen.

Sein rechtes Bein schmerzte von dem Druck, den er auf das Gaspedal ausübte. Seine Hände umkrampften das Steuerrad, als er verzweifelt in eine Seitenstraße einbog, und seine Armmuskeln schmerzten. Die nächste Biegung. Er riß das Steuer nach links, jagte vom Bürgersteig zurück mitten auf die Straße. Der Wagen hinter ihm fuhr gleichmäßiges Tempo, war nie weiter als zehn Fuß entfernt. Seine Scheinwerfer blendeten ihn im Rückspiegel.

Sein Verfolger würde die Lücke zwischen ihnen *nicht* schließen! Jetzt nicht. Nicht in diesem Augenblick. Er hätte das schon vor hundert, vor zweihundert Metern tun können. Er wartete. Wartete auf etwas. Aber auf was?

Es gab so *viel*, das er nicht begreifen konnte! So viel, das er falsch eingeschätzt, falsch interpretiert hatte. Man hatte ihn immer wieder übertölpelt. Er war eben das, was sie sagten – ein Amateur! Er war von Anfang an überfordert gewesen. Und jetzt, ganz zuletzt, endete sein Angriff in einem Hinterhalt. Sie würden ihn töten, ihm das korsische Papier abnehmen und das Tagebuch mit der Anklageschrift. Sie würden das Mädchen töten, das er liebte, das unschuldige Kind, dessen Leben er so brutal weggeworfen hatte. Sealfont würde ebenfalls erledigt sein – er wußte jetzt zuviel! Gott weiß wie viele andere würden vernichtet werden.

So sei es.

Wenn es so sein mußte, wenn man ihm wirklich alle Hoffnung genommen hatte, würde er es zumindest mit einer großen Geste beenden. Er griff nach der Automatik, die in seinem Gürtel steckte.

Die Straßen, über die sie jetzt fuhren – der Verfolger und der Verfolgte – führten durch die Außenbezirke des Campus, wo hauptsächlich die Wissenschaftsgebäude und eine Anzahl großer Parkplätze waren. Es gab hier kaum Häuser.

Er riß den Chevrolet so weit nach rechts, wie ihm das möglich war, schob den rechten Arm über die Brust, den Lauf der Pistole durchs Wagenfenster, richtete ihn auf den ihn verfolgenden Wagen. Er feuerte zweimal. Der Wagen hinter ihm beschleunigte; er spürte ein paarmal hintereinander den Aufprall, Metall gegen Metall, als der Wagen gegen das Heck des Chevrolet schepperte. Wieder drückte er ab. Statt eines lauten Knalls hörte und spürte er nur das Klicken des Abzugs gegen eine nicht geladene Kammer.

Selbst seine letzte Geste war vergebens.

Wieder prallte der Verfolger gegen ihn. Er verlor die Kontrolle; das Steuer drehte leer, riß seinen Arm mit. Dann glitt der Chevrolet von der Straße. Verzweifelt tastete er nach dem Türgriff, versuchte, den Wagen anzuhalten, bereit, hinauszuspringen, wenn es nötig sein sollte.

Dann erstarrten ihm alle Gedanken; alle Überlebensinstinkte waren wie gelähmt. In jenen Sekundenbruchteilen hörte die Zeit auf, sich zu bewegen. Denn jetzt bewegte sich der Wagen hinter ihm parallel zu ihm, und er sah das Gesicht seines Verfolgers.

Gesicht und Augen waren bandagiert. Er trug eine Brille,

aber beides konnte das Gesicht des schwarzen Revolutionärs nicht verbergen. Julian Dunois.

Das war das letzte, woran er sich erinnerte, ehe der Chevrolet nach rechts kippte und von der Straße abkam.

Schwärze.

32

Schmerz weckte ihn. Seine ganze linke Körperhälfte schien aus nichts anderem als Schmerz zu bestehen. Er drehte den Kopf herum und spürte das Kissen unter sich.

Der Raum war schwach erleuchtet; das spärliche Licht kam von einer Tischlampe auf der anderen Seite. Er drehte den Kopf wieder herum und versuchte, sich auf die rechte Schulter zu stützen. Er schob den Ellbogen in die Matratze, und sein bewegungsloser linker Arm folgte der Körperdrehung wie ein totes Gewicht.

Er hielt plötzlich inne.

Auf der anderen Zimmerseite, am Fußende des Bettes saß ein Mann in einem Sessel. Zuerst konnte Matlock seine Gesichtszüge nicht ausmachen. Das Licht war schwach. Der Schmerz und die Erschöpfung beeinträchtigten sein Sehvermögen.

Dann wurde das Bild des Mannes schärfer. Er war schwarz, und seine dunklen Augen starrten Matlock unter dem perfekt geschnittenen Halbkreis eines Afro-Haarschnittes an. Es war Adam Williams, der Vorkämpfer der Schwarzen Linken an der Carlyle Universität.

Als Williams sprach, klang seine Stimme weich. Sofern Matlock ihn nicht mißverstand, war in der Stimme des Schwarzen – wieder – Mitgefühl.

»Ich werde Bruder Julian sagen, daß Sie wach sind.« Williams stand auf und ging zur Tür. »Sie haben sich die linke Schulter zerschlagen. Versuchen Sie nicht, das Bett zu verlassen. Hier gibt es keine Fenster. Der Korridor ist bewacht. Entspannen Sie sich. Sie brauchen Ruhe.«

»Ich habe keine Zeit zu ruhen, Sie *verdammter Narr!*« Matlock versuchte, sich weiter aufzurichten, aber der Schmerz war zu groß. Er hatte sich noch nicht daran gewöhnt.

»Sie haben keine Wahl.« Williams öffnete die Tür, ging schnell hinaus und schloß sie fest hinter sich.

Matlock fiel ins Kissen zurück ... Bruder Julian ... Jetzt erinnerte er sich. Julian Dunois' bandagiertes Gesicht, das ihn durch das Fenster des dahinjagenden Wagens beobachtete, scheinbar nur wenige Zoll von ihm entfernt. Dann hatte er Dunois' Worte aufgenommen, die Befehle, die er dem Fahrer zurief. Er hatte sie in seinem karibischen Dialekt gerufen.

»Mach schon, Mon! Noch einmal! Schieb ihn weg, Mon!«

Dann war alles finster geworden. Die Finsternis war erfüllt gewesen von Lärm, dem Krachen von Metall, und er hatte gespürt, wie sein Körper sich verbog, sich drehte, ins schwarze Nichts stürzte.

O Gott! Wie weit lag das zurück? Er versuchte, die linke Hand zu heben, um auf die Uhr zu sehen, aber der Arm bewegte sich kaum; der Schmerz war scharf und hielt lange an. Er griff mit der rechten Hand hinüber, um das elastische Uhrenarmband vom Handgelenk zu ziehen, aber es war nicht da. Seine Uhr war verschwunden.

Er mühte sich ab, um sich aufzusetzen, und schaffte es schließlich, auf dem Bettrand zu hocken, so daß seine Füße den Boden berührten. Er drückte sie gegen das Holz und war dankbar, daß er aufsitzen konnte ... Er mußte die einzelnen Stücke zusammenfügen, mußte rekonstruieren, was geschehen war, wohin ihn sein Weg führte.

Er war zu Pat unterwegs gewesen. Er hatte eine abgelegene Telefonzelle gesucht, von der aus er Adrian Sealfont anrufen konnte. Um ihn zu warnen, daß Kressel der Feind war, daß Kressel Nimrod war. Und er hatte sich dafür entschieden, daß Herrons Tagebuch das Lösegeld für Pat sein sollte. Dann hatte die Jagd begonnen, nur daß es keine Jagd war. Der Wagen hinter ihm, befehligt von Julian Dunois, hatte ein wildes Spiel des Schreckens gespielt. Er hatte mit ihm gespielt, so wie eine tödliche Bergkatze vielleicht mit einer verwundeten Ziege spielt. Schließlich hatte er angegriffen – Stahl gegen Stahl – und ihn in die Finsternis getrieben.

Matlock wußte, daß er entkommen mußte. Aber *von wo* und *zu wem*?

Die Tür des fensterlosen Raumes öffnete sich. Dumois trat ein, gefolgt von Williams.

»Guten Morgen«, sagte der Anwalt. »Ich sehe, Sie haben es geschafft, sich aufzusetzen. Das ist gut. Ein gutes Zeichen für Ihren böse mitgenommenen Körper.«

»Welche Zeit ist es? Wo bin ich?«

»Es ist beinahe halb fünf. Sie sind in einem Raum in der Lumumba Hall. Sehen Sie? Ich halte nichts vor Ihnen zurück … Jetzt müssen Sie sich erkenntlich zeigen. Sie dürfen nichts vor mir zurückhalten.«

»Hören Sie mir zu!« Matlock zwang sich, mit gleichmäßiger Stimme zu sprechen. »Ich habe keine Auseinandersetzung mit Ihnen, mit *keinem* von Ihnen! Ich muß …«

»Oh, da bin ich anderer Ansicht«, lächelte Dunois. »Schauen Sie sich mein *Gesicht* an. Es ist nur meinem ungeheuren Glück zuzuschreiben, daß ich nicht von Ihnen geblendet wurde. Sie haben versucht, mir die Gläser meiner Brille in die Augen zu drücken. Können Sie sich vorstellen, wie meine Arbeit leiden würde, wenn ich blind wäre?«

»Verdammt noch mal! Sie haben mich mit Acid vollgepumpt!«

»Sie haben mich dazu provoziert! Sie waren aktiv mit Dingen beschäftigt, die unseren Brüdern feindlich sind! Dinge, die zu tun, Sie kein *Recht* hatten … Aber das ist eine Debatte, die nur im Kreise herumführt. Sie bringt uns nicht weiter … Wir sind Ihnen für das, was Sie uns gebracht haben, dankbar. Das übersteigt unsere optimistischsten Hoffnungen.«

»Sie haben das Notizbuch …«

»*Und* das korsische Dokument. Wir wußten, daß es eine Einladung gab. Das Tagebuch war nur ein Gerücht. Ein Gerücht, das man für Fiktion hielt, bis heute nacht – heute morgen. Sie können stolz sein. Sie haben etwas vollbracht, was Dutzenden von Leuten mit mehr Erfahrung nicht geglückt ist. Sie haben den Schatz gefunden. Den *wahren* Schatz.«

»Ich muß ihn zurückhaben!«

»Das haben *Sie* gedacht!« sagte Williams, der an der Wand lehnte und die beiden beobachtete.

»Wenn ich es nicht zurückbekomme, wird ein Mädchen *sterben*! Machen Sie mit mir, was Sie wollen, aber lassen sie es mich *benutzen*, um sie zurückzubekommen. Herrgott! Bitte, bitte!«

»Das ist für Sie ein sehr tiefes Gefühl, nicht wahr? Ich sehe Tränen in Ihren Augen ...«

»*O Herrgott!* Sie sind ein *gebildeter Mann!* Sie dürfen das nicht *tun*! ... *Hören Sie!* Holen Sie sich an Informationen heraus, was Sie wollen! Dann geben Sie es mir und lassen mich gehen! ... Ich schwöre Ihnen, daß ich zurückkomme. Geben Sie ihr eine Chance. Geben Sie ihr bloß eine *Chance*!«

Dunois ging langsam zu dem Stuhl an der Wand, dem Stuhl, in dem Adam Williams gesessen hatte, als Matlock erwachte. Er zog ihn vor, näher an das Bett heran, und setzte sich, schlug ein Bein über das andere.

»Sie fühlen sich hilflos, nicht wahr? Vielleicht ... selbst ohne jede Hoffnung.«

»Ich habe sehr viel durchgemacht!«

»Ganz bestimmt haben Sie das. Und Sie appellieren an meine Vernunft ... Als *gebildeter Mann*. Sie begreifen, daß es in meiner Macht liegt, Ihnen zu helfen, und deshalb bin ich Ihnen überlegen. Wenn es nicht so wäre, würden Sie diese Bitte nicht aussprechen.«

»O Herrgott! Hören Sie auf damit!«

»Jetzt wissen Sie, wie es ist. Sie sind hilflos. Ohne Hoffnung. Sie fragen sich, ob Ihre Bitte auf taube Ohren stößt ... Glauben Sie wirklich auch nur einen Augenblick lang, daß das Leben von Miß Ballantyne für mich von Bedeutung ist? Glauben Sie ehrlich, daß sie für mich irgendeine Priorität besitzt? Eine *höhere* Priorität als das Leben *unserer* Kinder, *unserer* Geliebten für Sie besitzt!«

Matlock wußte, daß er Dunois antworten mußte. Der Neger würde nichts anbieten, wenn er ihm auswich. Das war ein neues Spiel – und er mußte es spielen, wenn auch nur kurz.

»Ich verdiene das nicht, und das wissen Sie. Ich verabscheue die Leute, die nicht bereit sind, etwas für sie zu tun. Sie kennen mich – das haben Sie mir erklärt. Also müssen Sie das auch wissen.«

»Ah, aber ich weiß es nicht! Sie sind derjenige, der die Wahl getroffen hat, die Entscheidung für den überlegenen *Mon* zu arbeiten! Den *Washington-Mon*! Jahrzehntelang, zwei Jahrhunderte lang, haben *meine* Leute den überlegenen *Washington-Mon* angefleht! ›Hilf uns‹ schreien sie. ›Laß uns nicht ohne Hoffnung!‹ rufen sie. Aber niemand hört auf sie. Und jetzt erwarten Sie, daß ich auf Sie höre?«

»Ja, das tue ich! Weil ich nicht Ihr Feind bin. Mag sein, daß ich nicht alles das bin, was Sie von mir erwarten, aber ich bin nicht Ihr Feind. Wenn Sie mich – und Männer wie mich – in Gegenstände des Hasses verwandeln, sind Sie *erledigt.* Sie sind in der Minderzahl, vergessen Sie das nicht, Dunois. Wir werden nicht jedesmal die Barrikaden stürmen, wenn Sie ›foul‹ schreien, aber wir hören Sie. Wir sind bereit zu helfen, wir wollen helfen.«

Dunois musterte Matlock kalt. »Beweisen Sie es.«

Matlock erwiderte den Blick des Negers. »Sie können mich ja als Ihren Köder benutzen, als Ihre Geisel. Töten Sie mich, wenn es sein muß. Aber holen Sie das Mädchen heraus.«

»Wir können das nicht ohne ihre Billigung tun – Sie als Geisel benützen, Sie töten –, das ist tapfer, aber kaum ein Beweis.«

Matlock ließ nicht zu, daß Dunois den Blick von ihm löste. Er sprach mit leiser Stimme: »Ich werde Ihnen eine Erklärung geben. Schriftlich, verbal – auf Band, frei und ohne Gewalt oder Zwang. Ich werde nichts zurückhalten. Wie man mich benutzt hat, was ich getan habe. Alles. Dann haben Sie Ihre Leute aus Washington ebenso wie Nimrod.«

Dunois verschränkte die Arme und sprach ähnlich leise wie Matlock. »Es ist Ihnen doch klar, daß Sie damit Ihr berufliches Leben beenden würden, dies Leben, das Sie so lieben. Keine Universitätsverwaltung, die des Namens wert ist, würde Sie für eine Position in Betracht ziehen. Man würde Ihnen nie wieder vertrauen. Keine Partei würde das. Ein Ausgestoßener wären Sie dann.«

»Sie haben Beweise verlangt. Das ist alles, was ich Ihnen bieten kann.«

Dunois saß reglos auf dem Sessel. Williams hatte sich an der Wand aufgerichtet und stand jetzt gerade da. Ein paar Augenblicke lang sprach niemand. Schließlich lächelte Dunois. Seine von Gazebinden umgebenen Augen blickten mitfühlend.

»Sie sind ein guter Mann. Ungeschickt vielleicht, aber hartnäckig. Sie sollen die Hilfe bekommen, die Sie brauchen. Wir werden Sie nicht ohne Hoffnung lassen. Bist du einverstanden, Adam?«

»Einverstanden.«

Dunois erhob sich aus dem Sessel und ging auf Matlock zu.

»Sie haben den abgedroschenen Spruch gehört, daß die Politik seltsame Bettgenossen schafft. Umgekehrt führen praktische Ziele häufig zu seltsamen politischen Bündnissen. Die Geschichte bestätigt das ... Wir wollen diesen Nimrod ebensosehr, wie Sie ihn wollen. Ebenso wie die Mafiosi, mit denen er Frieden machen möchte. Sie und ihresgleichen sind es, die unsere Kinder berauben. Ein Exempel muß statuiert werden. Ein Exempel, das den anderen Nimrods und den anderen Mafiosi Schrecken einflößt ... Sie sollen Hilfe haben, aber wir stellen eine Bedingung.«

»Und die wäre?«

»Was mit Nimrod und den anderen geschieht, muß uns überlassen bleiben. Wir haben kein Vertrauen zu Ihren Richtern und Ihren Gerichten. Ihre Gerichte sind korrupt, Ihre Gesetze nicht viel mehr, als finanzielle Manipulationen ... Süchtige aus den Slums werden ins Gefängnis geworfen. Reiche Gangster gehen in Revision ... Nein, was mit ihm geschieht, muß uns überlassen sein.«

»Das ist mir gleichgültig. Sie können tun, was Sie wollen.«

»Daß Ihnen das gleichgültig ist, genügt nicht. Wir verlangen mehr. Wir brauchen eine Garantie.«

»Wie kann ich eine Garantie geben?«

»Durch Ihr Schweigen. Indem Sie unsere Anwesenheit nicht bestätigen. Wir werden das korsische Papier an uns nehmen und irgendwie die Konferenz finden und uns Zugang zu ihr verschaffen. Wir werden dem Tagebuch entnehmen, was wir brauchen – das geschieht übrigens in diesem Augenblick … Aber am wesentlichsten ist Ihr *Schweigen*. Wir werden Ihnen jetzt helfen – aus besten Kräften natürlich –, aber Sie dürfen nie erwähnen, daß wir uns eingeschaltet haben. Gleichgültig, was geschehen mag, Sie dürfen nie – weder direkt noch indirekt – unsere Teilnahme erwähnen. Sollten Sie das tun, nehmen wir Ihr Leben und das Leben des Mädchens. Haben Sie das verstanden?«

»Ja.«

»Dann sind wir uns einig?«

»Ja.«

»Danke«, sagte Dunois und lächelte.

33

Als Julian Dunois ihm die Alternativen darlegte, die sie hatten, und begann, eine Strategie zu formulieren, wurde Matlock immer klarer, weshalb Dunois' Leute ihn so konzentriert gesucht hatten – und weshalb Dunois bereit war, Hilfe anzubieten. Er, Matlock, verfügte über die grundlegenden Informationen, die sie brauchten. Wer waren seine Kontaktpersonen? Innerhalb und außerhalb der Universität? Wer und wo waren die Leute aus Washington? Auf welche Weise hielt er Verbindung mit ihnen?

Mit anderen Worten – wen mußte Julian Dunois auf seinem Marsch zu Nimrod meiden?

»Ich muß sagen, daß Sie ungewöhnlich schlecht auf unvorhergesehene Zwischenfälle vorbereitet waren«, sagte Dunois. »Sehr oberflächlich.«

»Das ist mir auch in den Sinn gekommen. Aber ich glaube, mich trifft nur ein Teil der Schuld.«

»Das kann man wohl sagen!« Dunois lachte, und Williams fiel in sein Lachen ein. Die drei Männer blieben in dem fensterlosen Raum. Man hatte einen Kartentisch und ein paar große Schreibblocks hereingebracht. Dunois hatte angefangen, alles aufzuschreiben, was Matlock lieferte. Er ließ sich immer wieder die richtige Schreibweise der Namen und die Genauigkeit von Adressen bestätigen – ein Profi bei der Arbeit; erneut empfand Matlock das Gefühl der Unzulänglichkeit, das ihn auch erfaßt hatte, als er mit Greenberg sprach.

Dunois heftete ein paar Seiten zusammen und begann mit einem frischen Block. »Was machen Sie?« fragte Matlock.

»Das wird jetzt auf einem Kopiergerät vervielfältigt. Die Information wird in mein Büro in New York geschickt werden … Ebenso wie eine Fotokopie jeder einzelnen Seite in Professor Herrons Notizbuch.«

»Sie überlassen wohl nichts dem Zufall, wie?«

»Mit einem Wort – nein.«

»Das war alles, was ich Ihnen geben konnte. Was tun wir jetzt? *Was tue ich?* Ich habe Angst, das brauche ich Ihnen nicht zu sagen. Ich wage nicht an das zu denken, was ihr zustoßen könnte.«

»*Nichts* wird ihr zustoßen. Glauben Sie mir, wenn ich Ihnen das sage. Im Augenblick ist Ihre Miß Ballantyne so sicher, als wäre sie in den Armen ihrer Mutter. Oder den Ihren. Sie ist der Köder, nicht Sie. Der Köder wird frisch und unversehrt gehalten werden. Weil Sie haben, was sie wollen. Ohne das kann die Gegenseite nicht überleben.«

»Dann wollen wir doch unser Angebot machen. Je eher, desto besser.«

»Keine Sorge. Es wird gemacht werden. Aber wir müssen sorgfältig überlegen – alle Nuancen dabei bedenken –, wie wir es tun. Bis jetzt verfügen wir über zwei Alternativen, darüber haben wir uns geeinigt. Die erste ist Kressel selbst. Die direkte Konfrontation. Die zweite wäre, die Polizei zu benutzen, um Ihre Botschaft an Nimrod zu übermitteln.«

»Warum sollten wir das tun? Die Polizei benutzen?«

»Ich zähle nur Alternativen auf … Warum die Polizei? Ich weiß nicht genau. Nur, daß in den Tagebüchern von Professor Herron eindeutig steht, daß Nimrod in der Vergangenheit einige Male ausgetauscht worden ist. Der gegenwärtige Nimrod ist der dritte, seit diese Position geschaffen wurde, das ist doch richtig?«

»Ja. Der erste war ein Mann namens Orton im Büro des Gouverneurs. Der zweite, Angelo Latona, ein Bauunternehmer. Der dritte ist offensichtlich Kressel. Worauf wollen Sie hinaus?«

»Ich stelle nur Spekulationen an. Wer auch immer die Position Nimrods übernimmt, verfügt über autoritäre Macht. Es kommt also auf die Position an, nicht den Mann. Der Mann kann aus seinem Amt machen, was in seiner Macht steht.«

»Aber das Amt«, unterbrach Williams, »wird gegeben und wieder genommen. Nimrod hat nicht das letzte Wort.«

»Genau. Demzufolge könnte es zu Matlocks Vorteil sein, es durchsickern zu lassen, daß *er* es ist, der die Waffe besitzt. Daß Kressel – Nimrod – mit großer Vorsicht vorgehen muß. Um aller willen.«

»Würde das nicht bedeuten, daß noch mehr Leute hinter mir her wären?«

»Schon möglich. Umgekehrt könnte es bedeuten, daß eine ganze Legion verängstigter Verbrecher Sie schützt. Bis die Drohung beseitigt ist, die Sie darstellen. Solange diese Drohung nicht weggenommen ist, wird keiner vorschnell handeln. Keiner wird wollen, daß Nimrod übereilt handelt.«

Matlock zündete sich eine Zigarette an. »Sie haben also vor, Nimrod teilweise von seiner eigenen Organisation zu trennen.«

Dunois schnalzte mit den Fingern beider Hände, es klang wie Kastagnetten, wie Applaus, dann lächelte er.

»Sie lernen schnell. Das ist die erste Lektion des Revolutionärs. Eines der Hauptziele der Infiltration. Teilen. Teilen!«

Die Tür öffnete sich. Ein aufgeregter Neger kam herein. Ohne ein Wort zu sagen, reichte er Dunois einen Zettel. Dunois las und schloß die Augen ein paar Augenblicke lang. Das war seine Art, Bestürzung zu zeigen. Er dankte dem schwarzen Boten ruhig und entließ ihn höflich. Dann sah er Matlock an, reichte den Zettel aber Williams.

»Die von uns entwickelte Strategie mag vielleicht in historischem Sinn Priorität haben, aber ich fürchte, für uns hat sie ihren Sinn verloren. Kressel und seine Frau sind tot. Doktor Sealfont ist gewaltsam und unter Bewachung aus seinem Haus entfernt worden. Man hat ihn in einem Streifenwagen weggebracht.«

»Was? Kressel! Das glaube ich nicht! Das ist nicht wahr!«

»Ich fürchte, doch. Unsere Männer berichten, daß die beiden Leichen vor weniger als fünfzehn Minuten hinausgetragen wurden. Man spricht von Mord und Selbstmord. Natürlich. Es würde perfekt passen.«

»O Gott! O Gott, o Gott! Es ist meine Schuld! Ich habe sie dazu gezwungen! Sealfont! Wohin hat man ihn gebracht?«

»Das wissen wir nicht. Die Brüder, die Wache hielten, wagten nicht, dem Streifenwagen zu folgen.«

Er hatte keine Worte. Da waren sie wieder, die Lähmung und die Angst. Er taumelte blindlings ins Bett, sank darauf nieder, setzte sich dann wieder auf und starrte ins Leere. Das Gefühl der Hilflosigkeit, der Niederlage war jetzt überwältigend. Er hatte so viel Schmerz verursacht, so viel Tod.

»Das ist eine schwere Komplikation«, sagte Dunois, die Ellbogen auf den Kartentisch gestützt. »Nimrod hat Ihre einzigen Kontaktpersonen entfernt. Indem er das tat, hat er eine wesentliche Frage beantwortet, und uns daran gehindert, einen ungeheuren Fehler zu machen – damit meine ich natürlich Kressel. Nichtsdestoweniger hat Nimrod, um es von einer anderen Seite zu sehen, unsere Alternativen verringert. Sie haben jetzt keine Wahl. Sie müssen durch seine Privatarmee, die Polizei von Carlyle, an ihn herantreten.«

Matlock starrte Julian Dunois benommen an. »Ist das alles, was Sie *tun* können? Dasitzen und ruhig einen nächsten Schritt entscheiden? ... Kressel ist *tot*, seine Frau ist *tot* ... Adrian Sealfont ist inzwischen vermutlich ebenfalls getötet. Diese Leute waren meine *Freunde*!«

»Sie haben mein Mitgefühl, aber ich will ehrlich sein: Ich bedaure den Verlust der drei Individuen nicht. Offen gestanden, Sealfont ist das einzige *wirkliche* Opfer – wir hätten mit ihm arbeiten können, er war ein brillanter Mann –, aber dieser Verlust bricht mir nicht das Herz. Wir verlieren jeden Monat Tausende in den Slums. Ich bin viel eher bereit, für sie zu weinen ... Aber um wieder zu unserer Angelegenheit zurückzukehren. Sie haben wirklich keine Wahl. Sie müssen Ihren Kontakt über die Polizei herstellen.«

»Aber in dem Punkt haben Sie unrecht.« Matlock fühlte sich plötzlich stärker. »Ich *habe* eine Wahl ... Greenberg hat West Virginia heute am frühen Morgen verlassen. Er wird inzwischen in Washington sein. Ich habe eine Nummer in New York, über die ich mit ihm in Verbindung treten kann. Ich hole Greenberg.« Er hatte genug getan, genug Leid verursacht. Er durfte Pats Leben nicht aufs Spiel setzen. Nicht länger. Er war nicht dazu imstande.

Dunois lehnte sich in seinem Sessel zurück und nahm die Arme vom Tisch. Er starrte Matlock an. »Ich sagte vor einer kleinen Weile, daß Sie ein guter Schüler wären. Ich will mich jetzt korrigieren. Sie sind schnell, aber offensichtlich oberflächlich ... Sie werden *nicht* an Greenberg herantreten. Er war nicht Teil unserer Verabredung, und Sie werden sich an diese Verabredung halten. Sie werden im Sinne unserer Vereinbarung handeln, oder die Folgen erleiden, die ich Ihnen dargelegt habe.«

»Verdammt noch mal, drohen Sie mir nicht! Ich bin die Drohungen leid!« Matlock stand auf. Dunois griff in die Innentasche seiner Jacke und holte eine Pistole heraus. Matlock sah, daß es die schwarze Automatik war, die er dem Toten am Osthang abgenommen hatte. Auch Dunois erhob sich.

»In dem ärztlichen Bericht wird man ohne Zweifel konstatieren, daß Ihr Tod in der Morgendämmerung erfolgt ist.«

»Um Gottes willen! Das Mädchen wird von Mördern festgehalten!«

»Wie Sie«, sagte Dunois. »Können Sie das nicht *begreifen*? Unsere Motive sind verschieden, aber Sie sollten da keinen Fehler machen. Wir sind *Mörder*. Das *müssen* wir sein.«

»Sie würden nicht so weit gehen!«

»O doch, das würden wir. Das wäre nicht das erste Mal. Wir sind auch schon viel, viel weiter gegangen. Wir würden Ihre belanglose Leiche vor die Polizeistation legen, mit einem Zettel, den wir an ihr blutbeflecktes Hemd stecken. Wir würden *verlangen*, daß das Mädchen stirbt, ehe irgendwelche Verhandlungen stattfinden. Die würden bereitwillig zustimmen, weil keiner von uns beiden das Risiko eingehen darf, daß sie überlebt. Sobald auch sie tot ist, können die Riesen ihre Schlacht alleine austragen.«

»Sie sind ein Ungeheuer.«

»Ich bin, was ich sein muß.«

Ein paar Augenblicke lang sagte niemand ein Wort. Matlock schloß die Augen, und seine Stimme war nur noch ein Flüstern. »Was soll ich tun?«

»So ist es viel besser.« Dunois setzte sich und blickte zu dem nervösen Adam Williams auf. Ganz kurz verspürte Matlock eine Art Verwandtschaft zu dem Radikalen. Auch er hatte Angst, war unsicher. Ebenso wie Matlock war er schlecht darauf vorbereitet, mit der Welt des Julian Dunois oder der des Nimrod zurechtzukommen. Der Mann aus Haiti schien Matlocks Gedanken zu lesen.

»Sie müssen Vertrauen zu sich selbst haben. Denken Sie daran, Sie haben viel mehr erreicht als jeder andere. Mit viel weniger Unterstützung. Und Sie sind ungewöhnlich mutig.«

»Ich fühle mich nicht sehr mutig.«

»Das tut ein tapferer Mann nur selten. Ist das nicht bemerkenswert? Kommen Sie, setzen Sie sich.« Matlock gehorchte. »Wissen Sie, Sie und ich, wir unterscheiden uns gar nicht so sehr. Zu einer anderen Zeit könnten wir vielleicht sogar Verbündete sein. Nur, daß ich, wie schon viele meiner Brüder festgestellt haben, Heilige suche.«

»Die gibt es nicht«, sagte Matlock.

»Mag sein. Und dann … aber darüber sprechen wir ein anderes Mal. Im Augenblick müssen wir Pläne machen. Nimrod wird Sie erwarten. Wir dürfen ihn nicht enttäuschen. Doch dürfen wir nicht versäumen, uns an allen Flanken zu schützen.« Er schob seinen Stuhl näher an den Tisch heran, und ein leichtes Lächeln spielte um seine Lippen. Seine Augen leuchteten.

Die Strategie des schwarzen Revolutionärs war eine komplizierte Folge von Schritten, die alle darauf abgestimmt waren, Matlock und das Mädchen zu schützen. Matlock mußte das widerstrebend einräumen.

»Mein Motiv ist ein doppeltes«, erklärte Dunois. »Der zweite Teil ist offen gestanden für mich der wichtigere. Nimrod wird nicht selbst in Erscheinung treten, es sei denn, er hat keine andere Wahl. Und ich will Nimrod. Ich bin nicht mit einem Ersatz zufrieden.«

Das Wesen des Planes lag in Herrons Notizbuch, den letzten Eintragungen darin.

Nimrods Identität.

»Herron erklärt ausdrücklich, daß er nicht *bereit* sei, den Namen niederzuschreiben, den die Boten angedeutet haben. Nicht, daß er es nicht konnte. Er war offensichtlich der Ansicht, daß er nicht das Recht hatte, den Mann hineinzuziehen, falls die Information unrichtig sein sollte. Eine solche Schuld wollte er nicht auf sich laden. Genau wie Sie selbst, Matlock; Sie haben sich auch geweigert, Herron auf der Grundlage eines hysterischen Telefongespräches ans Messer zu liefern. Er wußte, daß er jeden Augenblick sterben konnte; sein Körper würde nicht mehr viel ertragen ... Er mußte ganz sicher sein.« Dunois kritzelte jetzt sinnlose geometrische Figuren auf ein leeres Blatt.

»Und dann wurde er ermordet«, sagte Matlock. »Ein Mord, der wie Selbstmord aussah.«

»Ja. Das wird in dem Notizbuch ganz eindeutig bestätigt. Sobald Herron sich selbst Gewißheit verschafft hatte, wer Nimrod war, hätte er Himmel und Erde in Bewegung gesetzt, um das in seine Aufzeichnungen aufzunehmen. Unser Feind kann nicht wissen, daß er es nicht getan hat. Das ist unser Damoklesschwert.«

Matlocks erste Verteidigungslinie mußte also sein, dem Leiter der Polizei von Carlyle klarzumachen, daß er, Matlock, die Identität Nimrods kannte. Er würde nur mit Nimrod ein Abkommen treffen. Dieses Abkommen war das geringere von zwei Übeln. Er war ein gejagter Mann. Es gab einen Haftbefehl, von dem die Polizei von Carlyle ohne Zweifel wußte. Möglicherweise würde er von der geringeren Anklage freigesprochen werden, aber der Mordanklage konnte er nicht entgehen. Vielleicht sogar der Anklage wegen zwei Morden. Denn getötet hatte er, die Beweislast war überwältigend und er besaß kein Alibi. Er kannte die Männer nicht, die er getötet hatte. Es gab keine Zeugen, die bestätigen konnten, daß er in Notwehr gehandelt hatte; die beiden Männer waren auf eine Art und Weise getötet worden, daß es einfach erforderlich war, den Mörder aus der Gesellschaft herauszureißen, ihn zu entfernen. Er konnte bestenfalls darauf hoffen, eine Anzahl von Jahren hinter Gitter zu wandern.

Dann würde er seine Bedingungen für eine Übereinkunft mit Nimrod darlegen. Lucas Herrons Tagebuch gegen sein Leben – und das Leben des Mädchens. Das Tagebuch war sicherlich eine Summe Geldes wert, die für sie beide ausreichen würde, um irgendwo anders neu zu beginnen.

Nimrod war dazu imstande. Nimrod *mußte* es tun.

»Der Schlüssel für diese ... wir wollen sie Phase eins nennen ... ist das Maß an Überzeugung, das Sie zeigen.« Dunois sprach langsam und bedacht. »Vergessen Sie nicht, Sie befinden sich in Panik. Sie haben getötet, das Leben anderer Menschen genommen. Sie sind kein gewalttätiger Mann, aber man hat Sie gezwungen, Sie dazu gebracht, schreckliche Verbrechen zu begehen.«

»Das ist auch die Wahrheit. Vielleicht in höherem Maße, als Sie verstehen.«

»Gut. Das ist das Gefühl, das Sie vermitteln müssen. Und alles, was ein in Panik getriebener Mann will, ist, vom Schauplatz seiner Panik wegzukommen. Nimrod muß das glauben. Das garantiert Ihre unmittelbare Sicherheit.«

Dann würde Matlock einen zweiten Anruf tätigen – um Nimrods Zustimmung entgegenzunehmen. Nimrod sollte an diesem Punkt den Ort wählen. Matlock würde noch einmal anrufen, um zu erfahren, wo das Zusammentreffen sein sollte. Aber das Treffen mußte vor zehn Uhr früh stattfinden.

»Bis dahin treten bei Ihnen, dem Flüchtling, der die Freiheit vor Augen hat, plötzlich Zweifel auf«, sagte Dunois. »In Ihrer wachsenden Hysterie brauchen Sie eine Garantie.«

»Und die wäre?«

»Ein Dritter, ein geheimnisvoller Dritter ...«

Matlock sollte die Kontaktperson im Polizeirevier von

Carlyle informieren, daß er eine vollständige Aussage über Nimrods Aktivitäten zu Papier gebracht hatte. Herrons Tagebuch, die Identität, alles. Diese Aussage sei in einem Umschlag versiegelt einem Freund übergeben worden. Sie würde um zehn Uhr früh an das Justizministerium geschickt werden, sofern Matlock keine gegenteiligen Anweisungen erteilte.

»Auch Phase zwei hängt wieder davon ab, wie überzeugend Sie wirken, aber diesmal geht es um Überzeugung einer anderen Art. Beobachten Sie einmal ein Tier in einem Käfig, dessen Türe plötzlich geöffnet wird. Es ist argwöhnisch, vorsichtig; es nähert sich dem Fluchtweg mit großer Vorsicht. Ebenso muß auch unser Flüchtling handeln. Das erwartet man. Sie waren während der vergangenen Woche sehr findig. Nach allen Gesetzen der Logik sollten Sie bereits tot sein, aber Sie haben überlebt. Sie müssen Ihre Schlauheit weiterhin zum Tragen bringen.«

»Ich verstehe.«

Diese letzte Phase wurde von Julian Dunois geschaffen, um zu garantieren, daß das Mädchen übergeben wurde und Matlock in Sicherheit war. Es würde durch einen dritten und letzten Anruf bei Nimrods Kontaktperson bewerkstelligt werden. Ziel des Anrufes war es, den genauen Ort und den exakten Zeitpunkt des Zusammentreffens sicherzustellen.

Sobald ihm beides mitgeteilt wurde, sollte Matlock ohne Zögern akzeptieren.

Zunächst.

Und dann, Augenblicke später – scheinbar ohne einen anderen Grund, als Angst und Argwohn – sollte er Nimrods Wahl ablehnen.

Nicht den Zeitpunkt – den Ort.

Er sollte zögern, stottern, sich so unvernünftig benehmen, wie ihm das nur möglich war. Dann sollte er plötzlich einen zweiten Ort *seiner* Wahl hervorstoßen. So, als wäre er ihm plötzlich in den Sinn gekommen, ohne daß er vorher darüber nachgedacht hatte. Anschließend sollte er noch einmal das nicht existierende Schriftstück erwähnen, das ein geheimnisvoller Freund um zehn Uhr früh nach Washington schicken würde. Danach sollte er den Hörer auflegen, ohne weiter zuzuhören.

»Der wichtigste Faktor in der dritten Phase ist Ihre erkennbare Panik. Nimrod muß sehen, daß Ihre Reaktionen jetzt völlig primitiv sind. Der Höhepunkt rückt nahe. Sie schlagen zu, zucken zurück, bauen Barrikaden auf, um seinem Netz auszuweichen, sollte es ein solches Netz geben. In Ihrer Hysterie sind Sie für ihn ebenso gefährlich, wie eine verwundete Kobra für den Tiger tödlich ist. Denn jetzt gibt es kein rationales Handeln mehr, jetzt geht es nur noch ums Überleben. Er muß sich selbst mit Ihnen treffen, muß das Mädchen mitbringen. Er wird natürlich mit seiner Palastwache eintreffen. Seine Absichten werden sich nicht ändern. Er wird das Tagebuch an sich nehmen, vielleicht komplizierte Pläne über Ihren Schutz besprechen, und wenn er dann erfährt, daß es keine schriftliche Aussage gibt, keinen Freund, der sie abschicken soll wird er versuchen, Sie beide zu töten … Aber keine seiner Absichten wird durchgeführt werden. Denn wir werden auf ihn warten.«

»Wie? Wie werden Sie auf ihn warten?«

»Mit meiner eigenen Palastwache … Wir werden jetzt – Sie und ich – über jenen zweiten Treffpunkt, den Sie in Ihrer Hysterie verlangen, eine Entscheidung treffen. Er sollte in einer Gegend liegen, die Sie gut kennen, vielleicht häufig aufsuchen. Nicht sehr weit entfernt, weil davon ausgegangen wird, daß Sie keinen Wagen haben. Abgeschlossen, weil das Gesetz Sie jagt. Und doch unzugänglich, denn Sie müssen sich schnell bewegen, höchstwahrscheinlich auf Nebenstraßen.«

»Damit beschreiben Sie Herrons Nest. Herrons Haus.«

»Mag sein, aber das können wir nicht benutzen. Das kommt aus psychologischen Gründen nicht in Frage. Das wäre ein Bruch im Verhaltensmuster unseres Flüchtlings. Herrons Nest ist die Wurzel seiner Angst. Er würde nicht dorthin zurückgehen … Irgendwo anders.«

Williams wollte etwas sagen. Er war immer noch unsicher, hatte noch Angst davor, in Dunois Welt einzutreten. »Ich denke, vielleicht …«

»Was, Bruder Williams? Was denkst du?«

»Professor Matlock speist oft in einem Restaurant, das The Cheshire Cat heißt.«

Matlocks Kopf fuhr zu dem schwarzen Radikalen herum. »Sie auch? Sie haben mich verfolgen lassen?«

»Ziemlich oft. Wir betreten solche Lokale nicht. Wir würden dort auffallen.«

»Weiter, Bruder«, schaltete sich Dunois ein.

»Das Cheshire Cat liegt etwa vier Meilen außerhalb von Carlyle. Es liegt etwas abseits vom Highway, auf dem man normalerweise dorthin fährt, etwa eine halbe Meile, aber man kommt auch über einige Nebenstraßen hin. Dahinter und neben dem Restaurant sind Terrassen und Gärten, in denen im Sommer Tische aufgestellt werden. Dahinter ist Wald.«

»Ist jemand im Gelände?«

»Ein einzelner Nachtwächter, glaube ich. Es öffnet erst um eins. Ich kann mir nicht vorstellen, daß vor halb zehn oder zehn Reinigungstrupps oder Küchenhelfer hinkommen.«

»Ausgezeichnet.« Dunois sah auf seine Armbanduhr. »Es ist jetzt zehn Minuten nach fünf. Sagen wir, wir sehen fünfzehn Minuten zwischen den Phasen eins, zwei und drei vor, und zusätzliche zwanzig Minuten Fahrzeit zwischen den einzelnen Stationen. Das wäre dann etwa Viertel nach sechs. Sagen wir halb sieben, falls irgend etwas Unvorhergesehenes eintrifft. Wir legen den Treffpunkt für sieben fest. Hinter dem Cheshire Cat. Nimm das Notizbuch, Bruder. Ich sage den Männern Bescheid.«

Williams stand auf und ging zur Tür. Dort drehte er sich um und meinte zu Dunois gewandt: »Du willst es dir nicht anders überlegen? Ich darf nicht mitkommen?«

Dunois machte sich nicht einmal die Mühe aufzublicken. Er erwiderte nur kurz: »Laß mich in Ruhe. Ich habe viel nachzudenken.«

Williams ging schnell aus dem Zimmer.

Matlock beobachtete Dunois. Er kritzelte immer noch seine sinnlosen Figuren auf den Block, nur daß er jetzt kräftig auf den Bleistift drückte und tiefe Furchen in das Papier riß.

Matlock sah das Diagramm, das dabei entstand. Eine Serie ausgezackter Linien, die alle auf dasselbe Ziel zustrebten.

Blitze.

»Hören Sie«, sagte er. »Es ist noch nicht zu spät. Rufen Sie die Behörden. Bitte, um Himmels willen, Sie können doch das Leben dieser jungen Leute nicht aufs Spiel setzen.«

Dunois' Augen, die von Gaze umgeben waren, bohrten sich hinter seinen Brillengläsern in Matlock. Seine Stimme klang verächtlich. »Glauben Sie auch nur einen Augenblick lang, ich würde zulassen, daß diese Kinder sich in ein Gewässer begeben, von dem nicht einmal *ich* weiß, daß ich überleben kann? Wir sind nicht Ihre Vereinigten Stabschefs, Matlock. Wir haben größeren Respekt und größere Liebe für unsere jungen Leute.«

Matlock erinnerte sich an Adam Williams' Protest. »Das hat Williams also gemeint? Daß er mitkommen möchte.«

»Kommen Sie.«

Dunois führte Matlock aus dem kleinen fensterlosen Raum zu einer Treppe. Ein paar Studenten waren zu sehen. Der Rest von Lumumba Hall schlief. Sie gingen zwei Treppen hinunter zu einer Tür, von der Matlock sich erinnerte, daß sie in den Keller führte, in den alten Refektoriumsraum mit der hohen Decke, in dem er den afrikanischen Stammesritus miterlebt hatte. Sie gingen die Treppe hinunter und begaben sich, wie Matlock vermutet hatte, nach hinten zu der dicken Eichentür. Dunois hatte kein Wort mehr gesagt, seit er Matlock aufgefordert hatte, ihm zu folgen.

In dem Saal waren acht Neger, jeder über sechs Fuß groß. Sie waren alle gleich gekleidet: dunkle, enganliegende Khaki-Kombination mit offenen Hemden und schwarze, weiche Lederstiefel, die bis zu den Knöcheln reichten und dicke Gummisohlen hatten. Einige saßen da und spielten Karten, andere lasen, wieder andere unterhielten sich leise. Matlock stellte fest, daß einige von ihnen die Hemdsärmel hochgekrempelt hatten. Die Arme, die er sah, waren muskulös und straff. Die Adern lagen dicht unter der Haut. Alle nickten Dunois und seinem Gast formlos zu. Zwei oder drei lächelten Matlock zu, wie um ihn zu beruhigen. Dunois sagte mit leiser Stimme:

»Die Palastwache.«

»Mein Gott!«

»Das Elite-Korps. Jeder Mann wird drei Jahre lang ausgebildet. Es gibt keine Waffe, die er nicht abfeuern oder zerle-
gen und wieder zusammenbauen kann, kein Fahrzeug, das
er nicht reparieren kann ... Und keine Philosophie, über die
er nicht diskutieren könnte. Jeder ist mit den brutalsten Formen des Kampfes vertraut, sei es nun militärische Auseinandersetzung oder Guerillakrieg. Jeder hat geschworen, wenn
nötig, sein Leben zu geben.«

»Die Terrorbrigade, nicht wahr? Das ist nicht neu, wissen Sie.«

»Nein, nicht bei der Beschreibung. Das ist richtig. Vergessen Sie nicht, ich bin mit solchen Hunden an meinen Absät-
zen aufgewachsen. Duvaliers Ton Ton Macoute waren ein
Rudel Hyänen; ich habe ihre Arbeit erlebt. Diese Männer
sind keine solchen Tiere.«

»Ich dachte nicht an Duvalier.«

»Andererseits gebe ich zu, daß ich in Papa Docs Schuld
stehe. Das Konzept der Ton Tons hat mich interessiert. Nur
daß ich erkannte, daß man ihm eine andere Struktur geben
mußte. Solche Einheiten entstehen jetzt im ganzen Lande.«

»Die sind schon einmal entstanden«, sagte Matlock.

»Damals nannte man sie auch ›Elite‹. Man nannte sie
auch ›Einheiten‹ – ›SS-Einheiten‹.«

Dunois sah Matlock an und Matlock spürte den Schmerz
in seinen Augen. »Solche Parallelen zu ziehen tut weh. Es ist
auch nicht gerechtfertigt. Wir tun, was wir tun müssen.«

»*Ein Volk, ein Reich, ein Führer*«, sagte Matlock mit leiser
Stimme.

34

Alles ging ganz schnell. Zwei aus Dunois' Elitegarde wurden ihm zugeteilt, die übrigen begaben sich zu dem Ren-
dezvous mit Nimrod, bereiteten sich darauf vor, einer ande-

ren Elitegarde gegenüberzutreten – den wenigen Auserwählten aus Nimrods Privatarmee, die ihn ohne Zweifel begleiten würden. Matlock wurde von den zwei hünenhaften Negern über den Campus begleitet, nachdem Späher berichtet hatten, daß die Luft rein sei. Er wurde zu einer Telefonzelle im Keller eines Schlafsaals gebracht und tätigte dort seinen ersten Anruf.

Er stellte fest, daß seine Furcht, seine tiefgreifende Furcht, die Eindrücke verstärkte, die Dunois vermitteln wollte. Es war nicht schwer für ihn, seine panikerfüllten Gefühle zur Schau zu stellen und um Asyl zu bitten, weil er wahrhaft von Panik erfüllt war. Während er hysterisch in die Sprechmuschel redete, war er nicht sicher, was Wirklichkeit und was Fantasie war. Er wollte frei sein. Er wollte, daß Pat lebte und mit ihm frei war. Wenn Nimrod all das zuwege bringen konnte, warum dann nicht in guter Absicht mit Nimrod verhandeln?

Für ihn war es ein Alptraum. Einen Augenblick lang hatte er Angst, er könnte die Wahrheit hinausschreien und sich der Gnade Nimrods ausliefern.

Aber der Anblick von Dunois' eigenen Ton Ton Macoute verlieh ihm Halt, und er beendete den ersten Telefonanruf, ohne zu zerbrechen. Der Polizei-›Chef‹ von Carlyle würde die Information übermitteln, eine Antwort entgegennehmen und Matlocks nächsten Anruf abwarten.

Die Neger erfuhren von ihren Spähern, daß die zweite öffentliche Telefonzelle nicht klar war. Sie stand an einer Straßenecke. Man hatte in der unmittelbaren Umgebung einen Streifenwagen entdeckt. Dunois wußte, daß man selbst öffentliche Telefonzellen anpeilen konnte, auch wenn es länger dauerte, und so hatte er für jeden der Anrufe auch Alternativ-Telefone vorgesehen. Der letzte Anruf sollte am Highway stattfinden. Matlock wurde in aller Eile zur nächsten Zelle gebracht. Sie stand am Hintereingang der Studentenunion.

Der zweite Anruf lief glatter, obwohl nicht klar war, ob dies ein Vorteil war. Matlock sprach voll Nachdruck von dem erfundenen Schriftstück, das um zehn Uhr morgens abgesandt werden sollte. Seine Stärke zeigte Wirkung, und er war dafür dankbar. Diesmal empfand der Polizei-›Chef‹ Angst und gab sich keine Mühe, sie zu verbergen. Begann Nimrods Privatarmee ihre Zweifel zu haben? Die Truppen stellten sich vielleicht vor, wie feindliche Kugeln sie zerfetzten. Deshalb mußten die Generale vorsichtiger sein, der Gefahr bewußt.

Man drängte ihn zu dem wartenden Wagen. Es war ein alter Buick, zerbeult, angerostet, unauffällig. Doch das Innere strafte die Fassade Lügen. Es war so präzise gearbeitet wie ein Tank. Unter dem Armaturenbrett war ein Hochleistungsradio montiert, die Fenster waren mindestens einen halben Zoll dick und, wie Matlock erkannte, aus kugelsicherem Glas gefertigt. An den Seiten waren kurzläufig Karabiner befestigt und ringsum im Wagen waren mit Gummilappen bedeckte Löcher zu erkennen, in die man diese Läufe schieben konnte. Das Motorengeräusch beeindruckte Matlock sofort. Er hatte noch nie einen so kraftvollen Motor gehört.

Sie rollten in mäßiger Geschwindigkeit hinter einem Wagen her, der ihnen offensichtlich den Weg wies; Matlock erkannte, daß ein weiterer Wagen ihre Nachhut bildete. Dunois hatte es ernst gemeint, als er sagte, sie sollten sich von allen Seiten Schutz sichern. Dunois war tatsächlich ein Profi.

Als freilich James Matlock darüber nachdachte, worin er Profi war, wurde er unruhig. Er mußte wieder an den Satz, *ein Volk, ein Reich, ein Führer* denken.

Worin lag da der Unterschied zu Nimrod und all dem, was er vertrat?

Die Worte hallten in ihm wider:

›...*Ich verlasse dieses gottverdammte Land, Mister* ...‹.

War es so weit gekommen?

Und: ›...*Sie glauben, das sei alles etwas anderes? ... Das ist ein Amerika im kleinen! ... Das ist Firmenpolitik, Mann!*‹

Das Land war krank. Was konnte es heilen?

»Hier sind wir. Phase drei.« Der schwarze Revolutionär, der das Kommando führte, tippte ihn leicht auf den Arm und lächelte dabei aufmunternd. Matlock stieg aus dem Wagen. Sie befanden sich jetzt auf dem Highway, südlich von

Carlyle. Der Wagen vor Ihnen hatte etwa hundert Meter weiter vorne angehalten und parkte mit abgeschalteten Scheinwerfern neben der Straße. Der Wagen hinter ihnen tat es ihm gleich.

Vor ihm standen zwei Telefonzellen auf einem Sockel aus Beton. Der zweite Neger ging zu der rechten Zelle und drückte die Türe auf – worauf die Innenbeleuchtung aufflammte – und schob schnell die Glasscheibe unter dem Beleuchtungskörper zur Seite, so daß die Birne freigelegt wurde. Die schraubte er schnell heraus, so daß es in der Zelle wieder finster wurde. Matlock fiel auf – es beeindruckte ihn wirklich –, daß der hünenhafte Neger auf diese Weise Dunkelheit geschaffen hatte. Es wäre einfacher und schneller gewesen, das Glas einfach zu zerschlagen.

Das Ziel des dritten und letzten Anrufes war es, so wie Dunois ihn instruiert hatte, Nimrods Treffpunkt abzulehnen. Ihn auf eine Art und Weise abzulehnen, daß Nimrod keine andere Wahl hatte, als den von Matlock vorgeschlagenen anderen Ort zu akzeptieren: das Cheshire Cat.

Die Stimme des Polizeibeamten am anderen Ende der Leitung klang vorsichtig und präzise.

»Unser gemeinsamer Freund versteht Ihre Besorgnis, Matlock. Er würde ebenso empfinden wie Sie. Er wird mit dem Mädchen zum Südeingang des Sportplatzes kommen, links von der hinteren Tribüne. Ein kleines Stadion unweit der Sporthalle und der Schlafsäle. Es sind Nachtwächter auf dem Gelände; Ihnen kann nichts passieren ...«

»All right. All right, schon gut.« Matlock gab sich große Mühe, auf leise Art verstört zu klingen und damit die Basis für seine Weigerung vorzubereiten. »Es sind Leute dort; wenn jemand von Ihnen etwas versuchte, werde ich schreien. Das werde ich auch!«

»Natürlich. Aber Sie brauchen das nicht. Niemand will, daß jemand verletzt wird. Es ist eine ganz einfache Transaktion; das hat unser Freund mir auch aufgetragen, Ihnen zu sagen. Er bewundert Sie.«

»Aber wie kann ich sicher sein, daß er Pat bringt? Ich muß sicher sein!«

»Die *Transaktion*, Matlock.«

Die Stimme klang ölig, eine Spur von Verzweiflung war zu hören. Dunois' ›Kobra‹ war unvorhersehbar. »Darum geht doch das Ganze. Unser Freund will das haben, was Sie gefunden haben, erinnern Sie sich?«

»Ich erinnere mich …« Matlocks Gedanken überschlugen sich. Er begriff, daß er seine Hysterie bewahren mußte, seine Unvorhersehbarkeit. Aber er mußte den Ort vertauschen. Ihn wechseln, ohne sich verdächtig zu machen. Wenn Nimrod argwöhnisch wurde, hatte Dunois Pat zum Tode verurteilt. »Und Sie sagen unserem Freund, daß er nicht vergessen soll, daß es eine Aussage gibt, in einem Umschlag an Leute in Washington adressiert!«

»Um Himmels willen, das weiß er, ich meine … er ist besorgt, verstehen Sie, was ich meine? Also, wir treffen uns an dem Sportplatz, ja? In einer Stunde, okay?«

Das war der Augenblick. Vielleicht gab es keinen mehr.

»Nein! Warten Sie … Ich gehe nicht auf den Campus! Die Leute aus Washington, sie beobachten das ganze Terrain. Sie sind überall. Die werden mich wegschaffen!«

»Nein, das werden sie nicht …«

»Woher zum Teufel wissen Sie das denn?«

»Da ist niemand. Glauben Sie mir, es ist alles okay. Beruhigen Sie sich doch bitte.«

»Für Sie ist das leicht, nicht für mich. Nein, ich will Ihnen sagen, wo …«

Er redete schnell, zusammenhanglos, so als dächte er verzweifelt nach, während er redete. Zuerst erwähnte er Herrons Haus, aber ehe die Stimme zustimmen oder ablehnen konnte, verwarf er es selbst wieder. Dann kam er auf den Ladehof, fand aber sofort unvernünftige Gründe, nicht dorthin zu gehen.

»Jetzt seien Sie doch nicht so aufgeregt«, sagte die Stimme. »Es ist eine ganz einfache Transaktion …«

»Dieses Restaurant! Außerhalb der Stadt. Das Cheshire Cat! Hinter dem Restaurant ist ein Garten …«

Die Stimme war konfus, versuchte mit ihm Schritt zu halten. Matlock wußte, daß seine Taktik Erfolg hatte. Er wies noch einmal auf das Tagebuch und seine belastende schriftliche Aussage hin und warf den Hörer dann auf die Gabel.

Er stand erschöpft in der Zelle. Der Schweiß tropfte ihm vom Gesicht, obwohl die frühe Morgenluft eher kühl war.

»Sehr schön haben Sie das gemacht«, sagte der Neger, der das Kommando führte. »Ihr Gegner hat vermutlich eine Stelle im Collagegelände ausgewählt. Sehr intelligent von ihm. Gut gemacht, Sir.«

Matlock sah den uniformierten Neger an und war für das empfangene Lob irgendwie dankbar und staunte ein wenig über seine eigene Geschicklichkeit. »Ich weiß nicht, ob ich es noch einmal zustande brächte.«

»Natürlich könnten Sie das«, antwortete der Neger und führte Matlock zum Wagen zurück. »Extremer Streß schaltet eine Art Gedächtnisspeicher ein, so etwas Ähnliches wie einen Computer. Man tastet, wägt, lehnt ab und akzeptiert – alles im Bruchteil von Sekunden. Bis die Panik eintritt, natürlich. Man hat hinsichtlich der verschiedenen Schwellenwerte interessante Studien durchgeführt.«

»Wirklich?« sagte Matlock, als sie den Wagen erreichten. Der Neger winkte ihm zu, einzusteigen. Der Wagen rollte an, und dann jagten sie, flankiert von den beiden anderen Fahrzeugen, den Highway hinunter.

»Wir fahren auf Nebenstraßen zu dem Restaurant«, sagte der Mann am Steuer. »Wir nähern uns aus dem Südwesten und setzen Sie etwa hundert Meter von einem schmalen Weg ab, den die Angestellten benutzen, um zum Hintereingang zu kommen. Wir zeigen es Ihnen. Gehen Sie direkt auf den Teil des Gartens zu, wo die Laube steht; dahinter ist ein Goldfischteich, der von Steinplatten umgeben ist. Kennen Sie die Stelle?«

»Ja. Ich wundere mich nur, daß Sie sie kennen.«

Der Fahrer lächelte. »Ich bin kein Hellseher. Während Sie in der Telefonzelle waren, habe ich über Radio mit unseren Leuten gesprochen. Alles ist bereit. Wir sind vorbereitet. Denken Sie daran, die Laube und der Goldfisch ... Hier. Hier ist das Notizbuch und der Umschlag.« Der Fahrer griff in eine Tasche in der Wagentüre und holte das in Öltuch gehüllte

Paket heraus. Der Umschlag war mit einem dicken Gummiband daran befestigt.

»Wir sind in knapp zehn Minuten dort«, sagte der Mann, der das Kommando hatte, und rutschte etwas zur Seite, um bequemer zu sitzen. Matlock sah ihn an. An seinem Bein war eine lederne Scheide angeschnallt – genauer gesagt, an das enganliegende Khakituch genäht. Es war ihm vorher nicht aufgefallen, und er wußte auch warum. Das Messer mit dem Beingriff, das in der Scheide steckte, war erst kürzlich hineingeschoben worden. Die Scheide enthielt eine wenigstens zehn Zoll lange Klinge.

Dunois' Elitekorps war jetzt wirklich vorbereitet.

35

Er stand neben der hohen weißen Laube. Die Sonne war im Osten aufgegangen. Über dem Wald hinter ihm lag noch dichter Nebel, in dem sich das frühe Morgenlicht stumpf spiegelte. Vor ihm bildeten die Bäume mit den jungen Blättern Korridore für die alten Ziegelwege, die alle zu diesem ruhigen, mit Steinplatten belegten Zufluchtsort führten. Es gab eine Anzahl marmorner Bänke, die im Kreise standen und auf denen der Morgentau glitzerte. Aus der Mitte des Hofes war das leise Glucksen des Goldfischteichs zu hören, und am Himmel zwitscherten Vögel, begrüßten die Sonne, begannen ihr Tagewerk.

Matlocks Erinnerung wanderte zu Herrons Nest zurück, zu der drohenden grünen Wand, die den alten Mann von der Welt draußen abschloß. Es gab Ähnlichkeiten, dachte er. Vielleicht geziemte es sich, daß alles an einem solchen Ort enden sollte.

Er zündete sich eine Zigarette an, drückte sie aber nach zwei Zügen wieder aus. Er hielt das Notizbuch vor der Brust umklammert, als wäre es ein undurchdringliches Schild, und jedesmal, wenn er ein Geräusch hörte, fuhr sein Kopf herum.

Wo wohl Dunois' Leute sein mochten? Wo hatte die Elitetruppe ihr Versteck gefunden? Beobachteten sie ihn? Lachten sie lautlos über seine nervösen Bewegungen – seine so offenkundige Angst? Oder waren sie ausgeschwärmt, nach Guerillaart? Kauerten am Boden oder hockten in den Ästen der Bäume, bereit zum Sprung, vorbereitet zum Töten?

Wen würden sie töten? In welcher Zahl und mit welcher Bewachung würden Nimrods Streitkräfte auftreten? Würde Nimrod kommen? Würde Nimrod das Mädchen, das er liebte, sicher zu ihm zurückbringen? Wenn Nimrod das tat, wenn er endlich Pat wiedersah, würden sie beide dann von dem Massaker erfaßt werden, das ohne Zweifel folgen würde?

Wer *war* Nimrod?

Sein Atem stockte. Seine Arm- und Beinmuskeln verkrampften sich, starr vor Angst. Er schloß die Augen, preßte sie zu – um zu lauschen oder zu beten, das wußte er nie, nur, daß in seinem Glauben kein Platz für die Existenz Gottes war. Und so lauschte er mit geschlossenen Augen, bis er sicher war.

Ein Automobil und dann noch eines waren vom Highway abgebogen und in die Nebenstraße gerollt, die zur Einfahrt des Cheshire Cat führte. Beide Fahrzeuge fuhren mit hoher Geschwindigkeit. Ihre Reifen kreischten, als sie in den Parkplatz des Restaurants bogen.

Dann herrschte wieder Stille. Selbst die Vögel waren verstummt; von nirgendwo war ein Laut zu hören.

Matlock trat unter die Laube zurück und drückte sich gegen ihr Lattengerüst. Er strengte sich an, etwas zu hören – irgend etwas. Schweigen. Und doch nicht Schweigen! Da war ein Geräusch, das fast völlig in der Stille unterging, so wie das Rascheln eines Blattes.

Es war ein Scharren, ein zögerndes, stockendes Scharren auf einem der Wege vor ihm, einem der Wege, den die Bäume verbargen, einem der alten Backsteinwege, die zu dem mit Platten belegten Hof führten.

Zuerst war es kaum hörbar. Dann wurde es etwas deutlicher, weniger zögernd, weniger unsicher.

Jetzt hörte er auch das leise, gequälte Stöhnen. Es drang in sein Bewußtsein ein.

»Jamie … Jamie? Bitte, Jamie …«

Dann brach die Stimme ab, ging in ein Schluchzen über. Er verspürte eine Wut, wie er sie im ganzen Leben noch nicht empfunden hatte. Er warf das in Öltuch gehüllte Päckchen zu Boden, die Augen von Tränen und Wut geblendet. Er schoß aus dem Schutz der Laube hervor und schrie, brüllte, so laut, daß seine Stimme die Vögel erschreckte, die kreischend aus den Bäumen aufflogen, ihrem lautlosen Zufluchtsort.

»Pat! Pat! Wo bist du? Pat, mein Gott, wo? *Wo*!«

Das Schluchzen – halb Erleichterung, halb Schmerz – wurde lauter.

»Hier … Hier, Jamie! Ich kann nichts sehen.«

Er orientierte sich und rannte den mittleren Weg hinunter. Auf halbem Wege zu dem Gebäude, am Stamm eines Baumes, zu Boden gesunken, sah er sie. Sie kniete, den bandagierten Kopf am Boden. Sie war gestürzt. Hinten am Hals war sie mit Blut besudelt, die Nähte an ihrem Kopf waren aufgerissen.

Er rannte zu ihr und hob vorsichtig ihren Kopf.

Unter den Bandagen, die Ihre Stirn bedeckten, klebte drei Zoll breites Heftpflaster, brutal gegen die Augenlider gedrückt und straff zu den Schläfen gespannt – ebenso unbeweglich und sicher, wie eine Stahlplatte, die ihr Gesicht bedeckte. Wenn er versuchte das Pflaster zu lösen, so war das eine Tortur aus der tiefsten Hölle.

Er hielt sie an sich gedrückt und wiederholte immer wieder ihren Namen.

»Jetzt wird alles gut … Alles wird gut …«

Er hob sie sachte auf und drückte ihr Gesicht gegen das seine. Immer wieder wiederholte er diese beruhigenden Worte, die ihm inmitten seiner Wut zuflogen.

Plötzlich, ohne Warnung, ohne jegliche Warnung, schrie das geblendete Mädchen auf, spannte den gequälten Körper wie eine Feder.

»Gib es ihnen doch um Gottes willen! Was auch immer es ist, gib es *ihnen*!«

Er stolperte den mit Backsteinen belegten Weg entlang zurück zu dem Kreis aus Steinplatten.

»Das werde ich, ganz bestimmt werde ich das, meine Liebste …«

»Bitte, Jamie! Laß nicht zu, daß sie mich noch einmal berühren! Nie *wieder*!«

»Nein, meine Liebste, nie mehr, nie mehr …«

Er legte das Mädchen vorsichtig auf den Boden, auf die weiche Erde neben den Steinen.

»Nimm mir das Pflaster ab! Bitte, nimm es ab.«

»Das geht jetzt nicht, Liebste. Das würde zu weh tun. In ein paar …«

Es ist mir *gleich*! Ich kann es nicht mehr ertragen!«

Was konnte er tun? Was erwartete man von ihm, daß er tat? O Gott! O Gott, du Schweinehund! *Sag du es mir, sag es mir doch!*

Er blickte zu der Laube hinüber. Ihm war jetzt alles gleichgültig.

»Nimrod! … Nimrod! Kommen Sie zu mir, Nimrod! Bringen Sie doch Ihre verdammte Armee! Kommen Sie und holen Sie es sich, Nimrod! Ich habe es hier!«

In dem Schweigen, das sich nun anschloß, hörte er die Schritte.

Präzise, sichere, betonte Schritte.

Auf dem mittleren Weg tauchte Nimrod auf.

Adrian Sealfont stand am Rande der Steinplatten.

»Es tut mir leid, James.«

Matlock ließ den Kopf des Mädchens zu Boden sinken. Sein Verstand war außerstande zu funktionieren. Der Schock, den er empfand, war so umfassend, daß ihm keine Worte kamen, er war einfach nicht imstande, die schreckliche, unglaubliche Tatsache, die sich ihm darbot, aufzunehmen. Er erhob sich langsam.

»Geben Sie es mir, James. Sie haben unsere Zusage. Wir werden uns um Sie kümmern.«

»Nein … Nein. Nein, ich … *ich glaube Ihnen nicht*! Das ist nicht so. Das kann nicht so … sein …«

»Ich fürchte doch.« Sealfont schnippte mit den Fingern seiner rechten Hand. Das war ein Signal.

»Nein … Nein! Nein! Nein!« Matlock bemerkte, daß er

schrie. Auch das Mädchen schrie. Er wandte sich zu Sealfont. »Die haben gesagt, man hätte Sie weggebracht! Ich
dachte, Sie seien tot! Ich habe mir selbst die Schuld für Ihren
Tod gegeben!«

»Man hat mich nicht weggeschafft, man hat mich eskor-
tiert. Geben Sie mir jetzt das Tagebuch.« Sealfont schnippte
verärgert erneut mit den Fingern. »Und das korsische Papier. Ich hoffe doch, daß Sie beides mitgebracht haben.«

Ein kaum hörbares Geräusch war zu vernehmen, ein halb
ersticktes Hüsteln, ein Aufatmen, ein Ruf, der nicht zu Ende
geführt wurde. Sealfont sah sich schnell um und sprach mit
scharfer Stimme zu seinen unsichtbaren Streitkräften.

»Kommt heraus!«

»Warum?«

»Weil wir *mußten. Ich* mußte. Es gab keine Alternative.«

»Keine Alternative?« Matlock konnte nicht glauben, daß
er richtig gehört hatte. »Keine Alternative *wofür*?«

»Den Zusammenbruch! Wir waren finanziell erschöpft.
Unsere letzten Reserven waren angespannt; es gab niemanden mehr, an den wir uns wenden konnten. Die moralische
Korruption war vollständig: die Bitten um höhere Erziehung
begannen die Nation zu langweilen und ihr keinen Gewinn
mehr zu bringen. Es gab keine andere Lösung, als selbst die
Führung zu ergreifen ... diejenigen in unsere Gewalt zu bekommen, die versuchten, uns zu korrumpieren. Das taten
wir und überlebten!«

In seiner ganzen Bestürzung begann sich das Rätsel für
Matlock zu lösen. Das Räderwerk in der mächtigen Safetür
begann sich zu drehen, und die riesige Tür schob sich auf ...
Carlyles außergewöhnliche finanzielle Ausstattung ... Aber
das ging viel weiter als Carlyle; Sealfont hatte es gerade ausgesprochen. Die *Bitten* waren *langweilig* geworden! Es war
ein feines Gespinst, aber es war da!

Überall!

Man fuhr fort, in allen Universitäten Sammlungen zu
veranstalten, aber die Rufe der Panik waren verstummt; die
Gefahr des finanziellen Zusammenbruchs, die früher in
Dutzenden von Universitäten und Colleges Gegenstand

zahlreicher Veranstaltungen und Kampagnen gewesen waren.

Normalerweise konnte man daraus schließen – wenn man sich die Mühe gab, darüber nachzudenken –, daß die Krise abgewendet war. Daß alles wieder normal war.

Aber so war es nicht. Die Norm war zum Monstrum geworden.

»O mein Gott«, sagte Matlock leise in schrecklicher Bestürzung.

»Der hat uns nicht geholfen, das kann ich Ihnen versichern«, erwiderte Sealfont. »Was wir geleistet haben, ist einzig und allein den Menschen zuzuschreiben. Schauen Sie uns doch an. *Unabhängig!* Unsere Stärke wächst systematisch. Binnen fünf Jahren wird jede größere Universität im Nordosten Teil einer sich selbst erhaltenden Föderation sein!«

»Sie sind krank ... Ein *Krebsgeschwür*!«

»Wir *überleben*! Eigentlich war es nie so schwierig, diese Wahl zu treffen. Niemand würde den Zustand ändern. Am allerwenigsten wir selbst ... Wir trafen einfach vor zehn Jahren die Entscheidung, die wichtigsten Spieler auszuwechseln.«

»Aber ausgerechnet *Sie* ...«

»Ja. Das war eine gute Wahl, nicht wahr?« Sealfont drehte sich wieder zu dem Restaurant um, blickte hinüber zu dem schlafenden Hügel mit den alten Backsteinwegen. Dann schrie er: »Ich hab' euch gesagt, ihr sollt herauskommen! Ihr braucht euch keine Sorgen zu machen. Unserem Freund ist es gleichgültig, wer ihr seid. Er wird uns bald verlassen ... Oder nicht, James?«

»Sie sind *wahnsinnig*. Sie sind ...«

»Keinen Augenblick! Es gibt niemanden, der vernünftiger ist. Oder praktischer ... Die Geschichte wiederholt sich, das sollten gerade Sie wissen. Das Gewebe wird zerrissen, die Gesellschaft teilt sich in sich heftig bekämpfende Lager. Lassen Sie sich nicht von der Ruhe täuschen; Sie brauchen nur an der Oberfläche zu kratzen – dann fließt reichlich Blut.«

»*Sie* bringen es zum Bluten!« schrie Matlock. Jetzt gab es kein Zurück mehr, das Unheil nahm seinen Anfang.

»Im Gegenteil! Sie selbstgerechter, aufgeblasener *Esel*!« Sealfonts Augen starrten ihn in kalter Wut an und seine Stimme klang schneidend. »Wer hat Ihnen denn das Recht gegeben, hier zu urteilen? Wo waren Sie denn, als Männer wie ich – in *jeder Institution* – uns mit der sehr *realen* Aussicht konfrontiert sahen, unsere Türen schließen zu müssen! Sie waren in Sicherheit, wir haben Sie *geschützt* … und niemand hat auf unsere Appelle reagiert. Es war kein Platz für unsere Bedürfnisse …«

»Sie haben es nicht versucht! Nicht intensiv genug …«

»Lügner! *Narr*!« Sealfont brüllte jetzt. Er war ein Besessener, dachte Matlock. Oder ein Gequälter. »Was *blieb* uns denn? Zuwendungen? Fast nichts! Es gibt andere, günstigere *Steuervorteile*! … Stiftungen? Kleingeistige Tyrannen – kleinere Zuweisungen! Die Regierung? *Blind! Widerlich!* Ihre Prioritäten kann man kaufen! Wir hatten keine Mittel; wir konnten keine Stimmen kaufen! Für uns war das System zusammengebrochen! Es war am Ende … Und niemand wußte das besser als ich. Jahrelang … Ich habe gebettelt, gefleht, diesen unwissenden Männern und ihren aufgeblasenen *Ausschüssen* flehend die Hand hingehalten … Es war hoffnungslos; wir waren im Begriff, uns selbst umzubringen. Doch hörte niemand auf uns. Und immer … immer hinter all den Ausreden und Verzögerungen – der verschleierte Hinweis auf unsere allgemeine gottgegebene Gebrechlichkeit. Schließlich … wir waren *Lehrer*. Keine *Macher* …«

Sealfonts Stimme klang plötzlich ganz leise, hart. Und völlig überzeugend, als er schloß: »Nun, junger Mann, *jetzt* sind wir *Macher*. Das System ist verdammt, und das mit Recht. Die Führer lernen nie. Seht auf die Kinder. Sie haben es gesehen. Sie haben begriffen … Wir haben sie zu unseren Gefolgsleuten gemacht. Unser Bündnis ist keim Zufall.«

Matlock konnte nichts anderes tun, als Sealfont anstarren. Sealfont hatte es ausgesprochen: Seht auf die Kinder … Sehet und erblicket. *Sehet und hütet euch.* Die Führer lernen nie … O Gott! War es so? Standen die Dinge wirklich so? Die Nimrods und die Dunois'. Die ›Föderationen‹, die ›Elitegarden‹. Vollzog es sich alles von neuem?

»Also James. Wo ist der Brief, von dem Sie gesprochen haben? Wer hat ihn?«

»Brief? Was?«

»Der Brief, der heute morgen zur Post gebracht werden soll. Wir werden ihn doch jetzt aufhalten, oder?«

»Ich verstehe nicht.« Matlock gab sich Mühe, *verzweifelte Mühe,* wieder Kontakt zu seinen Sinnen herzustellen.

»Wer hat den Brief!«

»Den Brief?« Während Matlock die Worte aussprach, wußte er, daß es die falschen waren, aber er konnte nicht anders. Er konnte nicht innehalten, um nachzudenken, weil er unfähig war zu denken.

»Der Brief! ... Es *gibt* keinen *Brief oder*?! Es gibt ... keine ›belastende Aussage‹, mit der Maschine geschrieben und bereit, um zehn Uhr heute früh abgeschickt zu werden! Sie haben gelogen!«

»Ich habe gelogen ... gelogen.« Seine Reserven waren aufgebraucht. Da war jetzt nichts mehr übrig.

Sealfont lachte leise. Das war nicht das Lachen, das Matlock an ihm kannte. In ihm schwang jetzt eine Grausamkeit mit, die er nie zuvor gehört hatte.

»War das nicht schlau von Ihnen? Aber am Ende sind Sie schwach. Das wußte ich von Anfang an. Sie waren die perfekte Wahl der Regierung, weil sie keine festen Beziehungen haben. Die nannten es Mobilität. Ich wußte, daß es nur gleichgültige Flexibilität war. Sie reden, aber das ist alles, was Sie tun. Das ist bedeutungslos ... Sie sind ein typischer Vertreter, wissen Sie.« Sealfont sprach über die Schulter zu den Wegen. »All right, ihr *alle*! Doktor Matlock wird imstande sein, irgendwelche Namen oder Identitäten preiszugeben. Kommt aus euren Löchern, ihr Hasen!«

»AAAhhh ...«

Der gutturale Schrei war kurz, unterbrach die Stille. Sealfont fuhr herum.

Dann ein weiteres Stöhnen, das unverkennbare Geräusch einer menschlichen Luftröhre, die den letzten Hauch ausstößt.

Und noch eines, diesmal verbunden mit dem Anfang eines Schreis.

»Wer ist das? Wer ist dort oben?« Sealfont rannte zu dem Weg, von dem der letzte Laut gekommen war.

Aber ein schrecklicher Schrei ließ ihn erstarren – ein abgerissener Schrei, der von einem anderen Teil des Hofes kam. Er rannte zurück; Panik begann ihn zu erfassen.

»Wer ist dort oben? Wo seid ihr alle? *Kommt herunter!*«

Das Schweigen kehrte zurück. Sealfont starrte Matlock an.

»Was haben Sie getan? Was haben Sie getan, Sie unwichtiger kleiner Mann? Wen haben Sie mitgebracht? Wer ist *dort oben*? Antworten Sie mir!«

Selbst wenn er dazu imstande gewesen wäre, war es doch nicht nötig, daß Matlock antwortete. Am anderen Ende des Gartens tauchte jetzt Julian Dunois auf und schlenderte heran.

»Guten Morgen, Nimrod.«

Sealfont traten die Augen hervor. »Wer *sind* Sie? Wo sind meine Männer?!«

»Ich heiße Jacques Devereaux, Heysou Daumier, Julian Dunois – Sie können es sich heraussuchen. Sie waren uns nicht gewachsen. Sie hatten zehn Mann, ich acht. Keine Chance. Ihre Männer sind tot. Wie ihre Leichen beseitigt werden, ist nicht Ihre Sache.«

»Wer *sind* Sie?«

»Ihr Feind.«

Sealfont riß mit der linken Hand das Jackett auf und fuhr mit der rechten darunter. Dunois stieß eine Warnung aus. Matlock ertappte sich dabei, wie er auf den Mann zutaumelte, den er ein Jahrzehnt lang verehrt hatte. Wie er sich mit nur einem Gedanken auf ihn warf, einem Ziel, und wenn es das letzte in seinem Leben sein sollte.

Ihn zu töten.

Das Gesicht war jetzt ganz dicht bei dem seinen. Das Lincoln ähnliche Gesicht, jetzt von Furcht und Panik verzerrt. Seine rechte Hand fuhr darauf herunter wie die Klaue eines erschreckten Tieres. Er bohrte sie in das Fleisch und spürte, wie das Blut aus dem verzerrten Mund spritzte.

Er hörte die Explosion und spürte einen scharfen zuckenden Schmerz an seiner linken Schulter. Aber er konnte noch nicht aufhören.

»Weg da, Matlock! Weg da, um Gottes willen!«

Er spürte, wie er weggerissen wurde. Wie mächtige, schwarze, muskulöse Arme ihn wegrissen. Man warf ihn zu Boden, und die mächtigen Arme hielten ihn fest. Die ganze Zeit hörte er die Schreie, die schrecklichen Schmerzensschreie, und seinen Namen, der immer wieder wiederholt wurde.

»Jamie ... Jamie ... Jamie ...«

Er bäumte sich auf, setzte jeden Funken Kraft ein, zu der seine Wut fähig war. Die muskulösen schwarzen Arme wurden überrascht; seine Beine stießen gegen die Rippen über ihm.

Ein paar kurze Sekunden lang war er frei.

Er warf sich nach vorne auf die harte Fläche und trommelte mit Armen und Knien gegen den Stein. Was auch immer ihm zugestoßen war, was auch immer jener stechende Schmerz bedeutete, der sich jetzt durch seine ganze linke Körperhälfte ausbreitete, er mußte zu dem Mädchen, das auf dem Boden lag. Das Mädchen, das für ihn so viel Schreckliches durchgemacht hatte.

»Pat!«

Der Schmerz war mehr, als er ertragen konnte. Wieder stürzte er, aber er hatte ihre Hand erreicht. Sie hielten einander bei der Hand, und jeder versuchte verzweifelt, dem anderen Kraft zu verleihen. Beide wußten, daß sie vielleicht in diesem Augenblick sterben würden.

Dann wurde Matlocks Hand plötzlich schlaff.

Dunkelheit umfing ihn.

Er schlug die Augen auf und sah den hünenhaften Neger vor sich knien. Man hatte ihn in sitzende Stellung aufgerichtet, gestützt auf eine Marmorbank. Man hatte ihm das Hemd ausgezogen; seine linke Schulter tobte.

»Der Schmerz ist sicher viel schlimmer als die Wunde selbst«, sagte der Neger. »Ihre linke obere Körperhälfte ist in dem Wagen ziemlich zugerichtet worden, und die Kugel ist in die Knorpel unter Ihrer linken Schulter eingedrungen. Das muß sehr weh tun.«

»Wir haben Ihnen eine Spritze gegeben. Das sollte helfen.« Das war Julian Dunois, der rechts von ihm stand. »Miß Ballantyne ist zu einem Arzt gebracht worden. Er wird ihr das Pflaster abnehmen. Er ist schwarz und hilfsbereit, aber nicht in dem Maße, daß er einen Mann mit einer Kugelwunde behandeln würde. Wir haben unseren eigenen Arzt in Torrington über Funk verständigt. Er sollte in zwanzig Minuten hier sein.«

»Warum haben Sie nicht auch auf ihn gewartet, um Pat zu helfen?«

»Offen gestanden, weil wir reden müssen. Kurz nur, aber vertraulich. Zum zweiten auch, weil diese Pflaster so schnell wie möglich entfernt werden mußten.«

»Wo ist Sealfont?«

»Er ist verschwunden. Das ist alles, was Sie wissen, und alles, was Sie je erfahren werden. Es ist wichtig, daß Sie das verstehen. Denn sehen Sie, wenn es sein muß, werden wir unsere Drohung gegen Sie und Miß Ballantyne wahrmachen. Das wollen wir nicht ... Sie und ich, wir sind keine Feinde.«

»Sie haben unrecht. Das sind wir.«

»Am Ende vielleicht. Das scheint unvermeidbar. Aber jetzt haben wir einander in einem Augenblick großer Not gegenseitig geholfen. Das erkennen wir an. Wir vertrauen darauf, daß Sie das auch tun.«

»Ja.«

»Vielleicht haben wir sogar voneinander gelernt.«

Matlock sah dem schwarzen Revolutionär in die Augen. »Ich verstehe die Dinge besser. Ich weiß nicht, was Sie von mir gelernt haben könnten.«

Der Revolutionär lachte leise. »Daß ein Individuum durch das, was es tut – seinen Mut, wenn Sie wollen – über das Schandmal der Etiketten hinauswächst.«

»Das verstehe ich nicht.«

»Denken Sie darüber nach. Es wird schon kommen.«

»Was geschieht jetzt? Mit Pat? Mit mir? Man wird mich sofort verhaften, wenn man mich sieht.«

»Das bezweifle ich ernsthaft. Greenberg wird binnen einer Stunde ein Dokument lesen, das meine Organisation vorbereitet hat. Ich, um es genau zu sagen. Ich vermute, daß sein Inhalt Teil einer Akte werden wird, die man in den Archiven begraben wird. Es ist sehr peinlich. Moralisch, juristisch und ganz sicher auch politisch. Man hat zu viele schlimme Fehler gemacht ... Wir werden heute morgen als Ihre Beauftragten tätig werden. Vielleicht wäre es gut, wenn Sie einen Teil Ihres Geldes dazu benutzten, um mit Miß Ballantyne auf eine lange Erholungsreise zu gehen ... Ich glaube, man würde dem sofort zustimmen. Ich bin sogar sicher, daß man das tun würde.«

»Und Sealfont? Was geschieht mit ihm. Werden Sie ihn töten?«

»Verdient Nimrod es, daß er stirbt? Machen Sie sich nicht die Mühe, darauf zu antworten; wir diskutieren nicht über das Thema. Es möge genügen, wenn ich sage, daß er am Leben bleiben wird, bis gewisse Fragen beantwortet sind.«

»Haben Sie eine Vorstellung, was geschehen wird, wenn man feststellt, daß er verschwunden ist?«

»Es wird Explosionen geben, häßliche Gerüchte. Über viele Dinge. Wenn Götzenbilder zerschlagen werden, geraten die Gläubigen in Panik. So sei es denn. Carlyle wird damit leben müssen ... Ruhen Sie sich jetzt aus. Der Arzt wird bald hier sein.« Dunois wandte seine Aufmerksamkeit einem uniformierten Neger zu, der neben ihn getreten war und leise etwas sagte. Der kniende Neger, der seine Wunde verbunden hatte, stand auf. Matlock beobachtete die hochgewachsene, schlanke Gestalt von Julian Dunois, der leise und selbstbewußt seine Instruktionen erteilte, und fühlte den Schmerz der Dankbarkeit. Daß Dunois plötzlich ein anderes Bild annahm, machte es noch schlimmer.

Es war die Gestalt des Todes.

»Dunois?«

»Ja?«

»Seien Sie vorsichtig.«

EPILOG

Die blaugrünen Wellen der Karibik spiegelten die heiße Nachmittagssonne in zahllosen anschwellenden, blendenden Reflexen. Der Sand fühlte sich warm und weich unter den Füßen an. Dieses isolierte Inselstück befand sich im Frieden mit sich und der Welt, die es nicht kannte.

Matlock ging ans Wasser hinunter und ließ sich die Knöchel von den Wellen umspülen. Ebenso wie der Sand am Strand war auch das Wasser warm.

Er hatte eine Zeitung bei sich, die Greenberg ihm geschickt hatte. Ein Stück von einer Zeitung, genauer gesagt.

MASSAKER IN CARLYLE, CONN.

23 Menschen getötet, Neger und Weiße, die Stadt erschüttert, Universitätspräsident verschwunden.

CARLYLE, 10. Mai – Am Rande dieser kleinen Universitätsstadt fand gestern in einem Villenviertel ein bizarrer Massenmord statt. Dreiundzwanzig Männer wurden getötet; die Bundesbehörden nehmen an, daß es sich bei dem Massaker um einen Kampf ...

Dann folgte eine kurze Liste von Identitäten und Stellen aus Polizeiakten.

Julian Dunois befand sich darunter.

Das Schemen des Todes war nicht falsch gewesen; Dunois war nicht entkommen. Die Gewalt, die er ausgelöst hatte, mußte auch die Gewalt sein, die sein Leben nahm.

Der Rest des Artikels enthielt komplizierte Spekulationen über die Bedeutung und die Motive der seltsam zusammengewürfelten Opfer des Massakers. Dann ließ der unbekannte Journalist sich über die möglichen Bezüge zum Verschwinden von Adrian Sealfont aus.

Nur Spekulationen. Kein Hinweis auf Nimrod, keiner auf ihn selbst; kein Wort von umfangreichen Recherchen der Bundesbehörden. Nicht die Wahrheit; nichts, was mit der Wahrheit zu tun hatte.

Matlock hörte, wie sich die Türe seiner Strandhütte öffnete und drehte sich um. Pat stand auf der kleinen Veranda, fünfzig Meter von ihm entfernt. Sie winkte ihm zu und kam die Stufen herunter.

Sie trug Shorts und eine leichte Seidenbluse, sie war barfuß und lächelte. Man hatte ihr die Verbände von Beinen und Armen abgenommen. Die Sonne der Karibik hatte ihre Haut bronzebraun getönt. Sie trug ein breites orangerotes Kopfband, das sie so geschickt drapiert hatte, daß es die Wunden über ihrer Stirn verdeckte.

Sie wollte ihn nicht heiraten. Sie hatte gesagt, daß sie nicht aus Mitleid oder aus Schuldgefühl heiraten wollte – ob nun eingebildet oder echt. Aber Matlock wußte, daß sie heiraten würden. Wenn nicht, dann würde keiner von ihnen je heiraten. Dafür hatte Julian Dunois gesorgt.

»Hast du Zigaretten mitgebracht?«

»Nein. Keine Zigaretten«, antwortete sie. »Streichhölzer.«

»Das klingt aber mysteriös.«

»Dieses Wort – mysteriös – habe ich Jason gegenüber verwendet. Erinnerst du dich?«

»Ja. Du warst richtig wütend.«

»Das war ich. Gehen wir zum Anlegesteg.«

»Warum hast du Streichhölzer gebracht?« Er griff nach ihrer Hand und klemmte sich die Zeitung unter den Arm.

»Ein Scheiterhaufen. Archäologen messen Scheiterhaufen große Bedeutung bei.«

»Was?«

»Du trägst diese verdammte Zeitung schon den ganzen Tag herum. Ich will sie verbrennen.« Sie lächelte ihn an.

»Wenn du sie verbrennst, ändert das nichts an ihrem Inhalt.«

Pat ging darauf nicht ein. »Warum glaubst du wohl, daß Jason sie dir geschickt hat? Ich dachte, wir wollten ein paar Wochen untertauchen. Keine Zeitungen, kein Radio, kein

Kontakt mit irgend etwas außer warmem Wasser und weißem Sand. Er hat die Regeln aufgestellt und sie gebrochen.«

»Er hat die Regeln *empfohlen* und gewußt, daß es schwierig sein würde, nach ihnen zu leben.«

»Dann hätte er sie von jemand anderem brechen lassen sollen. Er ist kein so guter Freund, wie ich dachte.«

»Vielleicht sogar ein noch besserer.«

»Das ist sophistisch.« Sie drückte seine Hand. Eine einzelne Welle, die sich zu weit vorgewagt hatte, spülte um ihre Füße. Eine lautlose Möwe schoß aus dem Himmel herunter ins Wasser, schlug die Schwingen, und ihr Hals zitterte. Dann stieg der Vogel kreischend wieder auf, ohne eine Beute im Schnabel zu haben.

»Greenberg weiß, daß ich eine sehr unangenehme Entscheidung treffen muß.«

»Die hast du getroffen. Das weiß er auch.«

Matlock sah sie an. Natürlich wußte das Greenberg; sie wußte es auch, dachte er. »Es wird noch sehr viel Schmerz geben; vielleicht mehr, als gerechtfertigt ist.«

»Das werden sie dir sagen. Sie sagen dir, du sollst es sie auf ihre Art tun lassen. Lautlos und effizient, ohne irgend jemand auf die Zehen zu treten. Für alle.«

»Vielleicht ist es so am besten; vielleicht haben sie recht.«

»Du glaubst das keine Sekunde lang.«

»Nein, das glaube ich nicht.«

Sie gingen eine Weile schweigend dahin. Der Hafendamm lag jetzt vor ihnen, mit Felsen, die vor Jahrzehnten, vielleicht vor Jahrhunderten aufgehäuft waren, um eine Strömung zu bändigen, die schon lange vergessen war. Jetzt wirkte die Mole wie von der Natur geschaffen.

So wie Nimrod ein Naturphänomen geworden war, eine logische Ausdehnung des Erwarteten; unerwünscht, aber nichtsdestoweniger erwartet. Etwas gegen das man einen unsichtbaren Kampf führte.

Mini-Amerika … unter der Oberfläche.

Firmenpolitik, Mann.

Überall.

Der Jäger, die Erbauer. Die Mörder und ihr Opfer schlossen ein Bündnis.

Sehen Sie die Kinder. Die begreifen ... Wir haben sie in unseren Dienst genommen.

Die Führer lernen nie.

Ein Mikrokosmos des Unvermeidbaren? Unabwendbar, weil die Bedürfnisse echt waren? Seit Jahren echt gewesen waren?

Und doch würden die Führer nichts lernen.

»Jason hat einmal gesagt, daß die Wahrheit weder gut noch böse ist. Nur Wahrheit. Deshalb hat er mir das hier geschickt.« Matlock setzte sich auf einen großen flachen Felsbrocken; Pat stand neben ihm. Die Flut kam jetzt herein, und die Gischthauben der kleinen Wellen spritzten nach oben. Pat nahm ihm die Zeitung weg.

»Dies ist also die Wahrheit.« Eine Feststellung.

»Ihre Wahrheit. Ihr Urteil. Man braucht nur offenkundige Etiketten aufzukleben und das Spiel fortzusetzen. Die Braven und die Bösen. Der Sheriff und sein Aufgebot werden den Paß noch rechtzeitig erreichen. Genau rechtzeitig. Diesmal.«

»Und was ist deine Wahrheit?«

»Ich werde zurückkehren und die Geschichte erzählen. Ganz.«

»Sie werden anderer Ansicht sein. Sie werden dir Gründe nennen, warum du das nicht tun solltest. Hunderte von Gründen.«

»Sie werden mich nicht überzeugen.«

»Dann werden sie gegen dich sein. Sie haben gedroht, sie werden keine Einmischung dulden. Das will Jason dir mitteilen.«

»Er will, daß ich darüber nachdenke.«

Pat hielt die Zeitung vor sich und riß jetzt ein hölzernes Streichholz an der trockenen Fläche eines Felsbrockens an.

Das Papier brannte zögernd, an einigen Stellen hatte die Gischt es durchnäßt. Aber es brannte.

»Ein sehr eindrucksvolles Grabfeuer ist das nicht«, sagte Matlock.

»Es wird reichen, bis wir zurückkehren.«

HEYNE BÜCHER

Robert Harris

*»Packend wie
John le Carré.
Exzellent geschrieben.«*
THE TIMES

*»Eine perfekte Symbiose
aus Historie und Fiktion.«*
DIE WELT

Vaterland
01/8902

Enigma
01/10001

01/8902

01/10001

Heyne-Taschenbücher

HEYNE
BÜCHER

John Grisham

*»Grisham schreibt
derart spannend, daß
man beim Lesen
Urlaub vom Urlaub
nimmt und im
Strandkorb das Baden
glatt vergißt.«*

WELT AM SONNTAG

»Hochspannung pur.«
FOCUS

01/9900

Heyne - Taschenbücher

HEYNE
BÜCHER

David Morrell

*Einer der meist-
gelesenen
amerikanischen
Thriller-Autoren.*

*»Aufregend, provo-
zierend, spannend.«
Stephen King*

01/9569

Schwur des Feuers
01/9569

**Der Mann mit den hundert
Namen**
01/10112

Heyne-Taschenbücher

HEYNE
BÜCHER

Der Irrtum
01/8824

Der Beweis
01/9068

Philip
Friedman

Seine Gerichtsthriller
gehören zum
Allerbesten, was
Spannungsliteratur
zu bieten hat!

01/9068

Heyne-Taschenbücher

Tom Clancy

*»Tom Clancy hat eine
natürliche erzählerische
Begabung und einen
außergewöhnlichen
Sinn für unwider-
stehliche, fesselnde
Geschichten.«*

THE NEW YORK TIMES

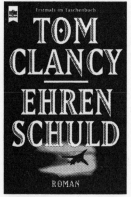

01/10337

H e y n e - T a s c h e n b ü c h e r